Nieuwe buren

Van Saskia Noort verscheen eveneens bij uitgeverij Anthos

Terug naar de kust
Aan de goede kant van 30
De eetclub

Saskia Noort

Nieuwe buren

Anthos|Amsterdam

www.saskianoort.nl
www.literairethrillers.nl

Eerste druk mei 2006
Negende druk oktober 2006

ISBN 90 414 0969 6 / 978 90 414 0969 0
© 2006 Saskia Noort
Omslagontwerp Roald Triebels, Amsterdam
Omslagillustratie Judith Dekker
Foto auteur Mark Kohn

Verspreiding voor België:
Veen Bosch & Keuning uitgevers n.v., Wommelgem

Opgedragen aan mijn oma Bep
die helaas is overleden vlak voordat dit boek verscheen

In a complete sane world, madness is the only freedom

   – J.G. Ballard

I just wanna feel real love
fill the home that I live in
I got too much life, running
thru my veins, going to waste

   – 'Feel', Robbie Williams en Guy Chambers

Hij werkte al ruim twee jaar op het park De Kempervennen en het kwam wel vaker voor dat de gasten hun broodjes 's morgens gewoon aan de deur lieten hangen. Doorgaans duidde dit erop dat zij het huisje voortijdig hadden verlaten en dat de receptie was vergeten dit aan hem door te geven. Dus toen hij de broodjeszak nog aan de klink van vipcottage Eekhoorn 1553 zag bungelen, begon hij onmiddellijk in zichzelf te mopperen op de meiden achter de balie, die zich klaarblijkelijk liever bezighielden met roddelen en nagels lakken dan met de organisatie. Hij stapte uit zijn groene Kempervennenbus, smeet de deur chagrijnig achter zich dicht en liep naar de grijze, betonnen bungalow, om de broodjes en de krant van gisteren weg te halen. Hij griste de witte plastic zak van de deurklink terwijl hij met zijn rechterhand zijn mobilofoon van zijn riem nam, en gluurde door het zijraam naar binnen. Hij zag jassen aan de kapstok hangen. Het leek erop dat de gasten er nog waren. Hij keek op zijn horloge. Zeven uur. Hij pakte de krant uit de zak. Het was de krant van de vorige dag. Hij stapte opzij en drukte zijn neus nogmaals tegen het zijraam. Jassen. Openhaardhout. Een paar dames-schoenen onder de kapstok. Hij haalde zijn schouders op, besloot zich er verder niet mee te bemoeien en liep terug naar zijn busje, waar hij de oude zak op de passagiersstoel wierp en een verse broodzak meepakte. Hij haastte zich, struikelde bijna over zijn eigen voeten, hield de zak voor zich uit alsof die vol braaksel zat. Hij wilde hier zo snel mogelijk weg.

En toen zag hij het kruipende kind. Een jongetje of meisje, dat was moeilijk te zien, staarde hem apathisch aan, driftig kauwend op een grote gele speen. Het gezichtje zat vol donkere vegen, blonde krullen plakten aan de vieze wangen en het vaalgroene pyjamaatje was door-weekt en gevlekt. Een luier hing halverwege de beentjes. Met vieze handjes omklemde het kind een versleten, beduimelde knuffel met lan-ge oren.

 Dit was niet goed. Dit was echt fucking niet goed. Hij overwoog zich om te draaien, in zijn bus te springen en het beeld uit zijn gedachten te bannen. Hij had zijn werk gedaan. De broodjes hingen op hun plaats. De oude zak zou hij in de vuilcontainer gooien. Hij had niets gezien, niets gehoord. Maar het magere kind reikte met zijn handjes naar de deurknop. Zijn vingertjes haalden het niet. Het gezichtje vertrok, het leek erop dat het kind zou gaan huilen. Het wees met zijn armpje naar de kamer waarna zijn ogen wegdraaiden en het met een zacht plofje op de vloer viel.

 Hij pakte de klink. De deur bleek niet op slot.

Het enige lijk dat hij ooit had gezien, was dat van zijn oma. Ze lag op-gebaard in een lichte, houten kist. Ze was keurig gekapt en opgemaakt en droeg een degelijk grijsgroen mantelpak en de parels die ze ooit van opa had gekregen. Haar kleine, verschrompelde hoofd had hem het meest geschokt. Ze was altijd een grote vrouw geweest, lief en mollig, met een vriendelijke, alles begrijpende glimlach. Maar in de kist lag een strenge heks, die haar ogen en mond misprijzend gesloten hield. Zijn ouders, zijn ooms en tantes, oma's buren, broers en zussen zeiden allemaal dat ze er zo vredig bijlag. Alsof ze lag te slapen. Ze logen. Ze

zeiden maar wat. Oma lag er allesbehalve vredig bij. Verbitterd, te-
leurgesteld, bestolen, mokkend ja, maar niet vredig. Hij had zich er
boos over gemaakt en zich voorgenomen nooit meer naar een wake te
gaan. Hoewel hij dus weinig ervaring had met de dood, wist hij meteen
dat er iemand dood was in vipcottage Eekhoorn 1553. Hij rook het.

'Heb ik dit? Heb ik dit? Heb ik dit?' mompelde hij als een soort mantra
voor zich uit. Hij wist niet wat hij moest doen. Hij knielde bij het kind
om te luisteren of het hartje nog klopte en hoorde dat het kind heel op-
pervlakkig ademde. Hij klopte met zijn vingers zacht tegen zijn schrale
wangetjes, maar het kind reageerde niet. Uit zijn mondje kwam een
scherpe, chemische lucht. Hij trok de mobilofoon van zijn riem, zette
hem aan en riep tegen de receptioniste dat ze de politie moest bellen, en
een ambulance, zo snel mogelijk, het was een kwestie van leven of dood,
en ging bij het kind zitten. Aaide zijn handjes. Voelde aan zijn voorhoofd, dat koud was, trok het kind naar zich toe en vouwde onhandig
zijn armen om hem heen. Hij bleef daar zitten, met het kind op zijn
schoot, bij de openstaande voordeur, en zoog de koude buitenlucht
wanhopig zijn neusgaten in, om te voorkomen dat hij zou gaan braken. 'Kom op, kom op…' stamelde hij meer tegen zichzelf dan tegen het
kind in zijn armen, dat hij onhandig heen en weer wiegde. Hij wendde zijn hoofd af van het stille gezichtje, keek langs de openstaande deur
de woonkamer in. Bloed, overal.

Toen de eerste politiewagen in zicht kwam, begon hij te huilen. Hij was
bang dat het kind dood in zijn schoot lag, of in coma, en dat het zijn
schuld was. Hij had op de middelbare school de verplichte cursus EHBO
gedaan, hij herinnerde zich nog wel vaag hoe je iemand moest reani-
meren, maar een kind? Dit smerige kind? Hij had het niet op kunnen
brengen zijn mond op het korstige mondje, omringd door opgedroogd
snot, te zetten.

   Enkele seconden nadat de politiewagen voor de bungalow was gestopt volgde de ambulance. Twee agenten en twee ambulancebroeders
renden naar hem toe, een van hen sloeg een arm om hem heen en noemde hem meneer. De andere controleerde vluchtig het kind. Voelde zijn
pols, zijn blauwgeaderde buikje, trok zijn oogleden omhoog, scheen er-

in met een lampje, fluisterde troostend dat hij nog leefde, dat het ernaar uitzag dat hij ondervoed en uitgedroogd was. Het kind werd uit zijn armen getild en op een brancard gelegd. Iemand trok hem omhoog en begeleidde hem naar buiten. Hij hoorde paniekerig geschreeuw vanuit de bungalow komen.

'Assistentie! Deze leeft nog!'

De verpleger liet hem los. Verontschuldigde zich en rende naar binnen. Tot op de dag van vandaag weet hij niet waarom hij erachteraan liep. Waarom hij het zo nodig moest zien. Waarschijnlijk omdat de dood trekt als een magneet. Hij liep als een zombie door de hal, naar de openstaande deur. Zijn schoenen kleefden aan het tapijt dat zich volgezogen had met bloed. Het gekrijs.

'Haal hem weg!'

Niemand deed het.

'Het zijn er vier! Hier liggen er drie!'

Het eerste lichaam dat hij zag liggen, was dat van een man. Hij leunde in elkaar gedoken tegen het keukenblok achter het barretje. Te zien aan de bloederige vegen op de beige tegelvoer, had de man zich met zijn laatste krachten naar deze plek gesleept. De verpleger hurkte naast hem, mompelde in zijn mobilofoon.

Op de rode bank in de woonkamer van de cottage lagen de in elkaar verstrengelde lichamen van twee vrouwen. De een had bescherming gezocht in de schoot van de ander, die zich over haar had ontfermd als een zwaan over haar jong. De gebroken wijnglazen, de fles wijn, de onaangeroerde koude schotel en de half opgerookte shaggies die op de beige vloerbedekking lagen, wezen erop dat de avond gezellig was begonnen. Totdat iemand de grenen salontafel omver had geschopt. Misschien de man die badend in geronnen bloed als een lappenpop tegen het muurtje naast de open haard lag. Het wapen, dat rechts naast hem lag, werd door de agenten onmiddellijk herkend: een Walther P5 9mm. Een dienstwapen.

Hij hield zich vast aan de deurpost. Schuifelde achteruit, leunend tegen de muur. Het werd licht in zijn hoofd. Hij duwde zijn vuist in zijn maag. Liefst rende hij weg, maar zijn knieën waren te slap.

Iemand begon te schelden.

'Wat doet die man hier nog godverdomme!'

Zijn hand werd gepakt.

'Meneer, komt u met mij mee?'

Zachte stem, vriendelijk. Hij keek in de lieve groene ogen van een agente. Ze sloeg een arm om zijn middel.

Uit de omringende huisjes kwamen nieuwsgierige gasten naar buiten. Overal was lawaai. Hij wankelde en greep met beide handen naar zijn hoofd. De agente zette hem op de achterbank van de politieauto en zei hem dat hij voorover moest buigen, met zijn hoofd tussen zijn knieën. Ze gaf hem een bruine, geplastificeerde zak. Streelde zijn rug. Zijn maag pulseerde en hij kotste tot de tranen over zijn wangen gleden. De dode gezichten zouden hem nooit meer loslaten.

Peter

I

'Peter kan heel slecht tegen veranderingen. Zodra er iets gebeurt wat hij niet heeft zien aankomen, of waar hij zich niet op heeft kunnen voorbereiden, schiet hij in de stress... het is echt verschrikkelijk. Dat betekent dat ik altijd de sterkste moet zijn, dat ik de kar moet trekken. En ik trek het dus even niet meer.'

Eva spreekt met een gemak alsof ze het heeft over een computer die steeds crasht. Maar ze heeft het over mij tegen de vrouw aan de andere kant van de kamer, de psychotherapeute en ervaringsdeskundige Hetty Vos, een muffig mens met vettig, grijs lang haar dat langs haar grauwe gezicht hangt, en die ons moet helpen met 'het verwerkingsproces'.

Ik wil geen hulp, ik wil niet praten en al helemaal niet met zo'n trut in een donker, naar wierook ruikend hol dat ze 'praktijk voor zijnsoriëntatie' durft te noemen. Maar Eva heeft een afspraak gemaakt zonder met mij te overleggen en me daarna voor de keuze gesteld: mee naar Hetty, die haar door vele lotgenoten is aangeraden, of scheiden.

'Peter...'

Hetty richt zich begripvol tot mij, terwijl ze piskleurige thee in bruine mokken schenkt.

'Begrijp je wat Eva zegt?'

Ik wend mijn blik af, staar naar het schilderij dat achter Hetty hangt, een naakte vrouw die haar handen beschermend om haar dikke buik houdt. Ik probeer me te herinneren wat Eva heeft gezegd. Iets over dat ik slecht tegen verandering kan.

Ik zeg dat het misschien wel klopt.

'Peter, zou je iets rechterop willen gaan zitten, en Eva aankijken wanneer je praat?'

Ik verplaats me naar het puntje van de bank en kijk naar Eva, die misprijzend terugkijkt. Ik houd van haar. Ik wil niet scheiden. Hoe simpel en voorspelbaar ons leven samen ook is, en hoe pijnlijk een toekomst zonder kinderen, ik wil bij haar blijven. En daarom zit ik hier, om haar ervan te overtuigen dat ze ons nog een kans moet geven. Alleen, de juiste woorden willen maar niet komen.

Eva haalt geïrriteerd haar hand door haar blonde krullen en snift. Ze is allergisch voor huisstofmijt en kattenharen, en daar wemelt het hier van.

Ik mompel dat ik het wel begrijp.

'Hoe voel jij je, Peter, als je hoort wat Eva over je zegt?'

Ik voel niks. Dat is het rare. Ik weet dat ik mijn vrouw steeds verder van me weg jaag, ik realiseer me dat Hetty me waarschijnlijk een autistische sukkel vindt, dat ik mijn eigen glazen aan het ingooien ben, dat ik moet veranderen, ik weet het allemaal wel, maar ik voel het niet.

Ik zeg dat ik het verschrikkelijk rot vind voor Eva dat ze zich zo alleen voelt staan, en dat ik haar graag wil helpen, maar dat ik niet weet hoe ik dat het beste kan doen.

Hetty glimlacht en schudt haar hoofd. Ze buigt haar magere lichaam naar me toe.

'Peter, Eva en ik willen weten hoe jíj je voelt...'

Met haar vuist trommelt ze op haar borst om haar vraag kracht bij te zetten. Ik wil dat ze ophoudt steeds zo expliciet mijn naam te noemen alsof ik een kleuter ben. Eva begint te zuchten. Ik moet iets zeggen.

'Ik voel me mislukt,' zeg ik.

Eva's kin trilt. Hetty steekt haar handen naar ons uit en Eva klauwt wanhopig naar haar dunne vingers. Ik laat de voor mij bedoelde hand in de lucht zweven.

'Peter,' zegt Hetty vastberaden, 'de volgende keer wil ik jou alleen spreken.'

Eva wil koffiedrinken op een terras. Ik wil eigenlijk naar ons nieuwe huis om de laminaatvloer in de slaapkamers af te maken, zodat we komend weekend kunnen verhuizen, maar ik weet dat dat niet in goede aarde zal vallen. Dus lopen we de Grote Markt op, vinden een plekje en bestellen twee cappuccino's, waarna we een poosje zwijgend naar de winkelende meute staren.

'Ik ben blij dat je het hebt gezegd,' begint Eva. Ze lepelt het schuim van haar koffie. Ik kan niet anders dan haar blik ontwijken, omdat ik niet tegen de pijn en de verwijten kan die erin besloten liggen sinds het verlies van Lieve. 'Soms lijkt het namelijk net of het je niet zoveel kan schelen allemaal, dat ik de enige ben die rouwt. Voor mij was het heel belangrijk wat je zei. Dank je.'

Even kijken we elkaar aan, kijk ik in haar prachtige bleekblauwe ogen en wil ik haar zeggen hoe mooi ze is en hoe sterk, hoezeer ik haar bewonder om haar vechtlust en haar doorzettingsvermogen. In plaats daarvan mompel ik dat het me natuurlijk wel wat kan schelen. Dat ik ook graag vader had willen worden. Tussen ons bestaat er geen ander gespreksonderwerp meer dan onze kinderloosheid en de dood van ons dochtertje, ieder ander onderwerp is taboe en leidt dikwijls tot het ontvlammen van Eva's lont. Dan zal ze me weer verwijten dat ik eromheen draai, dat ik gevoelloos ben en een egoïst.

Dus zwijgen we. We zitten naast elkaar voor ons uit te staren, net als mijn ouders vroeger, uitgeblust en uitgepraat en ik denk: dit is het nu. Dit is ons leven.

The Who. In de meest absurde situaties schieten er flarden van songteksten door mijn hoofd. Een tic die ik heb overgehouden aan de tijd dat ik diskjockey was. Het leidt af, geeft me een gevoel van afstand, alsof ik niet echt ben, maar een acteur in een film waar ik elk moment weer uit kan stappen.

Eva wil weg. Ze zegt gek te worden van al die vrolijke gezinnetjes, zwangere vrouwen en vaders achter buggy's. Haar gezicht, dat ooit vriendelijk en zacht was, staat somber en verkrampt. Ik loop het café in, opgelucht dat ik iets kan doen, en reken af. Daarna lopen we naar de auto, naast elkaar maar niet samen, ineengedoken alsof het snijdend koud is en de regen ons in het gezicht striemt.

Vroeger dacht ik altijd dat ik iets met muziek zou gaan doen. Toen ik op de havo zat en al mijn centen in twee draaitafels, een mengpaneel, vier boxen, een versterker, lichteffecten en een discobol had gestopt.

'Dj Peter, voor al uw feesten en partijen. Draait wat u vraagt!' schreef ik op zilverkleurige kaartjes die ik bij de supermarkt op het prikbord hing. Ik draaide op schoolfeesten, examenfeesten, bruiloften en verjaardagen voor honderd gulden per avond en bekostigde daarmee mijn gitaarlessen. Want gitarist worden in een rockband, dat was mijn echte droom. In tegenstelling tot de rest van mijn leeftijdgenoten, die verschrikkelijke aanstellers als Boy George en die slappe, verwijfde kerels van Duran Duran aanbaden, hield ik van jankende gitaren, van Led Zeppelin, de Stones, Deep Purple, Jimi Hendrix en vooral Pink Floyd. De gitaristen waren voor mij de échte helden van de band. Stoer en ongenaakbaar. Zoals zij daar stonden, hun ogen gesloten, de gitaar nonchalant voor hun geslacht, alsof niets er meer toe deed behalve het huilen van de snaren. Solisten, net als ik, die de rest van de band uitsluitend nodig hadden om het ritme aan te geven. Verder deden ze het liever alleen. Zij heersten, zetten de muziek naar hun hand, zweepten het publiek op en zo wilde ik ook zijn. Ik oefende mijn vingers blauw op mijn kamer, behangen met posters van Led Zeppelin, Jimi, Keith en niet te vergeten Ritchie Blackmore.

Een keer deed ik auditie als gitarist voor de plaatselijk zeer populaire band On the Road, maar ik was toen zo nerveus dat ik, nadat ik mijn hele maaginhoud had uitgekotst, geen toon meer uit mijn gitaar kreeg. Het ontbrak me aan *stage performance*, zeiden ze. Ze raadden me aan iets aan die faalangst te doen. Dat heb ik nooit gedaan.

Vreemd, dat je zo bang kunt zijn om te falen dat je dus faalt. Keer op keer. Waarom zou ik er nu nog zo bang voor zijn? Je zou denken dat ik er inmiddels wel aan gewend ben, aan het gevoel dat mislukking geeft. Ik denk dat ik eerder bang ben om te slagen. Slaagangst. Dat is wat me werkelijk plaagt.

Maar goed, ik draaide dus op feesten en partijen, en daar was ik wonderlijk genoeg wel goed in, met de draaitafel tussen mij en het publiek. Ik draaide wat me werd gevraagd. Wilden ze Bananarama, dan kregen ze Bananarama. Wilden ze André Hazes, dan kregen ze André Hazes. Afgewisseld met 'Whole lotta Rosie' van AC/DC, dat dan weer wel. Maar ze vonden het prachtig. Dan stonden de meiden op de tafels met hun haren te zwaaien en sprongen de jongens à la Angus Young luchtgitaar spelend heen en weer.

Tijdens een schoolfeest van mijn eigen school, waar ik draaide in de gymzaal, kwam Eva voor het eerst naar me toe. Ik kende haar al van gezicht, ze zat een klas lager, in vier havo en ik vond haar heel mooi met die deinende blonde krullen en haar blozende, gezonde gezicht. Maar een meisje als Eva lag niet binnen mijn bereik, dus peinsde ik er niet eens over haar aan te spreken.

Ze schreeuwde in mijn oor dat ik lekker draaide. Haar ronde wangen waren rood van opwinding, haar gebruinde schouder stak uit een roze T-shirt, dat aan haar rug plakte van het zweet. Ze droeg geen beha, zag ik aan de manier waarop haar borsten mee bewogen met de muziek. Eva bleef naast me staan, nippend van haar cola. Ik wist niet wat ik terug moest zeggen dus ik knikte maar wat, grijnsde en haalde mijn schouders op. We wiegden op het gedreun van een discoplaat, ik schokkerig voor mijn gevoel, zij losjes. Ze keek naar me, tuitte stoer haar lippen terwijl ze haar hoofd heen en weer zwaaide. Ze schreeuwde weer iets in mijn richting, en ze lachte een stralende lach. Ze boog naar me toe en legde haar hand op mijn schouder. Ik voelde de warmte die van haar afsloeg en rook haar parfum, een veel te zware geur voor zo'n fris, fel meisje. Opium.

'Heb je ook Billy Idol?' riep ze in mijn oor. Ik vroeg haar welk nummer ze wilde horen.

'"Hot in the City!"' riep ze.

'Komt eraan,' zei ik en ik keek haar na, hoe ze zich weer huppelend richting de dansende menigte bewoog. Haar vriendinnen ontvingen haar joelend en Eva klapte dubbel van het lachen. Ze maakten grappen over mij, dat wist ik. De meisjes van school maakten altijd grappen over mij.

De rest van de avond bleef ze voor mijn draaitafel staan dansen met haar vriendinnen. Zo nu en dan keken ze naar me, fluisterden wat, en dan lagen ze weer dubbel. Het overkwam me wel vaker, dat meisjes in groepjes rond mijn tafel hingen, af en toe een nummer aanvroegen en drankjes voor me haalden. Maar dat waren doorgaans vroegrijpe, dellerige meiden, die rookten en Pisang Ambonjus dronken en met je flirtten om hun opgefokte poldervriendjes te plagen.

Eva was anders. Eva was puur. En Eva danste echt. Andere meiden stonden maar wat om hun tasjes heen te hupsen, maar Eva bewoog soepel als een kat, haar heupen los, haar armen steeds in de lucht. Ik zal nooit meer vergeten wat ze die avond aanhad: witte cowboylaarzen aan haar blote, bruine hockeybenen, een wit spijkerminirokje en het roze T-shirt dat steeds van haar schouder gleed. Grote zilveren ringen in haar oren. Ze was een disco en ze zou nooit, nooit vallen op een rocker als ik.

En toch gebeurde het. Niet op dat feest, maar later pas, veel later, nadat we een soort vriendschap hadden gesloten, of tenminste, zij beschouwde mij als een vriend, ik beschouwde haar als mijn geheime, onbereikbare liefde. We spraken elkaar steeds vaker op school, fietsten zo nu en dan samen naar huis en als ik ergens moest draaien, kwam zij soms kijken. We gingen nooit samen uit, of naar de film, of naar het zwembad, zoals echte vrienden met elkaar deden, maar we kwamen elkaar wel overal tegen. Op een gegeven moment ging ze me drie zoenen geven wanneer ze me zag, zoals ze deed bij haar vriendinnen, en toen haar verkering met ene Rick, een kakker met een discolok en een hockeysjaal, uit ging, stortte ze zich op het schoolplein snikkend in mijn armen. Dat was nogal een vertoning, aangezien de disco's, de kakkers, de rockers en de punkers strikt gescheiden dienden te blijven. Die huilpartij bracht ons dichter bij elkaar. We liepen samen naar het dichtstbijzijnde café, zij naschokkend van verdriet, ik met mijn rechterarm beschermend om haar heen, en dronken daar koffie. Ze vertelde dat Rick met een ander had gezoend, een vriendin van haar nota bene. Hoe kon hij dat doen? Terwijl hij toch wist dat haar ouders in scheiding lagen omdat haar vader een ander had. Waarom deden mannen dat toch? Waarom was één vrouw niet genoeg?

Ik pakte haar hand en zei dat ik zoiets nooit zou doen. Niet alle mannen waren zo. Mijn vader was al meer dan twintig jaar trouw aan mijn moeder. Die Rick moest wel gek zijn om zoiets te flikken bij zo'n leuke, mooie vriendin. Ze begon weer te snikken en zei zachtjes dat ze blij was met een vriend als ik. Het voelde goed om te praten met iemand die haar begreep. Ik luisterde tenminste. Maar eigenlijk begreep ik toen al geen zak van haar en luisterde ik alleen omdat ik niets durfde te zeggen.

Na drie koffie bestelde zij een bessen ijs. Ze had geen zin meer om terug naar school te gaan. Ik nam bier. We praatten over school, mijn schoolonderzoeken, de vakantie, dat we hoopten op mooi weer en ze vroeg me wat ik ging doen na het eindexamen. Ik vertelde haar dat ik naar Utrecht zou gaan. De School voor Journalistiek. Eigenlijk droomde ik van een carrière in de muziek, maar dat zou toch niets worden. Ze vroeg waarom niet. Ik zei dat het me ontbrak aan *stage performance*. Maar als journalist kon ik schrijven over muziek. Dat leek me ook heel leuk. Het was de alcohol op mijn nuchtere maag, die maakte dat ik ineens sprak als een waterval. Ik durfde zelfs te vertellen hoe mooi en lief ik haar vond. Ze zuchtte, wreef over het puntje van haar neus en keek met een verlegen glimlach naar me op. We frunnikten aan het Perzische kleedje dat op tafel lag en ineens zei ze het.

'Kus me dan.'

Ze boog over tafel, strekte haar armen naar me uit.

Ik wist niet wat ik moest doen. Of tenminste, ik wist het wel, maar durfde niet. Ik boog naar haar toe, tuitte mijn lippen, gaf haar een aarzelende kus op haar mond. Ze giechelde.

'Ik wil een echte kus, Peter.'

Haar handen gleden om mijn nek. Ik kuste haar nog een keer. Haar tong gleed langs mijn lippen. Ik proefde de zoete bessenjenever. Voorzichtig nam ik haar lieve hoofd in mijn handen. Streelde haar krullen. Ik werd zo duizelig dat ik dacht dat ik flauw ging vallen.

'Eva,' fluisterde ik en ik kuste haar opnieuw, sidderend van geluk.

2

'In de planetenvilla's ontworpen door Bakker & Van Haasdrecht waant men zich permanent op vakantie vanwege de Russische, Etruskische, Italiaanse en Egyptische gevels.'

Zo beloofde de brochure van de makelaar over deelplan 10, Vinex-wijk De Zonnepolder twee jaar geleden. Deze week worden de huizen aan het Mercuriusplein opgeleverd. Met de beste wil van de wereld heb ik tot nu toe geen Italiaanse en Egyptische gevels kunnen ontdekken. Alle woningen lijken uit de lucht gevallen blokken beton in een zanderige woestenij. In de straat, met de fantasierijke naam Melkweg, liggen nog geen klinkers en aangezien het de afgelopen dagen aan één stuk door heeft geregend, en tegelijk met ons nog een aantal stellen hun huizen betrekken, zijn door het vele verhuisverkeer de stalen platen steeds verder in de modder weggezakt en loopt onze gehuurde verhuisbus meerdere keren vast voordat we onze planetenvilla bereiken.

Ons twee-onder-een-kaphuis, Melkweg 1, kijkt links uit over een braakliggend terrein dat ooit het mooi aangelegde Mercuriusplein moet worden, compleet met voetbalveld, halfpipe, klimtoren en zandbak. Eva en ik hebben bewust gekozen voor deze plek. Hier, tussen de rijtjeshuizen, de halfvrijstaande villa's en vrijstaande landhuizen, zou ons kindje opgroeien in een rustige buurt, te midden van alle rangen en standen en ze zou op haar fietsje naar school kunnen en met haar vriendjes en vriendinnetjes op het pleintje kunnen spelen. Er is een crèche om de hoek, de school is op loopafstand, evenals de supermarkt. Comfortabeler kan het niet.

Toen Eva onze kleine Lieve verloor, zagen we de verhuizing naar onze planetenvilla eigenlijk niet meer zitten. Drie dagen na de bevalling belde ik de makelaar met het verzoek Melkweg 1 weer in de verkoop te doen. Anderhalf jaar daarvoor waren er meer inschrijvingen geweest dan er huizen beschikbaar waren. Er werd geloot en wij waren de gelukkigen. Dat beschouwden we als een gunstig voorteken. Dit keer zou het goed komen.

De makelaar kreeg ons huis echter niet verkocht. 'De tijden zijn veranderd,' zei hij. 'Mensen blijven zitten waar ze zitten. Ze zijn bang. Ze huren liever tot de economie weer aantrekt.'

Er zat dus niets anders op dan Melkweg 1 te betrekken en onze huurflat in de stad achter te laten.

Edward, Eva's zwager, en ik, parkeren de bus voor het huis, op de plek waar straks de voortuin zal komen, met de achterklep naar de voordeur, en we leggen grote houten planken over de modder. Overal in de straat staan bussen en verhuiswagens slordig geparkeerd en lopen mensen op kaplaarzen te sjouwen met dozen en meubels.

'Wat een kast,' had Edward gemompeld toen we aan kwamen rijden en ik realiseerde me ineens dat hij ons huis nog nooit had gezien. Niemand van onze familie, vrienden en collega's trouwens. Nooit hebben wij trots de tekeningen getoond, foto's meegenomen van de bouw, de eerste steen, het hele proces van het leggen van de fundering tot het bereiken van de nok, sterker nog, Eva is hier zelfs al ruim een halfjaar niet meer geweest. Ze wilde niet komen kijken naar de laminaatvloer van brede stroken antiek-eikenlook die ik heb gelegd en daarna in de *white wash* heb gezet, zoals zij het ooit zo graag wilde. De strandwitte keuken, die we samen hadden uitgezocht, met kleine Lieve nog in haar buik. Een magnetron moest erin, voor het opwarmen van de flesjes. En geen Quooker, want daar kon een kleine peuter haar handjes aan verbranden. Het kamertje onder het grote kantelraam, het gevreesde kamertje van onvervulbaar verlangen waarvan ik een prachtige computerkamer heb gemaakt, ruim en licht en met veel kastruimte. De muren kiezelgrijs, de kozijnen schelpenwit, de Portugese hardstenen tegels in de gang en in de keuken, alles heb ik zelf geschilderd en gelegd. Als een mier heb ik de afgelopen maanden gewerkt, iedere avond en ieder weekend, om Eva's droomhuis te creëren, om haar toch nog iets te geven.

'Eerst een bakkie,' zegt Edward, wiens blonde grote hoofd al rood aangelopen is van het kapotscheuren van een paar kartonnen dozen, die we op de vloer leggen om die te beschermen. Ik zet het espressoapparaat aan en antwoord dat het tien minuten duurt voordat het water op temperatuur is.

'Wat een moeilijk gedoe. Ik vind gewone koffie ook goed, hoor.' Edward likt zijn shaggie dicht en pakt een van de schilderkrukjes.

'Het is wel een mooi huissie, Peter. Je hebt hard gewerkt.'

Ik zeg dat ik hoop dat Eva dat ook vindt.

'Tja,' zegt hij en steekt zijn sigaret aan. Ik geef hem een schoteltje.

'Weet je, het is moeilijk voor haar.' Hij inhaleert diep en luidruchtig.

'Dat weet ik. Voor mij ook,' antwoord ik en ik voel met mijn hand aan de koffiemachine of hij al warm is.

'Ja, maar jij bent een kerel. Voor ons kerels is het anders. Zij hebben dat moedergevoel, hè, dat zit heel diep. En laten we wel wezen, jij kunt bij een ander zo weer een kind maken, al ben je tachtig.'

Ik stop een cupje in het apparaat en haal het hendeltje naar me toe. Onder luid gebrom sijpelt de espresso in het kopje. Ze heeft het blijkbaar niet verteld aan haar familie en dat siert haar.

'Komt ze nog vandaag?'

'Vanavond. Als alles staat,' zeg ik en ik zeg er niet bij dat ik daar helemaal niet zo zeker van ben. Ze heeft de hele nacht in de woonkamer gezeten, bij de kaarsen die ze brandt voor Lieve. De verhuizing is voor haar zeer confronterend.

'Zeg, ik wil me nergens mee bemoeien of zo, maar Sanne en ik vroegen ons af waarom jullie je eigenlijk niet opgeven voor adoptie. Dat kan toch ook mooi zijn? Ik bedoel, mensen bij ons in de straat hebben twee Chinese grietjes en die zijn er heel gelukkig mee…'

Hij kijkt me ernstig aan, alsof hij de eerste is die ooit op dit idee is gekomen. Het ergert me, omdat ik weet hoezeer deze opmerking Eva zou kwetsen. Al die goedbedoelde adviezen, tips, suggesties, dat zogenaamde meelijden en meedenken, die arrogante dapperheid waarmee ze het brengen. Alsof wij niet weten dat we altijd nog kunnen adopteren. Of pleegouder kunnen worden. Alsof wij nog niet alles hebben gedaan wat maar mogelijk is. Ik zeg hem dat we daar natuurlijk wel over na hebben gedacht. Maar dat adoptie niet zo eenvoudig is. En dat ons is geadviseerd ons pas met adoptie bezig te houden als we volledig geaccepteerd hebben dat het krijgen van een eigen kind niet binnen ons bereik ligt. Een adoptiekindje mag geen tweede keuze zijn.

Edward gooit zijn laatste slok koffie achterover en staat op. Hij slaat me goedbedoeld op de schouder.

'Zij zal het wel beter weten. Aan de slag, jongen.'

Eva arriveert als het bijna donker is. Edward ligt op de grond, met zijn hoofd half achter het televisiemeubel om de laatste snoertjes en stekkers aan te sluiten. Ik trek net twee koude biertjes open, als ze plotseling in de kamer staat en de ruimte vult met spanning.

'Jezus wat een herrie!' roept ze en ze trekt de stekker van de draagbare radio-cd-speler uit het stopcontact. Mick Jagger houdt abrupt op met zingen. Ik geef haar een kus en voel dat ik bloos, alsof ze me heeft betrapt.

'Heb je de muziek de hele dag zo hard aan?'

Fronsend kijkt ze rond in onze nieuwe woonkamer.

'Zeur niet, Eef, dat hoort erbij,' roept Edward, terwijl hij zijn grote lijf achter de kast vandaan wurmt en overeind komt.

'Zo,' zegt hij, 'dat zit. Nou? Wat vind je ervan? Hebben we goed werk verricht of wat?'

Met zijn mouw veegt hij langs zijn voorhoofd. Ik geef hem het biertje, dat hij onmiddellijk aan zijn mond zet.

'Het is heel mooi,' zegt ze zacht.

Ik pak haar hand. Vraag haar. wat ze van de vloer vindt en van het schilderwerk. Wijs haar op de tegeltjes boven het aanrecht, de handgebakken witjes, en op het grote *side-by-side food centre* met verlichte ijsblokjesautomaat en *ice crusher.*

'Je hand is nat,' fluistert ze en ze laat hem los. Ze opent alle kastjes, strijkt met haar hand over het grijze, granieten blad en kijkt me aan. Ik zie dat ze vecht tegen haar tranen en ook dat ze er al heel wat heeft vergoten vandaag, want haar oogwit is lichtroze.

Samen lopen we naar boven. Eva behoedzaam achter me, alsof ze over dun ijs gaat. Ik zeg dat ik blij ben haar te zien. Dat ze gekomen is.

'Natuurlijk ben ik hier, Peter. Er is maar één weg te gaan. Het is een rouwproces, en daar moeten we samen doorheen. En waar kunnen we beter afscheid nemen van onze dromen dan hier?'

Ze klinkt als Hetty en ik vermoed dat ze die rode ogen bij haar heeft opgelopen.

Ik haal Chinees en we eten uit de bakjes. Eva drinkt alleen wat soep. Edward helpt nog met het ophangen van de vouwgordijnen en gaat dan naar huis. Eva zegt dat ze naar bed wil. Ze heeft de hele nacht niet geslapen, ze is bekaf. Ze gaapt veelvuldig en overdreven en ik weet heus wel dat ze dit doet om me duidelijk te maken dat samen nog een glaasje drinken, even kletsen, laat staan seks, er niet in zit vanavond. Ik zit op de nieuwe bank, in ons nieuwe huis, te staren naar de televisie en hoor hoe mijn vrouw de trap op sluipt, de bad- kamer betreedt, haar tanden poetst, het toilet doortrekt, door de slaapkamer stommelt, hoe het bed kraakt als ze erin gaat liggen. De leeggegeten plastic bakjes staan nog op de salontafel. Ik pak ze en smijt ze een voor een door de kamer, tegen de kiezelgrijze muur. Restjes oranje tjaptjoi druipen naar beneden.

29

3

Hetty ontvangt me met een slappe hand en een vage glimlach en zegt dat ze het heel dapper vindt dat ik ben gekomen. We nemen plaats. Ik op de versleten corduroy bank, zij aan mijn voeten op de bruine leren poef, naast het theelichtje waarop zij haar bittere brouwsels warm houdt. Ze schenkt de thee in mokken, overhandigt mij er een en kijkt me daarbij vragend aan, alsof ik dit gesprek hoor te beginnen. Maar ik zou niet weten hoe. Eva is goed in kletspraatjes, in het opstarten van de conversatie, ik niet. Ik sla mijn ene been over het andere, zet de mok op de grond, vouw mijn handen om mijn knie en strengel mijn vingers in elkaar en probeer ondertussen haar blik te ontwijken. Hetty vraagt waarom ik zo gesloten ga zitten.

'Peter, probeer open te staan voor wat ik hier doe. Zet je voeten op de grond. Misschien moet je nu een keer je schoenen uittrekken.'

Ik weiger opnieuw. Ik weet niet waarom. Normaal gesproken heb ik totaal geen moeite met het uittrekken van mijn schoenen, maar hier, tegenover Hetty, voelt het als capitulatie. Ik speel dit spel mee voor Eva, als dit ervoor nodig is om mijn huwelijk te redden doe ik dat, maar dat betekent niet dat ik er als een sukkel op sokken bij ga zitten.

'Oké, wat jij wilt,' zegt Hetty, al iets minzamer glimlachend. 'Laat ik, voordat we beginnen, even duidelijk maken dat ik niet de vijand ben, Peter. Jullie hebben mij uitgekozen om jullie te helpen met de verwerking van het verlies en om het een plekje te geven in jullie relatie. Ik kan mijn werk alleen goed doen met medewerking en vertrouwen. Nu heb ik een beetje het gevoel dat jij hier zit als een boos kind dat door zijn moeder gestuurd is. Klopt dat?'

Ik haal mijn schouders op en zeg dat het misschien wel klopt. Ik geloof nu eenmaal niet zo in dit gedoe. Eva en ik hebben pech gehad, ontzettend veel pech. Maar op een bepaald moment houdt het op en dan moet je gewoon verder. Ik denk niet dat een vreemde ons daarbij kan helpen.

'Ik heb het idee,' zeg ik, terwijl mijn hart steeds harder bonkt, 'dat deze therapie Eva alleen maar dieper de put in helpt. Dus eerlijk gezegd heb ik er niet zo heel veel vertrouwen in, nee.'

Hetty strekt haar benen en strijkt met haar handen over haar grijze maillot.

'Lieve Peter, het verdriet verdwijnt niet vanzelf. Het is een proces waar je doorheen moet. Jij ook. Jullie hebben zo hard gevochten om een kindje te krijgen…'

Ze zoekt mijn blik. Ik kijk weg.

'Jij moet toch ook verdriet hebben…'

'Natuurlijk heb ik dat.'

Maar je denkt toch niet dat ik dat hier laat zien? Aan jou?

'Waarom vind je het zo moeilijk om erover te praten?'

'Ik vind het niet moeilijk! Ik hoef er alleen niet vierentwintig uur per dag over te praten. Wat kan ik erover zeggen? Ik heb geen probleem, ik bén het probleem. Dat weet ik heus wel. En dat is met praten niet op te lossen. Van praten word ik niet vruchtbaar.'

'Vorige keer zei je dat je je mislukt voelde…'

'Ja, dat lijkt me nogal duidelijk. Ik kan mijn vrouw niet zwanger maken. Ik ben een man met lui zaad. Kan het kanslozer?'

'Vind je dat niet een erg dierlijke benadering van je man-zijn? Je bent een sterke, gezonde kerel, je hebt een prachtig huis voor jullie samen gecreëerd, je hebt een leidinggevende functie bij de krant, Eva houdt al vijftien jaar van je...'

Hetty buigt zich voorover en wringt zich in een vreemde bocht om in mijn ogen te kunnen kijken. Ze wil me breken. Net zoals ze Eva heeft gebroken.

'Is het bevruchten van je vrouw niet het enige waarvoor wij mannen nog nodig zijn? Al het andere kunnen jullie allemaal heel goed zonder ons.'

'Je doet het weer.'

'Wat?'

'Voorbijgaan aan je gevoel. Je hebt een laag zelfbeeld, Peter, ik denk dat we daaraan zullen moeten werken.'

Ik sla mijn benen weer over elkaar. Bijt een stukje van mijn duimnagel af en onderdruk mijn neiging tot vluchten. Wat ik hier doe, doe ik voor Eva. Dat moet ik voor ogen blijven houden. Het gaat niet om mij, het gaat om ons. En dus beloof ik Hetty met haar te werken aan mijn zelfbeeld, neem ik braaf de gekopieerde opdrachtjes mee en maken we twee nieuwe afspraken, een met en een zonder Eva. En ik reken contant honderdtien euro af.

De dag na de begrafenis van mijn moeder spoelde Eva de pil demonstratief door de wc. We hadden samen op bed zitten huilen om het feit dat ik nu wees was. Mijn vader was een halfjaar eerder overleden en ik had uitgeroepen dat ik helemaal alleen was op deze wereld. Dat ik zo graag een broer of een zus had gehad, iemand die mijn ouders net zo goed had gekend, net zoveel van ze had gehouden als ik, iemand met wie ik herinneringen op kon halen aan hen en met wie ik dit verdriet kon delen. Eva zei huilend dat ze die persoon niet kon zijn, hoezeer ze ook haar best deed. Ik lag met mijn hoofd in haar schoot toen ze zei dat ze me een gezin wilde geven. Zodat ik me nooit meer zo alleen hoefde te voelen. Ze zou kinderen voor me baren, zoveel ik maar wilde. Ik zei dat wij veel te jong waren om aan een gezin te beginnen, maar zij vond dat onzin. Hoe jonger, hoe beter. Onze kinderen zouden geen enig kind blijven en hun ouders niet zo jong verliezen. Ze zouden energieke ouders hebben, die zielsveel van elkaar hielden. Er was eigenlijk geen reden te bedenken om het niet te doen, behalve dan misschien het feit dat ik als beginnend journalist nog maar weinig verdiende, maar dat bezwaar wuifde Eva weg. Tegen de tijd dat ze zwanger was, had ik waarschijnlijk allang promotie gemaakt. Daarbij, zij had ook haar baan als kleuterleidster en ze zou gewoon blijven werken. 'Oké,' zei ik, terwijl ze mijn tranen weg kuste, 'laten we dan ook geen seconde verspillen. Gooi die pil maar weg, dan maken we nu nog een baby!'

Ik had geen flauw benul wat het inhield, een kind krijgen, en of ik het echt wilde, weet ik niet meer. Ik weet wel dat ik voor altijd bij Eva wilde zijn en dat het feit dat ze mijn kind wilde dragen, mij geruststelde.

Hoewel ik mijn ouders verschrikkelijk miste, herinner ik me van de periode die volgde ook de euforie over onze beslissing. Het was alsof we weer helemaal opnieuw begonnen. We vreeën bijna dagelijks en fantaseerden na iedere vrijpartij over de baby die we gemaakt hadden. Soms wisten we honderd procent zeker dat het raak was. Dan scheen de maan door het raam naar binnen, precies op Eefs mooie, mollige lijf en zei ik tegen haar dat dit licht van boven kwam, dat dit het magische moment was, dat we dit ons kindje op een dag zouden vertellen. Daags daarna was Eva misselijk en leek ze aan haar borsten te voelen dat ze in verwachting was. De Predictor-tests hielpen ons keer op keer uit de droom en als we al een zeer vaag blauw stipje ontwaarden, dan volgde daarop steeds weer het bloeden. Een jaar later zaten we bij de huisarts om hem te vragen ons door te verwijzen naar een gynaecoloog. Hij wilde daar niets van weten.

'Na een jaar proberen is vijftig procent zwanger. De andere vijftig procent dus niet. Dat is geen enkele reden tot ongerustheid,' zei hij en hij geloofde dat het allemaal wel goed zou komen, gezien onze gezondheid en onze leeftijd. Wel raadde hij ons aan 'de natuur een handje te helpen' en te beginnen met temperaturen.

Naast ons bed kwamen de basale temperatuurcurve en een thermometer te liggen. Iedere ochtend om half zeven, Eva was al lang wakker voordat de wekker afging, nam zij haar temperatuur en schreef het resultaat op. Steeg haar lichaamstemperatuur met 0,2 graden Celsius dan zat zij hoogstwaarschijnlijk tegen een eisprong aan en moest er geneukt worden. Voorspel brak ze ruw af, zoenen wilde ze liever niet op de vroege ochtend, ik diende mijn zaad zo snel mogelijk in haar los te laten, zodat we allebei op tijd op het werk konden verschijnen.

Een halfjaar later zaten we weer bij de huisarts, nadat we de nacht ervoor vreselijke ruzie hadden gemaakt over de vraag of we wel of niet 'de medische molen' in zouden stappen. Ik was voor 'niet'. Ik wilde graag een kind met haar, maar dan wel uit liefde ontstaan, en niet uit een buisje. Na drie biertjes durfde ik ook te zeggen dat het me helemaal niet beviel, zoals het het laatste halfjaar tussen ons ging. Drie dagen per maand neuken op de automatische piloot en de rest van de maand helemaal niet. Ik miste haar. Ik wilde terug naar hoe het was tussen ons voordat we besloten aan kinderen te beginnen.

Eva werd woedend op me. Voelde zich verraden en in de steek gelaten. Daarna begon ze te huilen en snikte dat ze het niet zomaar op kon geven, dat het verlangen naar een kind in haar zo groot was dat het alles in beslag nam. En natuurlijk vond zij het ook niet leuk dat ons seksleven alleen nog maar draaide om eisprong en zaadlozing, maar dat zou vanzelf weer overgaan zodra ze zwanger was. Bovendien, stel dat er met een van ons iets mis was, iets simpels, dat met een paar pillen verholpen kon worden? Dan was het toch stom om dat niet te willen weten?

De volgende ochtend kregen we een verwijsbrief. Vijf weken later hadden we onze eerste afspraak met de gynaecoloog, die Eva inwendig onderzocht en op het eerste gezicht geen afwijkingen kon vinden. De eisprong vond volgens onze basale temperatuurcurve maandelijks plaats en de echo liet zien dat er geen verstoppingen, cystes of ontstekingen in haar baarmoeder of eierstokken zaten. Ons bloed werd afgenomen en ik moest vijf dagen later terugkomen voor een spermaonderzoek. Gedurende die vijf dagen mocht ik geen zaadlozing hebben. In een klein, donker kamertje rukte ik me af boven een beduimelde *Chick* en ving mijn lodderige zaad op in een plastic potje, dat ik daarna enigszins beschaamd inleverde bij de verpleegster. Drie weken daarna maakte ik dezelfde gang en mocht ik masturberen bij een video van pornoactrice Double Dee.

Beide spermaonderzoeken wezen hetzelfde uit: mijn zaad was lui. Uit mijn zaadlozingen bleek niet alleen dat ik te weinig zaadcellen had, maar ook dat de zaadcellen die er waren, nauwelijks vooruit kwamen. Alleen de medische molen kon ons nog helpen aan een kind.

In de auto voor ons huis vouw ik de kopietjes van Hetty open. Er staat een handgeschreven tekst op, omlijst met vrolijk bedoelde krabbeltjes van bloemen en zonnetjes.

Een manier om je gedachten, gevoelens, zelfbeeld en eigenwaarde te beïnvloeden, is het gebruik van positieve affirmaties, ofwel positieve zelfsuggestie. Door middel van affirmaties kun je direct je onderbewustzijn beïnvloeden of herprogrammeren.
De opdracht is:
Trek je terug in een veilige, vertrouwde, rustige ruimte. Doe je schoenen uit en neem een gemakkelijke houding aan. Bedenk een voor jou positieve affirmatie en herhaal deze dertig minuten lang. Doe dit dagelijks.
Enkele voorbeelden van positieve affirmaties:
– Ik houd van mezelf
– Ik mag er zijn
– Ik accepteer mezelf zoals ik ben

Ik zucht en staar minutenlang naar de vrachtwagens die door de modder ploeteren, beladen met zand en stenen. In mijn hoofd probeer ik de affirmaties uit. Ze klinken als leugens. Ik houd niet van mezelf. Ik accepteer mezelf niet zoals ik ben. Hoe kun je jezelf accepteren zoals je bent? Wie kan dat in hemelsnaam? Iedereen wil toch anders en beter zijn. Slanker, fitter, mooier, vruchtbaarder, gezonder, rijker, intelligenter, ambitieuzer, geiler, jonger. En stel dat het me lukt mezelf te accepteren zoals ik ben, dan is er altijd nog Eva, die dat overduidelijk niet doet.

Met mijn vuist verfrommel ik het papier tot een kleine bal, die ik vervolgens in mijn broekzak prop. Mijn blik valt op ons nieuwe huis, het huis waar we ooit zo naar verlangden en dat nu het kale symbool is van ons verdriet. Ik moet er liefde in stoppen, denk ik. Mooie rozen tegen de muur, een sappige groene grasmat onder het raam. Grote terracotta potten op het terras, vol bloemen. Een mooie vuurplaats, of zo'n grote Spaanse barbecue.

Het helpt, nieuwe plannen maken. Blijven bouwen aan het nest, al is het nog steeds leeg. Ik voel me een stuk beter nu ik weet dat er een nieuw karwei op me ligt te wachten.

4

Als ik de deur open, hoor ik babygehuil en even denk ik dat Eva bij de zandbak een kind heeft meegenomen. Maar dan ruik ik sigarettenrook. We hebben visite. Iemand durft het aan een kind in ons huis te brengen. Dat kan dus nooit een bekende zijn, want onze vrienden en Eva's zus Sanne zullen nooit onverwacht met hun kroost aanbellen. Niet omdat wij dat zelf zo expliciet hebben gevraagd, maar omdat ze het zelf te pijnlijk vinden. Sanne biechtte ons pas op dat ze in verwachting was van haar derde toen ze al lang en breed vijf maanden zwanger was en begon daarbij zo hevig te snikken dat ze ons geen andere keuze liet dan haar te troosten.

'Welnee, meid, wij vinden het helemaal niet erg! We zijn juist dolblij voor je! Dat wij geen kind kunnen krijgen, betekent nog niet dat wij jou dit geluk misgunnen!'

Waarna Eva drie dagen lang in bed heeft liggen huilen en roepen dat ze het derde mormel van haar zuster nooit wilde zien.

Eva zit aan de keukentafel, gehuld in een vaalgrijs joggingpak, en heeft zich overduidelijk nog niet gedoucht. Haar blonde krullen pluizen alle kanten op en ze is niet opgemaakt. Ik weet dat ze zich zo liever niet laat zien. De vrouw tegenover Eva wiegt traag en onverstoord de buggy met de huilende baby heen en weer. Eva springt paniekerig op als ze me ziet, glimlacht, zoent me demonstratief op de mond, wat me verbaast, want zoenen doen we sinds mensenheugenis niet meer. Ze stelt de vrouw voor als onze buurvrouw Rebecca. Zij steekt haar hand uit. Een slanke, bruine hand, haar pols omhangen met rinkelende zilveren armbanden. Ik veeg snel de mijne droog aan mijn spijkerbroek.

'Haai,' zegt Rebecca. Haar stem is hees. 'Wij wonen op nummer 4, hier schuin tegenover…'

Ze staat op en wijst door het voorkamerraam naar het rijtje aan de overkant. Ik wil meekijken, in de richting van haar gebruinde arm, maar ik zie niet de straat, niet haar huis. Mijn blik blijft hangen bij haar decolleté. Haar volle borsten rollen bijna uit het turquoisekleurige jurkje en herinneren me eraan hoe lang ik al droog sta. De laatste keer seks met Eva was een plichtmatig nummertje. 'Vooruit dan maar,' had ze gezegd om van mijn gezeur af te zijn, waarna ze haar kont naar me toe had gedraaid.

Rebecca schudt haar lange bruine haren naar voren in plaats van naar achteren, zodat ze als een gordijn voor haar gezicht vallen van waarachter ze me even vragend aankijkt. Daarna gaat ze weer zitten tegenover mijn vrouw, die me enigszins verontrust vraagt of ik ook koffie wil. Rebecca peutert met haar lange nagels een roze sigaret uit een doosje Colorys en steekt die op. Kennelijk heeft Eva er geen bezwaar tegen.

'Rebecca is hier om ons uit te nodigen voor de buurtborrel, die zij en haar vriend Steef over twee weken organiseren,' roept Eva vanuit de keuken.

'Een kaartje in de bus vind ik zo onpersoonlijk,' vervolgt Rebecca. 'En toen vroeg Eva heel aardig of ik koffie wilde en raakten we aan de praat. Tenminste, totdat Sem begon te janken.'

Ik weet dat ik nu in de wagen hoor te kijken en hoor te vragen hoe oud hij is, maar dat kan ik Eva niet aandoen. Ik moet zien te voorkomen dat het gesprek die kant opgaat, dus begin ik onnozel te bazelen dat ik het een goed idee vind, een buurtborrel, en dat we zeker van de partij zullen zijn.

'Ben je tevreden?' vraagt Rebecca, terwijl ze de kinderwagen nog steeds heen en weer rijdt, hoewel de baby allang weer stil is. 'Over de buurt, bedoel ik, en je huis?'

Ik ontwijk haar groenbruine ogen, die me zweverig aanstaren.

'Ja,' zeg ik. 'Het is heerlijk hier, als je uit zo'n oud rothok komt zoals wij. Het is licht en ruim, alles is nieuw. Lekker strak stucwerk, overal stopcontacten, de leidingen keurig weggewerkt. Eigen parkeerplek. Alleen die tuin nog, hè, dat is een beetje een kale bende.'

'Ja…' antwoordt ze afwezig. 'Ik bedoel niet dat jullie tuin een kale bende is… Ik bedoel, de hele buurt is kaal. Zo anoniem. Ik voel me nog niet echt thuis…'

'Hoe lang wonen jullie hier nu?' vraag ik.

'Vanaf het begin, een halfjaar dus. Sem was net twee maanden toen we erin trokken. Wij waren een van de eersten. Ik heb iedereen binnen zien druppelen. Ook jullie.'

Ze kijkt me vreemd aan, alsof in haar tekst een geheime boodschap verborgen zit en ik voel me plotseling heel ongemakkelijk.

'Steef is politieagent. Hij is overgeplaatst van Utrecht hiernaartoe. Dit huurhuis is ons toegewezen door de gemeente. Maar we zijn dit niet gewend. Wij komen uit een volkse buurt, waar altijd iets gebeurt. Is ook niet altijd even leuk, maar deze wijk… Het is allemaal zo bedacht. Eng bijna.'

Eva zet drie cappuccino's op tafel en komt weer bij ons zitten.

'Ik moet hier ook wennen, maar hoort dat niet bij verhuizen?' zegt Eva. 'Voor Peter is het in ieder geval heerlijk. Hij zit zo op de A9, kan altijd voor de deur parkeren… Wij vinden het wel prettig hier, dat alles nieuw is en dat er zo goed over is nagedacht. Na het wonen in de chaotische, smerige binnenstad is dit een verademing. Comfortabel, rustig, genoeg parkeerruimte.'

Als ze het woordje 'wij' zegt, legt Eva haar hand op de mijne en ik schrik zo van deze plotse blijk van intimiteit dat ik mijn hand terugtrek.

Soms lijkt het erop dat Eva leeft voor de buitenwereld. Zij is wat anderen van haar vinden en daarom bestaat haar leven uit indruk maken op haar omgeving. Ze kookt de sterren van de hemel voor visite, is zorgzaam, beheerst en sterk voor haar vriendinnen en familie, is spontaan, hartelijk en getapt bij mijn collega's en mijn zaalvoetbalvrienden. Ze is de ideale patiënt voor gynaecologen en types als Hetty. Hoe belabberd ze zich ook voelde tijdens de hormoonbehandelingen, de controles, inseminaties en terugplaatsingen van bevruchte eitjes, ze trok altijd haar mooiste lingeriesetje aan en als de heren doktoren informeerden hoe ze zich voelde, antwoordde ze steevast 'top'. Als ze al een keer huilde, dan bleef dat hooguit bij een stille traan die prachtig langzaam over haar blozende wang glibberde, en die diep respect afdwong voor haar kracht. Bij Hetty is ze het rouwende slachtoffer dat bereid is haar grootste wens, het krijgen van een kind, op te geven omdat ze zoveel houdt van haar onvruchtbare man. Jezus is er niets bij. En nu, tegenover onze nieuwe buurvrouw, speelt ze de gelukkige huisvrouw, voor wie het geluk van haar man voor alles gaat. De rottigheid bewaart ze voor mij.

'Vind je het heel erg als ik Sem even hier voed?' vraagt Rebecca plotseling, en Eva zegt het prima te vinden. Ik knik. Kom maar door. Ga maar dwars door onze pijn heen. Het zal wel wennen op den duur. De grote, mollige baby wordt uit de wagen getild. Zijn hoofdje draait zich onmiddellijk in de juiste richting en zijn mondje maakt hapbewegingen. Rebecca wipt haar tiet uit haar decolleté en legt het jongetje aan. Ik wist niet dat zulke grote baby's nog steeds borstvoeding kregen. Het is bijna onsmakelijk zo'n groot joch aan een borst te zien lurken. Desondanks trekt al mijn bloed naar mijn kruis. Het valt niet mee dit tafereel te negeren.

'Wat doe jij?' vraagt Rebecca aan mij, terwijl ze het kale hoofdje van het lurkende kind streelt.

'Ik ben chef sport bij *Het Noord-Hollands Nieuwsblad*,' antwoord ik.

'Ah, sportjournalist. Dat zal Steefleuk vinden. Hij is dol op sport.'

'Peter ook. Om naar te kijken dan, hè. Hij zaalvoetbalt wel, maar dat doet hij vooral om daarna bier te kunnen drinken,' zegt Eva.

'En jij?' Rebecca richt zich tot Eva, die begint te blozen.

'Ik zit in het kleuteronderwijs. Maar op dit moment even niet. Ziektewet.'

'O. Overspannen? Dat is Steef ook weleens geweest.'

'Zoiets ja. Maar het gaat nu wel weer, hoor. Ik denk dat ik na de zomer weer aan het werk kan.'

Rebecca duwt haar pink tussen de lippen van de baby en haar borst. Haar tepel plopt los, en de glanzende harde knop komt even tevoorschijn. Ze draait het kind om en pakt haar andere borst. 'Ik ben kapster,' zegt ze. 'En ik ga hier in de buurt voor mezelf beginnen. Gewoon mensen thuis knippen, op tijden dat het hen uitkomt. Ik doe alles. Ook *extensions*, verven, permanenten, zelfs scheren, mocht je dat willen.'

Ze glimlacht naar me en even flitst het beeld door me heen hoe zij zich over me heen buigt, het scheermes op mijn kaak zet terwijl mijn handen onder haar truitje glijden.

Als Rebecca is opgestapt pak ik Eva's hand en vertel haar dat ik trots op haar ben. Ze antwoordt dat ze niet eeuwig wil blijven treuren, dat ze zich niet als een kluizenaar kan blijven verstoppen.

'Ik kreeg een heel vreemd gevoel, Peter, toen ik haar en dat kind op de stoep zag staan. Er kwam een raar soort rust over me en ik dacht: zij staat niet zomaar voor mijn deur. Iemand daarboven heeft ervoor gezorgd dat zij op mijn pad kwam. Om me iets te leren. Het deed me geen pijn. Zelfs niet toen ze de baby voor onze neus ging zitten voeden.'

Ze slaat haar armen om me heen en legt haar hoofd tegen mijn borst. Voorzichtig streel ik haar rug en druk een kus op haar hoofd. Hoezeer kan een man zichzelf verachten? Tegenover mijn zwakte staat haar kracht, tegenover mijn steriliteit haar vruchtbaarheid, tegenover mijn falen haar slagen, tegenover haar vechtlust mijn lafheid. Deze vrouw, van wie ik zo angstaanjagend veel houd, heeft mij niet nodig.

5

Ik haat feestjes waar ik niemand ken. Ik weet me geen raad met mezelf tussen pratende en lachende mensen, die het allemaal verschrikkelijk naar hun zin lijken te hebben. Dan ben ik me zo bewust van mijn onvermogen zomaar met iemand een kletspraatje aan te knopen en het soort antwoorden te geven op vragen dat uitnodigt tot een gesprek, dat ik me het liefst verstop achter de stereo of de tap. Veel mensen denken dat een journalist goed kan communiceren, maar niets is minder waar. De meeste journalisten verschuilen zich achter sigaret, camera, cassetterecorder, vragenlijst en cynisme. Wij zijn extreem verlegen individualisten die pas opleven wanneer we heer en meester zijn over tekst of beeld. Zij die niet durven spreken, schrijven.

Vanuit onze nieuwe tuin, waaraan ik de afgelopen twee weken ieder vrij uur heb gewerkt, kijk ik naar de overkant. De buurtborrel begint op gang te komen. Ze hebben mazzel. Het is prachtig weer voor een feest. Sinds drie dagen is het zo warm buiten dat het asfalt van de pas aangelegde straat aan je schoenen plakt. De kinderen spelen in hun zwembroek onder de verzengende zon, hun bleke huidjes verbranden terwijl hun ouders amechtig in de gloednieuwe tuinstoelen zitten, in de schaduw van een parasol, en mopperen over het uitdrogen van hun onlangs aangelegde gazon. Er valt niet tegenop te sproeien. Alleen wij hebben een knalgroene mat voor de deur, dankzij de sproei-installatie die ik heb geplaatst en de afwezigheid van kindervoetjes, die de jonge, kwetsbare sprietjes kapottrappen.

Ik drink een biertje en zie hoe Rebecca, ditmaal gehuld in een nauwsluitende roze jurk haar gasten ontvangt. Eva roept me, ik draai me om. Ze staat in de deuropening, spreidt haar armen en maakt een rondje. Vraagt me wat ik ervan vind. Ze draagt haar rode jurk met boothals, die ze ooit heeft gekocht voor de bruiloft van haar zus, en hoge, zwarte pumps. 'Mooier dan ooit,' zeg ik en ik meen het.

Gisteren vroeg Hetty ons elkaar in de ogen te kijken en aan de ander te vertellen waarom we van elkaar houden. Ik vond dat een onzinnige vraag. De liefde die ik voor Eva voel, is niet in woorden te vatten. Die is er gewoon. Voor mij is ze de hoofdprijs, de jackpot en het verbaast me iedere dag weer dat ze van mij is. Ik zei dus dat ik van haar hield omdat ik trots op haar ben en dat was natuurlijk net weer het verkeerde antwoord. Trots zijn zegt iets over mezelf, en niet over haar. En een vrouw is geen trofee waarmee je pronkt, zei Hetty, waaruit ik concludeerde dat Hetty kennelijk niets van mannen weet. Toen zei ik dat ik me een leven zonder haar niet zou kunnen voorstellen, maar ook dat was niet goed. Liefde hoort niet gebaseerd te zijn op afhankelijkheid, het is geen invulling, maar een aanvulling op je leven.

Eva wist haar liefde voor mij wel te verwoorden. Ze zei dat ze van me hield omdat ik er altijd voor haar ben, omdat ik trouw ben en goed voor haar zorg. Niemand begrijpt haar zo goed als ik en alleen bij mij durft ze zichzelf te zijn, al beseft ze heel goed dat dat niet altijd even makkelijk is voor mij, zeker de laatste jaren niet.

Daarna mochten we elkaar een kernvraag stellen. Een kernvraag, legde Hetty uit, is de vraag waarin volgens ons de kern van het relatieprobleem schuilt. 'Let op,' zei ze, 'dit is een heel belangrijk moment. Vanuit jullie kernvragen gaan we verder werken aan een bevredigend antwoord voor jullie allebei.'

Eva wilde beginnen. Ze vroeg me met tranen in haar ogen waarom ik niet door wilde gaan met proberen samen een kind te krijgen. Dit was niet bepaald een vraag die we nog niet behandeld hadden. Duizenden uren hebben we eraan besteed. Ze heeft me een lafaard genoemd, een slappeling, een afhaker. Wat kon het mij schelen, zij was tenslotte degene die de behandelingen moest ondergaan, zij onderging de pijn en het verdriet van het verlies. Het enige dat ik moest doen, was betalen en haar hand vasthouden. Maar ik kon niet langer aanzien hoe haar gezonde lichaam moest boeten voor mijn afwijking, ik vond dat het na negen IUI-pogingen, vier ICSI-behandelingen, en vijf keer KID, genoeg was. Omdat we het verlies van Lieve, onze dochter die niet mijn dochter was maar van een donor, een onbekende die ik haatte met heel mijn hart, nauwelijks hadden overleefd. Omdat ergens een grens lag, en die hadden we bereikt bij het begraven van onze kleine baby. Met haar begroeven we ook de droom.

'Jij begroef die droom…' mompelde ze.

'Nee, Eva, niet waar. Wij samen. We hebben er de hele nacht over gepraat. Jij vroeg me je tegen jezelf te beschermen. Je kon het niet meer aan, dat zei je zelf. Je was bang om weer van voren af aan te beginnen…'

Ik bracht mijn hand naar haar gezicht, wilde haar tranen wegvegen, maar ze wendde haar hoofd af. Hetty zweeg en keek gebiologeerd toe.

'Ik weet ook wel dat dat het verstandigst is!' snauwde ze. 'Maar het voelt alsof er een gat in mijn hart zit. Een knagende, allesoverheersende honger.'

'Eva…' begon Hetty met zachte, zalvende stem, 'dat gevoel zal afnemen. Geloof me, ik heb het ook meegemaakt. Iedere dag is een klein stapje verder weg van dat gevoel…'

'Ja,' zei ik, en ik was voor het eerst tijdens deze klotetherapie blij met Hetty's woorden. 'Neem nou van de week, toen die buurvrouw bij ons was. Je zei dat er een soort rust over je heen kwam. Dat het je geen pijn deed toe te kijken hoe ze haar baby voedde…'

'Dat was van de week,' antwoordde Eva, terwijl ze aan haar krullen frunnikte. 'Dit is nu. Iedere dag is anders.'

Vandaag heeft Eva een goede dag. Ze steekt zelfs haar arm door de mijne als we naar de buren lopen en grapt dat we indien nodig, kruipend naar huis kunnen. We wachten voor de deur, samen met een ander stel dat zegt op nummer 44 te wonen. We klagen eensgezind over de hitte, die onze nieuwe aanplant zwaar op de proef stelt. Ik wijs naar mijn sappige groene gras en wil net over mijn sproei-installatie beginnen, als Rebecca de deur openzwaait en ons begroet met haar hese, lijzige stem. Ze zoent eerst Eva en dan mij, nadat ik haar een enorme blauwe hortensia in de armen heb gedrukt. Ik voel haar zachte borsten langs mijn blote arm strijken. Haar hals ruikt zoet als vanille.

'Iedereen is in de tuin,' zegt ze. 'Steef ook. Bij de tap.'

We lopen door een azuurblauw gesponst halletje naar de kamer, die half zo klein is als de onze.

'Origineel,' noem ik de inrichting, bestaande uit twee oude banken bedekt met felgekleurde grand foulards, een glazen salontafel op een versleten Perzisch tapijt en aan de muur een groot plasmascherm waarop Robbie Williams zich staat uit te sloven.

'Het is een beetje een bijeengeraapt zootje,' lacht Rebecca. 'Maar dat gaat veranderen. We zijn nogal overhaast verhuisd.'

Ze gaat ons voor, houdt het tinkelende kralengordijn dat voor de openslaande deuren hangt voor ons opzij en vraagt wat we willen drinken. 'Als er maar alcohol in zit,' grap ik nerveus.

'Zit er genoeg in bier, of wil je een wodkaatje?' antwoordt Rebecca en ik zeg dat ik maar beter kan beginnen met een biertje, want wodka met deze hitte lijkt me geen goed idee. We begeven ons tussen de mensen, opeengepakt in het kleine tuintje. Het liefst zou ik verdwijnen. Of bij de pubers voor het plasmascherm gaan zitten staren naar Robbie tot het feestje voorbij is. Eva kent mijn vlucht-neigingen. Daarom pakt ze mijn arm stevig beet en trekt me mee. Ze laat me niet ontsnappen.

We raken aan de praat met het stel dat onder de andere helft van onze kap woont. We hebben elkaar al vaak vriendelijk toegezwaaid, maar ik weet nog steeds niet hoe ze heten. Inmiddels hebben we hen omgedoopt tot de Buxussen, vanwege de doolhof van armzalige buxusstruikjes die ze in hun voortuin hebben aangelegd. Hij, een kalende veertiger die om de paar minuten het zweet van zijn voor-hoofd veegt met een zakdoek, wil alles weten over mijn *Summer-rain*-installatie. Zij, mevrouw Buxus, zegt me eeuwig dankbaar te zijn, want dankzij mijn Summerrain slaat haar buxus onmiddellijk aan. Ze hebben twee zoontjes en ik vrees dat ze daar zo over zullen beginnen. Dat de onvermijdelijke vraag eraan zit te komen. Kin-derrijken zijn namelijk schaamteloos.

'En, zijn jullie al aan het oefenen? Wanneer kunnen we de ooie-vaar verwachten?' Ze vragen het gewoon en als het antwoord hen niet bevalt, keren ze zich geschokt van je af, of erger, gaan ze je ver-tellen dat het hebben van kinderen ook niet alles is. Terwijl het dat natuurlijk wel is.

Rebecca brengt koud bier en wordt gevolgd door een opvallend lange, blonde man.

'Dit is Steef,' roept ze met overslaande stem. Hij geeft een stevi-ge, droge hand. Felblauwe ogen in een bruinverbrand gezicht.

'Man, jouw gras doet pijn aan mijn ogen.'

Een kreukelig wit overhemd wappert rond zijn afgetrainde li-chaam. Nu moet ik iets jofels zeggen. Gemakkelijk doen. Spontaan zijn.

'Daar hadden we het net over,' zeg ik en wijs naar de buren.

'Ik heb zo'n Summerrain-installatie aangelegd. Gaat vanzelf aan, iedere avond om half negen. Het is echt ideaal. Nooit meer geel gras.'

'Ah, jij bent zo'n handig mannetje. Nou, ik niet. Ik ben klus-dyslectisch.'

We klinken en nemen een slok.

'Maar dat had je al gezien natuurlijk, aan die bende binnen.'

'Dat valt toch wel mee?'

Steef lacht. Hij kijkt me aan met een spottende blik.

'Vind je? Dat is Becca's werk. Maar goed, ik geef niet zoveel om interieur. Laat mij maar lekker buiten zijn. Dit weer, dat vind ik top. Zo mag het van mij het hele jaar zijn.'

Daar is mevrouw Buxus het niet mee eens. De winter kan haar ook bekoren. Nee, zij vindt het veel te heet. Steef negeert haar en vraagt of er nog meer bier moet komen.

Eva en ik slaan onze glazen achterover.

'Graag,' zeggen we in koor.

Terwijl Eva alle ins en outs van het tuinieren bijgebracht worden door mevrouw Buxus trekt Steef het ene na het andere biertje uit zijn BeerTender. Ik zeg geen nee. Ik drink en ontspan me langzaam. We blijken allebei van motorrijden te houden. Hij heeft een Kawasaki chopper in de schuur staan, ik heb mijn Yamaha Cruiser vorig jaar verkocht. Zonde, vindt Steef. Er gaat niets boven toeren op de motor, de wind in je haren, het vrije gevoel. Klopt, zeg ik en ik vertel er niet bij dat er voor ons wel iets boven toeren met de wind in je haren ging. Zoals een laatste KID-poging in België. Met als resultaat Lieve.

Hij neemt me mee naar de schuur en toont me zijn *bike*, zoals Steef de chopper noemt. Met onze biertjes in de hand lopen we om het glimmende monster heen. Ik sla op het zachte, zwarte leer van de buddyseat, streel zijn lichtblauwe buik en de chromen spiegels.

'Je moet een keer meegaan,' zegt Steef. 'Op zondag maak ik vaak een tochtje met wat collega's.'

'Dat lijkt me te gek,' zeg ik.

'Zo. Hier is het lekker rustig. En koel. Niks voor mij, zo'n feestje met al die burgerlullen.' Steef haalt een cd uit het hoesje en doet hem in de cd-speler. Het bombastische geluid van U2 schalt uit de boxen. Ik laat de leren franjes van het handvat door mijn vingers gaan.

'Waarom organiseer je het dan?' vraag ik.

'Becca wilde contact met de buurt. Voor Sem. Ze wil er hier net zo'n gezellige boel van maken als in onze ouwe buurt, in Utrecht.

Zeg, als je zo gek op motoren bent, waarom heb je die Cruiser dan verkocht?'

'We hadden het geld nodig. Het zat even niet mee, zullen we maar zeggen.'

Steef begint te lachen.

'Kom op, man. Geen geld! Moet je kijken waar je woont! Een echte biker verkoopt zijn fiets niet voor het geld. Nooit. Ik ga nog liever onder een brug wonen dan dat ik mijn bike verkoop.'

Ik zeg dat ik het ook niet had moeten doen en heb meteen spijt van mijn woorden.

'Het moest zeker van moeder de vrouw?'

'Niet echt. Het was een besluit van ons samen.'

'Samen, mijn reet,' zegt Steef. Hij pakt een kistje van de plank boven zijn werkbank en haalt er een pakje shag uit.

'Laat je niet castreren door je vrouw, Peter. Als je niet uitkijkt, nemen ze alles van je af. Eerst je muziek, dan je vrienden, je sport, je bike en uiteindelijk je ballen. Ik weet er alles van. Zie me zitten, in deze nieuwbouwgribus tussen al die gemanicuurde tuintjes.'

Hij legt drie vloeitjes neer op de werkbank, plakt ze aan elkaar, scheurt een stukje van het Rizla-pakje en rolt het op. Ik kijk toe, een beetje van mijn stuk gebracht door zijn plotselinge uitbarsting.

'Hoe ben jij hier dan terechtgekomen?' vraag ik. Er schiet me weinig anders te binnen. Steef verkruimelt een brokje hasj over de shag.

'Ik ben veertig, Peter. Zou je niet zeggen, hè? Dat komt omdat ik me nooit bij de ballen heb laten nemen. Niet door een vrouw, tenminste. Maar Rebecca was slim. Ze raakte gewoon zwanger van me. Eén-nul. Kreeg ze me alsnog naar het Gamma-getto. Ze wilde niet dat ons kind opgroeide in de stad. Hij heeft frisse lucht nodig. En een tuin. Vriendjes. En ze heeft gelijk natuurlijk. Ik wil niet dat mijn zoon opgroeit in de ellende. Jezus, als iemand weet wat er gaande is in de stad, ben ik het. Dus, toen ik werd overgeplaatst, vroegen we een rustige gemeente aan. Maar tot nu toe vind ik het net een kerkhof, alleen staan hier de kisten boven de grond.'

Hij rolt de joint dicht, draait een tuitje aan het uiteinde, steekt hem aan en neemt een lange haal. Daarna overhandigt hij hem aan mij. Ik neem een trekje. Het is zestien jaar geleden dat ik voor het laatst heb geblowd. Eva heeft mij weleens verweten dat ik steriel geworden ben door overmatig hasjgebruik in mijn puberteit. Ik herken de warmte die mijn luchtpijp in kruipt, de kruidige geur. Het is heerlijk. Steef en ik roken de joint tot op het geïmproviseerde filter op. Ons zwijgen voelt als een verbond, het soort verbond dat mannen sluiten zonder woorden en dat verstoord wordt door een lichtelijk geïrriteerde Rebecca.

'Was je nog van plan op je eigen feestje te komen, of wat?'

Steef giechelt als een kleine jongen. Hij springt op en ik ook, hij loopt op haar af en slaat zijn bonkige bruine arm om haar heen, kust haar vol op de mond.

'Vind je niet dat ik een schitterende vrouw heb? Ze wordt elke dag mooier.'

'Zeker,' mompel ik en ik wankel een beetje. Steef strekt zijn andere arm uit en trekt me erbij. Hij is zeker een kop groter dan ik.

'Je bent een toffe gozer. Ik ben blij dat we iemand in de buurt hebben gevonden die een beetje te pruimen is.'

Mijn blik wordt gevangen door het volle, deinende decolleté van Rebecca dat ineens enorm lijkt en ik zie weer voor me hoe ze haar borst optilde en de harde tepel in het gulzige mondje van Sem stak. Ik schrik van de begeerte die me overvalt en kijk omhoog, recht in haar vragende ogen, zie haar flirterige glimlach en ik verschrompel. Ze slaat plagerig tegen mijn wang en vraagt of haar toffe gozers in actie kunnen komen. De sateetjes moeten op het vuur, want de gasten creperen van de honger.

Eva ruikt meteen dat ik gerookt heb, maar ze heeft inmiddels zoveel bier gedronken dat ze er niet echt boos om kan worden. Haar gezicht is rozig en glimt van opwinding. Ze vindt het best een gezellig feestje en vertelt dat ze een heel goed gesprek heeft gehad met een overbuurvrouw, die Yolande blijkt te heten en die haar twee jongens heeft gekregen door middel van IVF. Als ik iets wil zeggen, legt ze me het zwijgen op door driftig met haar hand in de lucht te wapperen.

'Ik weet het, ik weet wel wat je wilt zeggen, dat ik geen hoop meer moet hebben, dat ons verhaal anders is, maar ik bedoel ook niet dat ik het weer wil gaan proberen of zo, het was gewoon fijn om eens een keer te praten met iemand die hetzelfde heeft gevoeld en meegemaakt.'

Eens een keer? Eva doet niets anders dan de hele dag chatten met vrouwen die hetzelfde hebben meegemaakt. En ze is nog geen tien minuten op een feestje of ze vindt al een nieuwe bron van herkenning en medeleven. Het is ongelooflijk.

Ik grinnik. Het grinniken gaat over in lachen. Ik heb er geen controle over, ik weet dat ik moet ophouden, dat ik Eva kwets met deze reactie, maar ik houd niet op, mijn gezicht krimpt vanzelf samen, mijn buikspieren leiden een eigen leven. Eva deinst achteruit en kijkt me geschokt aan.

'Je bent stoned!' fluistert ze.

'En wat dan nog,' zeg ik en ik lach nog steeds.

Ik leg een arm om haar schouder en probeer haar net zo gretig te kussen als Steef zojuist bij Rebecca deed.

'Raak me niet aan!' sist ze en ze duwt me weg. Daarna draait ze zich om en beent met driftige stappen naar de BeerTender. De rest van de avond negeert ze me volledig.

Ik heb het compleet verkeerd aangepakt. Als er één avond geschikt was om weer eens te vrijen, dan was het deze zwoele avond. Eva had voor het eerst sinds maanden haar best gedaan er weer eens leuk uit te zien. Ze had zin in het feestje. Ze was enthousiast en opgewonden over het goede gesprek met de buurvrouw en dat was het moment geweest dat ik toenadering had moeten zoeken. In plaats daarvan lachte ik haar uit. Met als gevolg dat ze nu een meter bij me vandaan ligt, met haar wrokkige rug naar me toe, weggekropen onder het dekbed dat veel te warm is voor deze nacht. En ik verlang naar haar, zo hevig dat het pijn doet. Hoe lang is het geleden dat ik haar heupen mocht strelen, mijn hand over haar zachte buik mocht laten gaan, zij haar benen voor me spreidde, haar armen naar me uitstak, mijn hoofd in haar handen nam en me kuste? De tijd dat zij evenveel verlangde naar mij, even gulzig genoot van mijn lichaam als ik van het hare, ligt al jaren achter ons. Tegenwoordig laat ze me toe, als een ziekenverzorgster die een sneue stakker even een helpende hand biedt. En zelfs dat gebeurt sporadisch.

Ik draai weg van haar rug op mijn andere zij en leg mijn hand om mijn kloppende pik. Ik begin voorzichtig te trekken en probeer me onze laatste vrijpartij te herinneren. Maar Rebecca doemt op, vanuit het niets, pakt haar bruine borsten en duwt ze tegen mijn lippen, gaat boven op me zitten en berijdt me, kijkt me aan met haar wazige ogen en haar brutale lach, vouwt haar lange, tanige lijf om het mijne. Ik voel hoe haar tieten mijn borst zachtjes aaien en ik grijp haar bij haar kont, om me nog dieper in haar te kunnen duwen, en ik beuk mijn pik in haar, totdat we samen komen.

6

Hetty vraagt me hoe het gegaan is met mijn affirmaties. We zitten in haar tuin, onder een groene parasol en drinken iets groens dat zij kruidenijsthee noemt en dat je hart schijnt 'op te frissen'. Ze draagt een vaalgeel hemdje en ik probeer angstvallig haar harige, rimpelige oksels te negeren.

'Prima,' lieg ik. Ik zeg niet dat ik er niet in geloof dat ik me beter ga voelen als ik mezelf leugens verkoop.

'En wil je mij vertellen welke affirmatie je hebt gebruikt, Peter?'

Ik bloos als een kind dat heeft verzuimd zijn huiswerk te maken en ineens overhoord wordt. Ik kan me niet meer herinneren wat er op het papier stond.

'Eh, niet een van het blaadje dat je me gaf,' stamel ik.

'Je hebt er zelf een bedacht?'

Ik knik.

'Heel goed, Peter. Wil je die aan mij vertellen, of liever niet?'

'Liever niet.'

'Oké… Dat is prima. Wil je me wel vertellen wat het met je heeft gedaan?'

'Niet zo heel veel. Het is gewoon niks voor mij. Sorry.'

Hetty perst haar lippen even op elkaar.

'Ik denk niet dat dat het probleem is, Peter, ik denk dat jij jezelf niet gelooft. Als het niet lukt, moet je misschien een affirmatie bedenken waarin je wel gelooft.' Ze spert haar neusvleugels wijd open en ademt diep in en uit.

'Doe mij na. Adem diep in en uit en zeg tegen jezelf: "Ik mag er zijn." Toe, zeg het maar.'

Ik doe het. Ik zuig de warme lucht naar binnen en mompel het. Tegelijk schaam ik me diep. Dit ben ik niet en wil ik ook niet zijn. Het is klaar. Afgelopen. Ik kan deze marteling niet langer verdragen, hoeveel ik ook van Eva houd.

'Hetty,' zeg ik en ik bal mijn vuist in mijn schoot. 'Ik geloof niet dat dit zin heeft. Ik denk dat ik wil stoppen met deze bijeenkomsten.'

Ze kijkt me bezorgd aan met haar bleke ogen en slaat in één beweging haar benen en haar armen over elkaar.

'Ik weet niet of dat verstandig is, Peter.'

'Ik weet het ook niet. Maar ik weet wel dat dit niet bij me past. Ik ga me er alleen maar ongelukkiger door voelen. Terwijl het verder eigenlijk best goed met me gaat. Langzaam pak ik mijn oude leven weer op en volgens mij is dat beter dan hier zitten.'

'Peter, je weet toch dat het niet alleen om jou gaat?'

'Ja, natuurlijk. Maar ik zie niet in wat onze relatie ermee opschiet als ik de hele tijd tegen mezelf zeg dat ik er mag zijn. Volgens mij zit ik hier mezelf meer in dan uit de put te praten.'

Hetty neemt een trage slok van haar ijsthee. Langzaam zet ze haar glas neer, terwijl ze haar ogen van me afgewend houdt. Ze lijkt diep na te denken. Dan ineens legt ze haar hand op mijn knie. 'Heb je verdriet, Peter?'

'Ja, maar het slijt. Ik ben er niet meer dag en nacht mee bezig en Eva volgens mij ook niet. We hebben nieuwe vrienden, ik luister weer naar mijn muziek, ik rijd weer motor. Het lijkt alsof we een nieuw evenwicht gevonden hebben. Maar iedere keer als ik hier ben, word ik weer herinnerd aan de ellende die achter ons ligt.'

Hetty schudt haar hoofd. Bijt op haar bovenlip.

'Ik zal je vertellen wat ik denk. Je hebt een kind verloren. En niet alleen dat. Je hebt ook de hoop verloren op het krijgen van een nieuw kindje. Je verkeert in diepe, diepe rouw, maar onderdrukt dit omdat je denkt dat je vrouw er nog meer onder lijdt en zij ook meer recht heeft op dit lijden. Je stopt je verdriet weg. Maar het is niet weg, Peter, het zit in je als een grote, etterende wond en hoe langer je hem negeert, hoe groter en pijnlijker die wond wordt. Op een dag zal die openbarsten, Peter, zal het weggestopte verdriet je verteren. Ik ben er om dat te voorkomen. Ik kan je helpen genezen. Maar je moet het wel met hart en ziel willen.'

Ze knijpt met haar magere vingers in mijn bovenbeen.

'Ik geloof eerder dat ons verdriet wegebt op den duur, dat we moeten zoeken naar een andere manier om gelukkig te worden. Of gelukkig… Tevreden is misschien een beter woord. Het gaat zoals het gaat, zei mijn vader altijd. En zo is het, volgens mij. Ik heb het geprobeerd, dit, therapie, maar het is niks voor mij.'

'Ik kan je verwijzen naar een andere therapeut, Peter. Misschien wil je liever een man…'

'Nee. Ik wil liever door met mijn leven.'

Hetty staat op en strijkt haar rok glad. Ze loopt een rondje door de tuin. Ik hoor haar in- en uitademen. Nog even en het uur is om.

Ik rijd naar huis. Raam open, wind om mijn kop, Guns N' Roses op. Het is zomer, en voor het eerst in jaren voel ik het. Ik heb zin om Steef te bellen en hem uit te nodigen voor een biertje aan het strand. Ik heb ineens zin in van alles. Op vakantie gaan. Fietsen over de heide. Uit eten met Eva. Een nieuwe baan zoeken. Naar een goed concert gaan. Mijn wereld lijkt jaren te hebben stilgestaan om nu spontaan en met een razende vaart weer te gaan draaien. Ik rijd de stad uit, langs groene weilanden waarachter nieuwe wijken verrijzen en weet plotseling zeker dat er een manier is om uit het dal te klimmen waarin Eva en ik ons al jaren bevinden. Die manier is zo belachelijk simpel dat ik erom glimlach. Het gaat niet om de hoeveelheid keuzes die je hebt, het gaat erom dat je je houdt aan de keuzes die je maakt. Ooit kozen we ervoor met elkaar te trouwen. Daaraan twijfelden we geen seconde. Daarna besloten we een kind te maken en ook dat deden we met volle overtuiging. Toen dat niet lukte, ging het fout. We weken af van ons besluit niet de medische molen in te gaan en kregen zoveel keuzes voorgeschoteld dat het ons duizelde. We probeerden ze allemaal en verloren onszelf. Zodanig dat we dachten een Hetty nodig te hebben om onze weg terug te vinden. Maar we hebben helemaal geen Hetty nodig. We moeten alleen maar stoppen met twijfelen. Ophouden met treuren om wat niet is en een nieuwe weg inslaan. En die weg heet adoptie. Een nieuw, gezamenlijk doel. Een kind nemen, waarmee we allebei geen bloedband hebben. Zoveel eerlijker voor ons alle drie. Geen tweede keuze, maar een andere keuze.

Bij de kruising besluit ik niet de weg naar huis te nemen. Ik ga de snelweg op en zet met luid kloppend hart de muziek harder.

Where do we go
Where do we go now

De gitaarsolo van Slash snerpt zo jankerig dat het bijna pijn doet. Dit is het nummer van onze dochter, het nummer dat ooit zoveel beloften droeg. 'Sweet Child O' Mine'. Lieve kind van mij. Lieve.

Ze ligt begraven op het kinderveldje, onder een witte zwerfkei waarop geschreven staat 'Voor altijd in ons hart', omgeven door een waas van blauwe vergeet-mij-nietjes. Dit is het treurigste hoekje van de begraafplaats. Hoezeer iedereen ook probeert er wat van te maken met tuinkabouters, knuffelberen en felgekleurde bloembedden, alles ademt wanhopig verdriet. Het verschrikkelijkste van deze plek is dat het tegen de sportvelden aan ligt en uitgelaten kinderstemmetjes de vogels overstemmen.

Eva heeft het grafje goed onderhouden. Er staat een nieuwe pot met roze bloemetjes tussen de twee vrolijk kijkende Disney-dwergen van plastic. Ik kniel en zet een witte roos tegen Lieves steen. Sinds de begrafenis ben ik hier niet meer geweest, tot grote ergernis van Eva. Ik wilde niet met haar mee naar dit monument van mijn mislukking. Waarom ik nu wel hierheen ben gereden, is me eigenlijk een raadsel. Ik streel de koude steen en voel me er tegelijkertijd belachelijk bij. Ik wil iets voelen. Ik wil liefde voelen voor een kind dat niet van mij was, een kind dat nooit heeft geleefd, met wie ik nooit een verbond heb kunnen sluiten, maar het enige dat ik voel is schuld.

7

Eva praat al de hele dag niet tegen me. Toen ik haar vertelde dat ik ben gestopt met de therapie, trokken haar mondhoeken naar beneden en keek ze me vol afkeer aan.

'Je moet het zelf weten,' zei ze, en daarna niets meer.

Ze stampt demonstratief zwijgend door het huis met tassen vol boodschappen voor vanavond aangezien Rebecca en Steef komen barbecuen. Ik krijg er buikpijn van en daarom loop ik als een slaafse hond achter haar aan, neem de zware tassen van haar over, ruim de boodschappen op, maak de sauzen en vraag haar zo ongeveer om het halfuur of er iets is. Veel liever heb ik dat ze tegen me schreeuwt. Dat ze servies naar mijn kop gooit en me de meest pijnlijke verwijten maakt. Maar dat zal ze nooit doen. Dit is Eva's manier van ruziemaken. Ze kan het dagen volhouden mij te negeren, tot ik er gek van word, en ik haar haar zin geef. Dat gaat deze keer echter niet gebeuren. Ik ga nooit meer naar Hetty toe, al zwijgt ze me een jaar dood.

Het is inmiddels half zeven en nog steeds ondraaglijk warm buiten. Eva staat in de keuken met woeste bewegingen stokbroden te snijden en ik trek me terug in de achtertuin met een fles rosé. Ik vul de barbecue met briketten en aanmaakblokjes en boen het rooster schoon. Zweet parelt op mijn bovenlip. Naast ons hoor ik de opgewekte stemmen van de familie Buxus, die eveneens in de tuin eet, net zoals iedereen in onze straat, onze wijk, allen verborgen achter groengebeitste schuttingen. Als ik mezelf een derde glas inschenk, zie ik Steefs grijnzende hoofd om de keukendeur verschijnen. Hij steekt een fles tequila en een zakje limoenen omhoog. 'Wat dacht je hiervan, vriend?'

Ik ben blij om hem te zien. We lopen op elkaar af, een walm van zonnebrandolie hangt om hem heen, en we slaan elkaar amicaal op de rug. Ik kus Rebecca op haar gloeiende wangen. De buggy met een slapende Sem erin wordt in de schaduw geparkeerd. Steef gaat op zoek naar borrelglaasjes en laat me alleen achter met zijn vriendin. Ik zoek naar iets om tegen haar te zeggen, als zij begint te vertellen dat ze naar het strand geweest zijn, hoe heerlijk het was en dat ze nu helemaal rozig is. Haar jurk vertoont zweetplekken onder haar oksels. Ik verbeeld me dat ik mijn neus in dat holletje, waar haar arm overgaat in haar borst, duw.

'Zo fijn om dicht bij het strand te wonen,' zegt ze. 'Vind je niet?'

'Ja,' zeg ik, 'maar ik ben er in geen jaren meer geweest. Eva vindt het in de zomer te druk en in de winter te koud.'

'Dan moet je naar het naaktstrand gaan.' Met haar zilver gelakte nagels haalt ze een sigaret uit haar pakje. 'Daar is het zalig. Lekker rustig, niemand die zich met je bemoeit.'

Onmiddellijk zie ik het voor me, hoe haar naakte, bruine lijf zich loom over het zand voortbeweegt.

'Ik denk niet dat dat wat voor ons is.'

'Steef vindt het heerlijk, hij is een echte nudist. Als het altijd dit weer zou zijn, liep hij de hele dag in zijn blootje.'

Even kijken we elkaar recht in de ogen en het lijkt of ik een schok krijg, alsof er iets in mij openknapt. Een mooie vrouw flirt met mij. Vergeleken met Steef ben ik een saaie sukkel en waarschijnlijk wil ze alleen maar aardig doen, maar het doet me goed te weten dat ik nog besta, dat iemand als zij moeite doet om me een goed gevoel te geven. Ik vraag me ook af waarom ik sta te liegen tegen haar. Eva wil best naar het strand. Ze komt alleen niet op het idee.

Steef keert terug met glaasjes en een bus keukenzout. Eva loopt achter hem aan met een schaaltje in partjes gesneden limoen. Ze draagt een witte, linnen rok en ik kan haar string zien zitten. Ze werpt een blik in de kinderwagen en zucht dat ze zelden zo'n zoet kind heeft meegemaakt. Dan kust ze Rebecca en complimenteert haar met haar mooie jurk. Steef doet voor hoe je een tequilashot moet nemen. Zout in het kuiltje tussen duim en wijsvinger, de limoen uitknijpen in je mond, zout oplikken en dan de tequila er in één slok achteraan.

'Op onze nieuwe buren,' proost hij en hij slaat het glas achterover. Ik druppel het limoensap op mijn tong, lik het zout van mijn hand en gooi de tequila naar binnen. Het brandt in mijn slokdarm en ik begin te hoesten.

Eva nipt van haar glaasje. 'Dit is niks voor mij,' lacht ze. 'Ik word al dronken van een glaasje rosé, laat staan hiervan…'

'Ik neem er nog een,' zegt Steef en schenkt zijn glas weer vol. 'Ik heb me uit de naad gewerkt deze week, in die hitte. Op het weekend, jongens, dat het maar eindeloos mag duren.'

We leiden hen rond door het huis. Ze zijn onder de indruk. Rebecca glijdt met haar bruine handen over de strak geschilderde kozijnen en verzucht dat ze wilde dat Steef ook zo handig was en Steef antwoordt grinnikend dat al die perfectie alleen maar zin heeft als je een vrouw hebt als Eva, die het allemaal netjes houdt. We laten het bubbelbad en de massagedouche zien, de computerkamer en laten hun voelen hoe heerlijk ons waterbed ligt. Steef vraagt zich af wat dat allemaal niet gekost moet hebben en ik vertel dat ik alles op Marktplaats vind en vervolgens zelf aanleg. Steef lacht en antwoordt dat hij hele andere dingen zoekt op internet.

'Het is duidelijk dat jullie geen kinderen hebben,' zegt Rebecca.

Steef en ik blijven hangen op zolder, bij mijn muziekcollectie en ik vertel over mijn verleden als diskjockey en gitarist. Steef vraagt of ik wat wil spelen. Ik pak mijn gitaar en zeg dat ik het al ruim vijftien jaar niet meer heb gedaan en ik er eigenlijk niet zo goed in was.

'Wat maakt dat uit, man, laat horen, het lijkt me te gek om gitaar te kunnen spelen.'

Hij draait een shaggie en zoekt door mijn cd's, terwijl ik de plug in mijn versterker steek en mijn vingers over de snaren laat gaan. Het voordeel van elektrische gitaar spelen is dat het al snel ergens naar klinkt. Ik doe het 'Hey Joe'-loopje van Jimi Hendrix. Steef sluit zijn ogen en wiegt met zijn hoofd. Ik speel door. Wonderlijk genoeg blijkt het nog steeds in mijn vingers te zitten. Steef begint zachtjes mee te zingen.

Hey Joe, where you goin' with that gun in your hand
Hey Joe, I said where you goin' with that gun in your hand

We kijken elkaar aan en glimlachen.

I'm goin' down to shoot my old lady now
You know I caught her messin' round with another man

We lachen een bevrijdende lach en Steef legt zijn grote, warme hand in mijn nek.

'Peter, jongen, relax nou eens een beetje. Laat die schouders hangen…'

Hij duwt mijn schouders krachtig naar beneden met zijn handen.

'Ik ben relaxed,' zeg ik en ik deins achteruit.

'Je bent een toffe gozer, maar je zit erbij alsof je het leed van de hele wereld op je nek draagt. Rebecca vertelde me dat je in therapie zit?'

Ik trek de plug uit mijn gitaar en voel het bloed naar mijn kop stromen. Dat geouwehoer van die vrouwen. Waarom kunnen ze nooit hun kop houden over dit soort dingen? Ik wil niet dat Steef me ziet als een depressieve kneus.

'Zat,' antwoord ik. 'Ik ben ermee opgehouden. Het is niks voor mij, dat praten over mijn gevoelens.'

Ik weet niet hoeveel Steef weet. Ik durf het hem niet te vragen, maar ik vrees dat Eva in een vlaag van vertrouwelijkheid alles heeft verteld. Wat zou betekenen dat Steef en Rebecca het weten. En uitgerekend tegenover Steef wil ik niet de lamme lul zijn die zijn vrouw niet zwanger kan maken. Het verklaart ook de wonderlijke blikken die Rebecca mij steeds toewerpt. Die hebben niets met geilheid te maken. Ze vindt me alleen maar sneu.

'Voor mij ook niet. Ik ben er ook mee gekapt.' De groeven langs zijn mond lijken ineens dieper. 'Daarom moest ik weg uit Utrecht. Ik had een akkefietje op mijn werk en de korpschef wilde dat ik in therapie ging... Ik heb het geprobeerd, echt, maar ik voelde me zo fucking beroerd daar. Politiewerk, jongen, dat is tegenwoordig niet meer te doen. Dat ligt niet aan mij, dat ligt aan het systeem. Maar goed, nu zit ik dus op de motor, bekeuringen uit te schrijven. Geen narcotica meer voor mij.'

We kijken elkaar aan en op dat moment lijkt onze vriendschap werkelijk beklonken. Ik vraag niet verder, want het maakt niet meer uit waar het akkefietje over ging en het interesseert Steef ook helemaal niets waarom ik in therapie heb gezeten. Wij mannen vinden elkaar niet in het uitwisselen van vertrouwelijkheden, wij vinden elkaar in het stilzwijgende begrip.

'Weet je wat jij moet doen?' vraagt Steef, nadat hij zijn shaggie heeft aangestoken. 'Jij moet een keer met me mee naar de schietbaan. Niets werkt zo ontspannend als een paar kogels in die schijf jagen. Echt. Beter dan welke therapie ook.'

Ik leg de lamskarbonaadjes op het rooster van de barbecue nadat ik ze met olijfolie heb ingesmeerd en geniet van het sissen van het vlees. Ik kan niet veel, maar barbecueën kan ik als de beste. Aan mijn karbonaden geen zwartgeblakerde randen, in mijn kippenpoten geen rauwe stukken. Het is een kwestie van geduld. De briketten langzaam op temperatuur laten komen. Het vlees er pas op leggen als ze gloeien. En dan erbij blijven. Draaien en draaien. De stukjes vlees die een bruin korstje hebben aan de zijkant leggen zodat ze rustig kunnen nagaren.

Eva schept Griekse salade op bordjes, Steef zoekt een geschikte cd, Rebecca wiegt de wagen van Sem heen en weer met een glas rosé in haar hand. Ik fluit een onbenullig deuntje. Vanuit de keuken klinkt Bob Marley. Ik zie Eva's heupen deinen op de muziek. Ook Rebecca begint loom te dansen.

'Wauw,' zegt ze en ze glimlacht naar me. 'Dit is nu mijn muziek. Mij kunnen ze zo afvoeren naar Jamaica. Heerlijk.'

Steef sleept de draadloze box naar de deuropening.

'Denk je wel aan de buren?' vraagt Eva, die met de bordjes vol salade naar buiten komt.

'Fuck de buren. Laat ze de politie maar bellen,' lacht Steef.

Ik kijk naar ze terwijl ze eten, drinken – Steef drinkt bier, afgewisseld met shotjes tequila, de meiden zijn overgegaan op rosé – en kletsen over de problemen bij de politie, de verloedering van onze maatschappij en ik verbaas me erover hoezeer ik me op mijn gemak voel in het gezelschap van onze nieuwe buren. En dat is vrij bijzonder. Ik voel me eigenlijk zelden op mijn gemak, tenzij ik alleen op mijn kamer zit, achter de computer, en luister naar mijn muziek. Waar ik ook ben, op mijn werk, bij mijn schoonfamilie, naborrelen na het zaalvoetbal, altijd is daar tussen mijn ribben, net onder mijn borstbeen, die pijnlijk brandende, nerveuze bal. Maar vanavond niet. Vanavond ben ik zo loom als de trage bas van The Wailers.

Eva praat honderduit, haar gezicht ontspannen, haar wangen blozend. Niet over haar burn-out, niet over haar verdriet, maar over haar werk op school en de onttakeling van het onderwijs, bijgevallen door Steef, die ook dagelijks geconfronteerd wordt met stuurloze jongeren. Tussendoor ratelt Rebecca dat ze wil emigreren, dat Steef werk moet zoeken op Aruba of Curaçao, waarop Steef antwoordt dat Curaçao dertig kilometer verderop ligt en hier gewoon Den Helder heet.

We lachen. Discussiëren over geweld bij voetbalwedstrijden. Veilige onderwerpen waarbij we elkaars moraal voorzichtig aftasten. Eva serveert het toetje, haar beroemde 'Dronken Aardbeien'. Aardbeien gemarineerd in wodka en suiker. Ze giechelt dat ze aangeschoten is en ze zegt dat het komt door Steefs tequila, dat ze morgen waarschijnlijk wel hoofdpijn zal hebben, en slaat daarbij met haar handen zachtjes tegen haar wangen.

'Morgen is morgen,' is Rebecca's commentaar. Ze pakt een dronken aardbei en duwt deze in Steefs mond. Daarna ploft ze op zijn schoot en vlijt zich tegen zijn brede lijf. We zijn even stil van dit vertoon van intimiteit en horen alleen het zachte gekeuvel van de andere buren uit de andere tuinen.

'Je hebt een mooie vrouw, Peter.'

We staan inmiddels in de keuken, ik weet ook niet waarom, maar we staan achter Eva en Rebecca, die aan het opruimen zijn, met een pilsje in de hand. Ik geloof dat we beiden staren naar hun billen en dat Rebecca daarom moet lachen. Ik ben dronken. Steef gaat andere muziek opzetten.

'Billy Idol,' roept Eva en ze begint druk gebarend te vertellen dat wij elkaar hebben ontmoet toen zij een nummer van Billy Idol aanvroeg bij mij. Steef komt terug, dansend met een shaggie hangend in zijn mondhoek.

'*Billy Idol it is, madame.*'

'O, ik was vroeger zo verliefd op Billy Idol,' zegt Eva.

'Ik heb nog nooit van die man gehoord,' antwoordt Rebecca.

'Hij lijkt een beetje op Steef,' zegt Eva met een stralende, aangeschoten lach. Ik ben ervan overtuigd dat ze het expres zegt, om mij op mijn plaats te zetten.

Steef morst bier. Het doet me niks. Laat die vloer maar barsten, denk ik. Ik beweeg mee. Mijn lichaam lijkt vloeibaar. Ik spreid mijn armen en sluit mijn ogen en hoor alleen nog maar de muziek, de gitaar, de rauwe stem van Billy die bezit van me neemt, het trilt in mijn buik en ik schreeuw.

It's a nice day to START AGAIN.

Steef schreeuwt. Alle vier staan we te gillen als uitgelaten pubers. De meiden springen. Ze hebben hun schoenen uitgeschopt. Steef slaat zijn armen om hen heen en drukt ze tegen zich aan. Ze vallen bijna om. Gieren het uit. Zijn handen lijken hun borsten te grijpen. Eva laat hem begaan. Ik pak haar van hem af, leg mijn handen om haar warme heupen en druk mijn stijve tegen haar aan.

Ik durf alles.

Ik ben Billy.

Waarom niet? En ze duwt me niet weg. Ze danst door, draait zich om, wrijft haar volle billen ritmisch langs mijn geslacht, gooit haar armen in de lucht, en ik ga met mijn handen omhoog, langs haar ribben, de zijkant van haar dansende borsten, streel haar oksels. Steef hangt om Rebecca, zijn tong reikt naar de hare, zijn handen omvatten gretig haar kont. Ik wil niet nadenken. Ik wil het laten gaan. En ik wil neuken, eindelijk weer eens echt, hard, gulzig neuken.

Billy Idol is een versnelling lager gegaan. 'Eyes without a face'. Ik vind het een zeiknummer. Eva niet. Ze slaat haar armen om mijn nek. We schuifelen. Ik wil het vasthouden, haar geilheid mag niet wegebben. Steef en Rebecca hebben inmiddels de bank bereikt en laten zich vallen. Ik zie hoe Steef haar borst pakt en haar tepel in zijn mond neemt. De gordijnen zijn nog open. Mijn erectie is zo hard dat het pijn doet. Ik manoeuvreer Eva richting de andere bank. Witte bank, zeer besmettelijk. Het geeft niet. Morgen is morgen. Ze kan ieder moment tot bezinning komen. Het moet nu gebeuren. Voorzichtig zoen ik haar. Ze zoent terug. Ik streel met mijn tong langs haar lippen. Zij opent ze. We tongen. Voor het eerst in tijden tong ik weer met mijn vrouw. We zakken door onze knieën en bereiken de bank. Ik moet niet kijken naar Steef en Rebecca. Ik wil eigenlijk dat ze nu verdwijnen. Eva wurmt zich los uit mijn omhelzing. Ze staat op en doet de gordijnen dicht. Trekt haar rok recht. Mijn hart klopt als een bezetene en ik reik naar haar, ze moet weer bij me komen, dicht bij me blijven, er mag geen ruimte zijn om na te denken.

Ik hoor Steef kreunen. Ik wil het niet horen. Stiekem kijk ik toch. Rebecca zit op hem, haar jurk opgestroopt tot boven haar heupen. Ze draagt een zalmroze, kanten slipje. Ze lacht heel hard om iets wat Steef gezegd heeft. Daarna pakt ze Eva bij de hand en trekt haar naar zich toe. Ze schuift haar hand in Eva's decolleté en streelt haar borst. Steef aait haar kuit, glijdt met zijn hand langzaam naar boven. En Eva duwt hen niet diep beledigd van zich af. Draait niet de muziek uit. Geeft Steef geen stomp in zijn gezicht. Nee, Eva buigt zich voorover en kust Rebecca. Laat haar roze tong naar buiten glijden en sluit haar ogen. Geeft zich over aan Steefs hand tussen haar benen. En ik, ik lig als versteend op de bank met mijn bonkende pik. Ik doe niets. Ik durf niks.

Eva

8

Als Peter me niet had gezegd dat hij gestopt was met de therapie dan was het misschien nooit gebeurd. Dan had ik waarschijnlijk minder gedronken en Steef en Rebecca op tijd de deur uit gezet. Maar ik was boos, de hele avond, woedend dat hij was afgehaakt en daarom dronk ik zo belachelijk veel. Het is helemaal uit de hand gelopen, dat weet ik, maar het voelt niet zo. Integendeel, ik heb eindelijk het gevoel dat ik weer leef. Mijn hart bonkt in mijn keel, mijn armen en benen verzuurd van de alcohol, maar het is een aangename kater, zo een waarbij je de hele dag blijft glimlachen om de avond ervoor. Ik heb geen spijt, hoewel ik dat natuurlijk wel zou moeten hebben.

Ik duw het laken van me af. Mijn lichaam is klam van de hitte, nu al en het is nog niet eens acht uur. Peter ligt niet naast me. Hij wilde vannacht op de bank slapen. 'Ik kijk je nooit meer aan,' mompelde hij nadat Steef en Rebecca waren vertrokken.

Ik ben te ver gegaan, maar ik zal niet gauw vergeten hoe opgewonden ik was, hoe dwingend de drang om me helemaal te laten gaan. Ik heb seks nog nooit zo ervaren. Peter was mijn derde vriendje, de eerste man die echt moeite deed om mij te behagen, maar het is hem niet vaak gelukt mij klaar te laten komen. Vannacht leek het vanzelf te gaan. Misschien waren het de omstandigheden, was het de combinatie van drank en wiet. Misschien de ervaring van Steef en Rebecca, maar het ging zo makkelijk, zo natuurlijk, zo snel. Ik streel de binnenkant van mijn dij en aai met mijn duim langs mijn vochtige, warme lippen. Mijn baarmoeder krimpt ineen, schokt na bij de gedachte aan vannacht, mijn tepels komen tot leven. Ik ruik Steef. Aan mijn vingers, mijn lichaam, mijn haren. Zijn kruidige, muskusachtige geur.

Ik was het vergeten. Seks was iets plichtmatigs geworden, een handeling die nu eenmaal moet gebeuren om een kindje te maken. De temperatuurcurve links op het nachtkastje, wij altijd in hetzelfde standje. Hij boven, ik onder, zodat het zaad zo dicht mogelijk bij de baarmoeder geloosd wordt. Zo hebben we het jaren gedaan. Ook toen het niet meer zo hoefde omdat het toch niet lukte.

Ik was bang dat ik frigide was. Dat het gegluur in mijn kruis, het gepruts met eendenbekken, KI-spuiten, die pijnlijke puncties, het droge geneuk, al die onderzoeken, mijn ziel uit mijn onderlichaam hadden verjaagd. Het was een gortdroog, doods gebied geworden dat niets kon verdragen. Geen aanraking, zelfs niet van mezelf, geen indringers, nog geen tampon. Grote, katoenen Sloggi's moesten eromheen en 's nachts in bed dikke flanellen pyjamabroeken. De eerste keer dat Rebecca vertelde over hun seksleven was ik in shock omdat ik er eigenlijk van uitging dat iedere vrouw, gesetteld met een kind, net zo opgedroogd zou zijn als ik. Dat lees ik tenminste in de bladen. Ja, ze schrijven ook wel over partnerruil en parenclubs, maar ik bladerde dan altijd maar door, net als bij die reportages over exotische vakantiebestemmingen waar ik toch nooit heen zou gaan. Te duur, te vreemd, te eng. Liever lees ik over vrouwen als ik. Dat troost me, gek genoeg. Dat ik niet de enige ben die tobt. En soms staan er goede tips in. Zo heb ik Hetty gevonden via de *Marie Claire*.

Ik wist al, toen ze kwamen barbecueën, dat Rebecca en Steef fervente swingers zijn. Ze vertelde het me toen ze mijn haar kwam doen, gratis, omdat ik een paar dagen daarvoor bij haar in de tuin in huilen was uitgebarsten nadat ik haar verteld had over de moeilijke periode waar Peter en ik in zaten. Zij vroeg of wij soms geen kinderen wilden. Ze was heel lief, ze nam me in haar armen en begon mijn rug te masseren.

'Je nek voelt aan alsof de hele wereld erop leunt,' zei ze.

En zo voelt het ook. Alsof ik dag in dag uit loodzware blokken beton met me meesleep.

Rebecca bood aan na het weekend mijn haar te knippen en me een hoofdhuidmassage te geven. Ze zei dat goede lichaamsverzorging de beste therapie is.

Ze kwam die maandagochtend erop gapend binnen. Haar oogwit lichtroze geaderd van vermoeidheid. Verder zag ze er schitterend *hippiechic* uit. Haar gebruinde huid glinsterde en haar lange haren roken naar muskus, alles rinkelde en ruiste om haar heen. Ze had een zwaar weekend gehad, zei ze.

'Met kleine Sem zeker?' vroeg ik en ze lachte haar Mona Lisaglimlach.

'Nee, hij was uit logeren bij Steefs moeder.'

'Aha. Gestapt?'

'Zoiets.' En weer die glimlach, die aanspoorde tot doorvragen. Ze legde een handdoek om mijn schouders, ging achter me staan en begon mijn hoofdhuid te masseren met warme, naar kokos ruikende olie.

'Doe je ogen maar lekker dicht.'

'Waar zijn jullie dan geweest?' vroeg ik, met mijn ogen gespannen gesloten.

'Naar een club.'

'Ah.' Haar vingers wreven krachtig in mijn nek.

'Ik kan me niet meer herinneren wanneer wij voor het laatst naar een club zijn geweest,' zei ik.

'Wij gaan minstens één keer per maand. Het is echt het paradijs daar. Tenminste voor ons. De meeste mensen vinden het verwerpelijk, dus ik vertel het ook niet aan iedereen.'

Haar vingers cirkelden over mijn slapen.

'Hoezo verwerpelijk?' vroeg ik.

'Het is geen gewone club, maar een parenclub. Het is trouwens de bedoeling dat dit tussen ons blijft…'

Ik knikte en voelde me ineens heel ongemakkelijk onder haar handen.

'Niet dat ik me ervoor schaam of zo, ik ben best trots op onze manier van leven, maar het is niet handig als Steefs collega's hiervan horen en we moeten ook rekening houden met Sem. Soms valt het gewoon verkeerd. We zijn er al heel wat kennissen door kwijtgeraakt. Trouwens, we hebben er ook veel nieuwe vrienden bij gekregen, moet ik eerlijk zeggen. En jullie zijn ook nieuwe vrienden. Jij hebt mij in vertrouwen genomen over je problemen. Dat waardeer ik heel erg, weet je dat?'

Ik opende mijn ogen en glimlachte naar haar.

'Het is fijn om goede buren te hebben,' zei ik. Het woord vrienden durfde ik nog niet te gebruiken.

'Oké, wij gaan eens per maand naar de Liberty, een parenclub dus, maar niet zo'n ranzige hoor, helemaal niet, het is gewoon een club waar alles kan en alles mag. Je kunt er dansen, drinken, kijken, met elkaar vrijen, maar ook met anderen. Als je dat wilt.'

Ik denk dat mijn mond een beetje openviel. Ik draaide me om en keek haar aan, zocht in haar ogen of ze een geintje maakte. Ik geloof dat ik 'doe normaal' zei. Ze keek terug met de verheven blik van een gelovige.

'Er is niks pervers aan,' zei ze verdedigend. 'Ik denk dat Steef en ik misschien wel trouwer aan elkaar zijn dan anderen. In ieder geval geestelijk. Wij gaan nooit uit elkaar, omdat we elkaar kunnen delen.'

'Goh,' kon ik alleen maar uitbrengen, en ik vroeg of ze koffie wilde. Ik moest onder haar handen vandaan. Met haren vol olie liep ik de keuken in. Rebecca kwam achter me aan. Ik voelde me belachelijk, met mijn haar in pieken alle kanten op, de handdoek rond mijn schouders, mijn onopgemaakte, bleke gezicht, de pantoffels nog aan mijn voeten, naast haar geurige, sexy lijf, een lijf waar ze zo overduidelijk mee koketteerde en van genoot. Zinnelijk, wellustig, jong. Ik stelde me bij parenclubbezoekers heel andere types voor. Mannen met snorren en bleke buikjes. Vrouwen met hangborsten, geperst in goedkope, synthetische lingerie. Dat zei ik tegen Rebecca, die net een sigaret opstak en in de lach schoot.

'Welnee, niet in de Liberty. Ze zijn natuurlijk niet allemaal even knap, maar wij gaan altijd op zaterdagavond, dan is het publiek jong en nog redelijk strak.'

'En wat doe je dan? Vrij je ook met anderen? Heb je daar behoefte aan? Ben je dan niet jaloers? Het lijkt me doodeng, echt waar.'

'De eerste keer misschien, maar daarna is het fantastisch. Je stapt even uit de werkelijkheid, in je fantasie. Het is magisch. Ultiem genot. Je doet niets wat je niet wilt, alleen waar je zelf zin in hebt. De mensen daar zijn zo aardig en open. En je kunt afspraken met elkaar maken, over hoe ver je wilt gaan, waar je grenzen liggen. Dat is het mooie ervan, je leert echt met je partner te praten op het intiemste niveau, over je angsten, je verlangens. Je relatie krijgt een heel nieuwe impuls. Verdiept zich. Ik weet dat niets of niemand Steef en mij uit elkaar kan krijgen. Seks met anderen is niet bedreigend. Verliefdheid op anderen ook niet. Zolang je er maar over praat en er samen van geniet.'

Haar verhaal gaf me het gevoel dat ik van een andere planeet kwam. Seks stond zo ongeveer onder aan mijn prioriteitenlijstje. Ik werd al chagrijnig wanneer ik een vrijend stel op televisie zag. Seks was alleen nog maar een onhebbelijke drang van Peter, die ik lijdzaam onderging. Stiekem haatte ik hem erom.

'Waarom vertel je me dit eigenlijk?' vroeg ik, geïrriteerder dan de bedoeling was.

'Omdat ik het graag met je wil delen. Vorige week heb je me verteld van jullie problemen en ik voelde me vereerd. Dat je me vertrouwde, hoewel we elkaar nog maar net kennen. Ik vond het niet eerlijk om dan zo'n groot, belangrijk en fijn onderdeel van ons leven voor me te houden. Ik wil er graag over vertellen. Misschien heb je er ook wat aan.'

Ik keek haar verbaasd aan. 'Ik bedoel, jullie zitten toch in een flinke relatiecrisis…'

'Onze problemen zijn niet op te lossen met een bezoekje aan een parenclub.'

'Dat bedoel ik ook niet. Wat ik wil zeggen is dat jullie elkaar misschien wat minder in de houdgreep moeten houden. Elkaar vrij laten.'

Ze aaide mijn wang en gleed met haar hand langs mijn nek en mijn arm, waarna ze mijn hand pakte.

'Je bent een hartstikke mooie vrouw, Eva. En nog jong. Alles is mogelijk. Een kind is niet zaligmakend. Je kunt je liefde ook in andere dingen kwijt.'

'Dat zeg jij. Maar jíj hebt een kind. Dus wat weet jij ervan?'

Ik waste de olie uit mijn haren. Keek in de weerspiegeling van de ruiten. Zag de neerwaartse trekken van verdriet op mijn gezicht. Wat moest ik met Rebecca's verhaal? Ik wilde dat ze het me nooit had verteld. Het gaf me een vies gevoel en tegelijkertijd wond het me op. Beelden doemden op, van haar en Steef, bezig met anderen. Ik gooide een plens koud water in mijn gezicht om de beelden te laten verdwijnen. Rebecca kwam achter me staan. Begon mijn haren te kammen. 'Je hebt mooi dik haar,' zei ze. Ik was ineens bang voor haar. Het zweet brak me uit.

'Vind je? Ik vind het niks. Het kroest alle kanten op.'

'Gek hè, dat niemand tevreden is met zichzelf. Ik wil meer slag, jij wilt liever steil haar. Ik zou zo met je ruilen, qua haar. En qua borsten trouwens ook. Ik word soms gek van die memmen van me, die alle kanten op klotsen.'

Ik lachte onhandig.

We liepen samen naar beneden. Ik ging weer op de stoel zitten. Ze nam een pluk haar tussen haar vingers en knipte professioneel de dode punten af.

'Ik was even… Ik vind het nogal confronterend wat je me vertelt. Het staat zo lijnrecht tegenover hoe Peter en ik leven. Je moet natuurlijk zelf weten wat je doet, maar ik weet niet… Het lijkt me zo onromantisch.'

'Is het dan zo romantisch om de rest van je leven seks te hebben met één man? Dat wordt op een gegeven moment toch ook een sleur?'

Daar had ze gelijk in, en het gold zeker voor mij en Peter.

'Dat moet je proberen te voorkomen,' zei ik, 'maar je hoeft toch ook niet meteen naar een parenclub te gaan?'

'Maar wat dan? Vreemdgaan? Door tegen je zin in seks te hebben?'

'Nou ja, je kunt er samen wat van maken. Een relatie draait toch niet alleen om seks?'

'Een relatie zonder seks is geen relatie. Dat is vriendschap, hooguit. Hoe doen jullie dat dan, er samen wat van maken?'

Ik slaakte een diepe zucht. Ik wilde hier helemaal niet over nadenken, laat staan over praten.

'We zitten in een moeilijke periode. Maar die gaat voorbij. Ik weet zeker dat mijn energie weer terugkeert, dat het weer goed komt. En trouwens, Peter en ik zijn niet zo seksgericht.'

'Hmm. Nooit geweest?'

Ze streek met haar hand door mijn natte haar, trok er aan weerskanten aan om te zien of ze niet scheef geknipt had.

'Ja, vroeger. Maar zelfs toen… Ik ben niet met Peter getrouwd omdat hij mijn allergrootste liefde is. Meer omdat ik me veilig bij hem voelde. Ik wist dat hij een lieve man voor me zou zijn en dat had ik nodig, toen.'

'En nu niet meer?'

'Jawel…'

'Sorry dat ik zo brutaal ben, maar als jullie het zo moeilijk hebben samen, en jij zo graag een baby wilt, waarom ga je dan niet bij hem weg?'

'Omdat ik bang ben,' zei ik en ik schrok van mijn directe antwoord. 'Als ik er alleen al aan denk word ik zo bang dat ik nauwelijks nog adem kan halen.'

'Bang voor wat? Voor hem?'

'Ik ben bang dat ik dan de rest van zijn leven vergal. We zijn met elkaar vergroeid, geloof ik. En ik weet niet of ik sterk genoeg ben om alleen te zijn, als ik eerlijk ben. Mijn ouders zijn gescheiden en dat was afschuwelijk. Ze zijn er geen van beiden gelukkiger op geworden. Mijn moeder zegt altijd: beter een slecht huwelijk dan geen huwelijk.'

'Ik heb nog nooit zoiets belachelijks gehoord,' mompelde Rebecca.

Ik stap uit bed met bonkende hoofdpijn. Schiet in mijn ochtendjas en slof de trap af. Peter ligt op de bank, de patchwork plaid over zich heen getrokken. Zijn mond hangt half open, zijn gezicht is rood en gezwollen. Ik kijk naar hem, naar de man die ik vannacht tot op het bot heb vernederd en ik probeer iets te voelen. Een klein krampje van liefde in mijn buik, een flitsje ontroering in mijn hoofd, een scheut schuldgevoel door mijn hart. Het is er niet. Ook geen irritatie meer. Niet eens de snerpende haat die ik gister nog voelde. Ik voel zelfs geen schaamte over wat er is gebeurd.

Ik heb nu al een paar uur niet aan Lieve gedacht. Ik schrik ervan als ik me dit realiseer. Mijn ogen schieten vol. Ik mag haar niet vergeten. De herinnering aan haar geboorte, haar kleine, frêle lichaampje, haar gesloten knuistjes, het zachte dons op haar hoofdje, dun en kwetsbaar als een eierschaal, is het enige dat ik nog heb. Ik ben moeder. Weliswaar van een dood kind, maar ik ben en blijf een moeder die zielsveel van haar kind houdt, al is het dood. Al heb ik haar nooit echt gekend.

Niet aan haar denken voelt als loslaten. Loslaten moet, zegt Hetty. Zegt Peter. Zegt mijn moeder, mijn broer. Zegt iedereen. Ik kan het niet meer horen. Hoe kan ik mijn kind loslaten? De herinnering doden? Vergeten dat ik moeder ben? De beelden van mijn levenloze meisje uit mijn hoofd bannen? Niemand vertelt me dat. Hetty doet haar best, maar het slaat natuurlijk allemaal nergens op. Ik ga alleen maar naar haar toe omdat zij de enige is tegen wie ik een uur lang over mijn verdriet kan praten. Zij begrijpt waar ik het over heb, tegen betaling, dat wel. De anderen zijn al lang afgehaakt.

Afgelopen nacht heb ik niet aan haar gedacht. Daarom brand ik nu een kaarsje bij de ingelijste foto die niemand wil zien en die ik zo dolgraag aan iedereen zou willen laten zien. Voor hen is het een dode baby, het toppunt van onrechtvaardigheid. Voor mij is het een foto van Lieve, mijn meisje dat groeide in mijn buik en op wie ik trots ben. In mijn hoofd praat ik tegen haar, als ik bij haar foto en de kaars zit. Volgens Hetty is Lieve een kind dat zo goed, zo wijs en zo lief was dat ze ons en de wereld niet meer nodig had om geestelijk rijp te worden, dat haar ziel nodig was voor iets anders, iets hogers. Een Sterrenkind, de engel die over me waakt.

Ik kus de foto en leg mijn voorhoofd tegen het koele glas, de kater geselt mijn hoofd en de hunkering naar haar geur, haar zachtheid overweldigt me weer net zo hevig als in het begin, toen we haar net verloren hadden en ik niets liever wilde dan ook sterven, mijn kind achterna.

Soms denk ik dat daar de oplossing ligt, uiteindelijk. Wat de anderen ook zeggen. Ik heb mezelf een jaar gegeven om weer zin in het leven te krijgen. Lukt dat niet, dan stop ik ermee. Ik probeer het, stap voor stap, en even dacht ik dat Steef en Rebecca me hierbij konden helpen, maar nu weet ik het niet meer. Hoe kan ik hen nog onder ogen komen na vannacht? En Peter, ik durf hem nauwelijks aan te kijken. Misschien ben ik in één keer mijn man en mijn vrienden kwijtgeraakt. Wat heb ik dan nog over? Mijn werk, waar ik als een berg tegenop zie. Zorgen voor andermans kinderen. Toezien hoe achteloos hun ouders met hen omspringen. Iedere dag de moeders aan mijn tafel, vrouwen die zomaar kinderen krijgen en vervolgens niet kunnen wachten om ze bij anderen onder te brengen. Zo weinig eisen als ze aan zichzelf stellen als moeder, zoveel eisen stellen ze aan mij.

9

Peter en ik praten al anderhalve dag niet met elkaar. Daar zijn we heel goed in, mokkend langs elkaar bewegen, vastbesloten om niet als eerste te zwichten, net zo lang tot de woede gesleten is. De stilte wordt verbroken door de telefoon, op zondagmiddag, vijf uur. Peter werkt in de tuin, voorziet de perken van bloeiende bodembedekkers, ik lig in de achtertuin op de stretcher onder de parasol en neem op. Als ik Steefs stem hoor, bloos ik.

Hij vraagt of ze even langs kunnen komen. Ze willen praten over vrijdagavond, want dat is volgens hem hard nodig.

Ik roep Peter en vraag wat hij ervan vindt. Hij weigert me aan te kijken.

'Ik zie niet in waarom. Ik wil niets meer met die mensen te maken hebben.'

Hij wil zich weer omdraaien, maar ik houd hem tegen.

'Wacht nou, Peter, geef hun een kans.' Ik leg mijn hand over de hoorn.

'Alsjeblieft…' fluister ik.

'Oké,' antwoordt Peter stug. 'Als jij het zo graag wilt. Maar ik heb ze niets meer te melden.'

Ik haast me naar boven om me te verkleden. Met trillende handen wurm ik me in een iets te krap, zwart jurkje en schuif ik de zwarte pumps aan mijn voeten. Ik vrees dat ik geen stom woord kan uitbrengen. De herinnering aan vrijdag, die ik al het hele weekend probeer weg te drukken, schiet weer door mijn hoofd. De natte, zachte kus van Rebecca. Hoe haar mond zich opende en ik mezelf verbaasde door naar haar toe te buigen. Hoe heerlijk ik het vond om haar grote borsten aan te raken, na weken van heimelijk gluren, om voor het eerst in mijn leven een vrouwenborst te strelen, en toen de hand van Steef op mijn kuit, langs de binnenkant van mijn knie, mijn dij, geroutineerd mijn slipje opzij duwend met zijn duim… Ik wil er niet meer aan denken.

Beneden gaat de bel. Ik kijk uit het raam en zie ze staan. Rebecca achter de buggy in een vrolijk gekleurde tuniek met glimmende lovertjes rond haar nek en decolleté, haar haren samengebonden in twee losse vlechten. Steefs witte linnen pak wappert om hem heen. Hij is te bruin, te stoer, zijn blonde haren zijn te dun, zijn kleding is te bedacht. Wat vind ik zo ontzettend opwindend aan hem?

Het is de manier waarop zijn bovenlip krult. Het rafelige litteken in zijn nek. De zachte blonde haartjes op zijn handen. De tederheid waarmee hij zijn zoon uit de wagen pakt.

'Ik zou je op je bek moeten slaan,' zegt Peter bits als hij de deur opent.

'Laten we het alsjeblieft een beetje beschaafd houden,' zeg ik zacht en glimlach verontschuldigend naar Steef en Rebecca.

'Beschaafd? Daar had je vrijdag over moeten beginnen, schat,' zegt hij en met driftige stappen loopt hij de kamer in. Rebecca en Steef staan bedremmeld in de deuropening. Rebecca trekt haar wenkbrauwen op en kijkt van mij naar Steef.

'Is dit een goed idee?'

'Tuurlijk,' zegt Steef en hij loopt langs me heen naar binnen.

Peter schreeuwt nooit. Hij is een rustige, introverte man. Daarom ben ik verliefd op hem geworden, duizend lichtjaren geleden. Destijds vermoedde ik een enorme diepte achter zijn kalme, stille, altijd in het zwart geklede verschijning. Hij was serieus en een beetje zwaar op de hand en daar viel ik op. Al onze idolen waren zo. Somber kijken, zingen over een uitzichtloos bestaan.

Die zwarte kleding verruilde hij voor overhemd en spijkerbroek toen hij bij de krant ging werken, zijn gitaar voor de allerduurste stereo-installatie. Langzaam gingen de eigenschappen waarop ik ooit viel me meer en meer irriteren. Hij bleek niet rustig, maar saai. Hij bleek niet stressbestendig, maar juist overgevoelig. Iedere verandering in ons leven ging bij hem gepaard met slapeloze nachten en maagzweren. Maar praten, ho maar. Ik heb de woorden altijd uit hem moeten trekken. Praten over zijn gevoelens is voor Peter zo ongeveer het ergste dat hem kan overkomen. Ik zie hem lijden, nu we met zijn vieren in de keuken staan, niet wetende wie dit gesprek zal openen. Ik geef Steef een biertje en Rebecca een roseetje.

'Luister,' zegt Steef en hij draait zijn flesje heen en weer tussen zijn grote handen. 'We moeten praten over hoe het vrijdagavond is geëindigd. Ik zeg niet dat het vreselijk was, of onprettig, maar het had zo niet mogen gaan. Er was veel drank in het spel… Het spijt me, Peter.'

Peters hoofd hangt tussen zijn schouders. Hij kijkt niemand aan. Dit is voor hem de hel. Rebecca buigt zich naar hem toe en legt haar hand op de zijne. Hij trekt zijn hand niet weg.

'We willen jullie niet kwijt als vrienden. En buren ook nog eens een keer. We zien elkaar dagelijks… En daarom had het niet mogen gebeuren. Althans niet op deze manier.'

Ik kan het natuurlijk niet wegwuiven. Niet zeggen 'vergeven en vergeten' of zoiets doms.

'Degene die echt haar excuses moet aanbieden ben ik, Peter. Ik zat fout. Ik was dronken. En ik was heel kwaad op je. Het spijt me.'

'Je vond het fijn. Je zegt wel dat je er spijt van hebt, maar dat heb je niet.' Hij praat zacht, zijn hoofd nog steeds gebogen. Iedereen zwijgt. Ik voel drie paar ogen op me gericht.

'Ik heb het gezien. Hoe heerlijk je het vond. En nu weet ik in ieder geval dat je geen frigide, zure doos bent.'

Flats. Als een natte, vieze dweil in mijn gezicht. De tranen schieten in mijn ogen.

'Hoe kun je zoiets zeggen, waar zij bij zijn?' fluister ik.

'Ho, Peter, Eva. Dit gaan we niet doen. Dit moeten jullie maar met elkaar uitzoeken,' zegt Steef en hij neemt een grote slok bier, waarna hij het flesje met een klap op tafel zet. 'Wij zijn verantwoordelijk voor wat er is gebeurd. En wij schrikken er niet zo van. Het hoort een beetje bij onze manier van leven. Maar we hebben wel alle regels overschreden vrijdagavond en hoe dat komt... Ik weet het niet. Het zat in de lucht, denk ik.'

Nu kijkt Peter op. Van Steef naar Rebecca, die hem een gulle glimlach schenkt. De zon is verdwenen. In de verte klinkt gerommel. Het al dagen voorspelde onweer kondigt zich aan.

'En wat is dan jullie manier van leven? Hoezo is jullie leven zo anders dan het onze?'

'Wij hebben elkaar nooit trouw beloofd. Daar geloven we niet in. Geestelijke trouw, dat wel, maar lichamelijke? Dat vinden we een onmogelijke opgave. We zorgen voor elkaar, we zorgen samen voor Sem en we vertellen elkaar alles, ook onze stoutste fantasieën en die proberen we samen waar te maken. Daar komt het in het kort op neer.'

Peter kijkt naar me en knijpt zijn ogen samen. 'Wij zijn heel ouderwets daarin. Tenminste, ik dacht dat Eva er ook zo over dacht...' Dan loopt hij naar de ijskast en pakt er een biertje uit.

Na een ongemakkelijke stilte die eindeloos lijkt te duren, begint Peter vragen op Steef en Rebecca af te vuren, die ze geduldig beantwoorden. Ja, ze doen dit al zo'n jaar of vijf. Nee, ze zijn bijna nooit jaloers. Ja, ze worden weleens verliefd op een ander. Nee, dat vormt geen bedreiging, het is juist fijn zolang je het maar met elkaar deelt, er veel over praat en elkaar dat mooie gevoel gunt. Ja, ze gaan eens per maand naar een parenclub. Ontmoeten andere stellen via internet. Doen aan partnerruil, trio's. Rebecca is niet vies van andere vrouwen, maar Steef is honderd procent hetero. Het is een heerlijke, bevrijdende manier van leven en ze zijn daardoor alleen maar meer van elkaar gaan houden. En laten we eerlijk zijn, het is toch onmogelijk om een monogaam seksleven spannend te houden?

De regen klettert inmiddels tegen de ruiten. Steef en Rebecca raken steeds beter op dreef. Het is fijn, zeggen ze, om zo vrijuit met ons te kunnen praten. Steef was bang dat Peter hem onmiddellijk de deur zou wijzen na hun verhaal. Het is moeilijk om altijd maar te moeten zwijgen over zo'n belangrijk onderdeel van je leven, maar ja, niet iedereen begrijpt het.

Ik vertel niet dat ik het allang weet. Dat ik er al wekenlang over nadenk, me probeer voor te stellen hoe het zal zijn om Peter met een andere vrouw te zien vrijen. Ik vrees dat het me niks zal doen.

'Nou ja,' zegt Peter, terwijl hij met een rood aangelopen gezicht zijn derde pijpje bier opent, 'alles beter dan geen seks meer hebben, zoals wij.'

Het is even stil. Ik wil onder tafel verdwijnen.

'Zo is het toch? Eva moet me niet meer. Ik wil haar wel. Meer dan ooit, gek genoeg. Hoe minder zij me wil, hoe meer ik naar haar verlang. Ik begrijp het wel, hoor. Na vijf jaar vrijen op commando is de lol er wel van af en Eva zei ook bij de therapeute dat het voor haar niet meer zo nodig hoefde. Dat ze net zo goed zonder seks kon. Maar goed, vrijdagavond bleek wel hoe het werkelijk zit. Ze wil nog wel, maar niet met mij.'

Steef schudt zijn hoofd en begint te lachen.

'Dit is niet grappig,' fluistert Rebecca en ze geeft hem een por.

'Nee. Maar moeten we dan nu allemaal een potje gaan zitten grienen? Peter, man, je bent een topkerel. Je zit in de bloei van je leven. Kom op. Laat je niet ringeloren. Straks lig je in je eentje in je kist. Jullie houden mekaar in een wurggreep. Ik meen het, Eva, als je hem niet meer wilt, laat hem dan vrij. Godsamme...'

'Voor jullie draait misschien alles om seks, maar voor mij niet,' zeg ik zacht.

'Seks is leven. Niet neuken is dood, Eva. En ik heb de dood gezien. Meerdere malen. Het is gruwelijk.'

'Ik ook, Steef. Wij ook. We hebben een dode baby in onze armen gehouden. Ons eigen kind. Vertel ons niets over de dood.'

We staren alle vier voor ons uit. Rebecca steekt een sigaret op. De buggy begint zachtjes te schudden. Sem is wakker geworden.

'Nou ja, dan weet je hoe hard en koud en eenzaam de dood is. Daarom moet je leven. Tot aan de laatste moeizame teug. Genieten, iedere dag. Er kan beter "had ik maar niet" dan "had ik maar wel" op je grafsteen staan.'

Peter schraapt zijn keel. 'Heb jij weleens iemand gedood?' vraagt hij, om het gesprek een andere wending te geven.

Ik zie hoe Steefs kaakspieren zich spannen.

'Ja,' antwoordt hij. 'Vorig jaar. In Utrecht. Een junk die ik aanzag voor een gewapende drugshandelaar. Ik dacht dat hij zijn wapen trok. Het bleek zijn mobieltje te zijn... Ik ben geflipt daarna, helemaal. Alles kwam eruit. Ik heb maanden niet kunnen werken.'

Rebecca streelt zijn rug.

'Steef heeft ook in Srebrenica gezeten. En dat heeft hij nooit goed verwerkt. Wat hij daar heeft meegemaakt, zal hij nooit meer kwijtraken.'

'Als je daar staat, in de vuurlinie en de kogels vliegen je om de kop, lijkt het net een spelletje. Het is niet echt. Er ontplofte een brisantgranaat vlak naast me, en ik mankeerde niets. Rende gewoon door, realiseerde me niet eens dat het geratel dat ik hoorde afkomstig was van mitrailleurs. Wat is dat voor vreemd geluid, dacht ik. Idioot. Veel later komt het besef pas, hoe dankbaar je moet zijn dat je nog leeft, dat je nog een kans krijgt. Jij wel, al die duizenden moslimmannen niet. Daarom zeg ik: vecht tegen de dood. Geniet. Haal uit het leven wat erin zit!' Hij pakt mij en Peter bij de polsen en knijpt zo hard dat het pijn doet. 'Breek uit die zelfgebouwde gevangenis, jongens!'

Hij grijnst en staat op, onze polsen nog steeds vasthoudend en sleurt ons mee naar de kamer. 'Klaar met het gezeik. Luister naar de muziek. Dat is echt mijn redding, weet je dat? Muziek. U2. Luister daar maar eens naar. Werkt een stuk beter dan die klotetherapie.'

Steef loopt naar ons cd-rek en vraagt of we *All That You Can't Leave Behind* hebben van U2. Die hebben we. Natuurlijk. Peter heeft alles. Op alfabetische volgorde. Hij is niet meer boos en zoekt de cd vrolijk op.

'"A Beautiful Day",' zegt Steef. 'Het eerste nummer, dat is echt…
Daar krijg ik kippenvel van. Dat nummer heeft me door de crisis
heen gesleurd. Rebec, als ik doodga, dan wil ik dat je dat op mijn begrafenis draait.'

Bij de eerste tonen van het nummer balt hij zijn vuisten en steekt
ze in de lucht. Peter zet de muziek harder. Sem begint te huilen. Rebecca tilt de baby uit de buggy en drukt hem tegen zich aan, terwijl
ze hem kleine kusjes op zijn hoofdje geeft. Ik pak drie nieuwe, ijskoude biertjes uit de koelkast.

Ik glimlach naar mezelf in de weerspiegeling van het keuken-
raam. Het is een grijns die er de rest van de avond niet meer af zal
gaan. De flesjes druk ik tegen mijn kokende hals en huiver. De mannen doen samen een macho dans met gesloten ogen, terwijl Rebecca sereen toekijkt. Ik geloof nu dat het mogelijk is om van meer
mensen tegelijk te houden. Ik zou van hen kunnen houden. Zij maken ons blij. Ze zijn eerlijk, oordelen niet. Rebecca is de eerste bij
wie ik mijn verdriet niet hoef te relativeren, en die me niet uit de weg
gaat. We hebben zoveel vrienden verloren omdat ze ons verdriet
niet aankonden en deze mensen, die we nauwelijks kennen, nemen
ons in vertrouwen.

We eten de restjes pasta van gisteravond. Peter krijgt Sem op schoot
en het doet geen pijn. Ik aai het mannetje over zijn zachte, donzen
hoofdje en zeg ze dat ze een mooi kind hebben. Zo zoet, zo onschul-
dig, zo tevreden. Rebecca antwoordt dat ze het mij ook zo gunt, dit
geluk en daar moet ik van huilen. Het komt wel goed, zegt Peter,
we gaan ons opgeven voor adoptie. Ik verzwijg mijn droom, een
kind van mezelf, gegroeid in mijn buik, gebaard uit mijn schoot.
Adoptie, ja, dat is het eerlijkste.

Steef noemt ons lieverds en verontschuldigt zich nogmaals voor
vrijdagnacht. Peter zegt dat het goed is en dat we het maar moeten
laten rusten. Het dringt niet tot hem door dat we al geïnfecteerd
zijn met gulzige nieuwsgierigheid en verwoestend verlangen.

Als de andere buren allang liggen te slapen, staan we op straat en
kunnen maar geen afscheid nemen. We fluisteren en lachen ge-

smoord. We voelen ons verheven, boven de rest van de buurt uit-
stijgen, die deze bijzondere zondagavond voor de buis heeft door-
gebracht. Peter en ik zijn mollen geweest, jarenlang, wroetend in
het koude donker, maar nu staan we in het volle licht. Alleen onze
ogen moeten nog wennen.

Peter

IO

Hetty is blij voor ons dat het goed gaat. Ze ziet het aan onze ogen. Die stralen weer. Dit is de reden waarom ze dit werk doet. Niet om er rijk van te worden, maar om echtparen weer te zien opbloeien. Om keer op keer te bewijzen dat praten wel degelijk helpt. Al is het maar om de moeilijke periode van afscheid en rouw door te komen.

Ik ben voor geen meter geïnteresseerd in wat Hetty vindt en ik erger me dood aan haar op-de-borstklopperij. Maar Eva hangt aan haar lippen, zuigt haar woorden op als een spons en kijkt erbij alsof ze zojuist een tien heeft gekregen. Omdat ze wil presteren. Indruk maken. De beste zijn. Zelfs in rouwverwerking. De termen die ze ineens gebruikt. Het is echt om gierende diarree van te krijgen, zou Steef zeggen. Ze heeft de dood van Lieve 'een plek gegeven'. De rouwperiode 'afgesloten'. Het feit dat we nooit een kind van ons samen zullen krijgen 'geaccepteerd'. Ze staat nu 'open' voor andere wegen. Adoptie bijvoorbeeld.

Ze pakt zelfs mijn hand en zegt dat ze goed begrijpt hoe moeilijk het voor mij geweest moet zijn dat ik niet de biologische vader ben van Lieve, en waarom ik wilde stoppen met de KID-behandelingen. Ze is drammerig geweest, dat beseft ze nu, ze zat in een tunnel, haar verlangen naar een eigen baby overheerste alles, maar de tijd, Hetty en onze nieuwe vrienden Steef en Rebecca hebben haar geleerd dat het ook anders kan. Er is meer in het leven dan moeder worden, het klinkt cliché, het is ook een cliché, maar nu snapt ze de betekenis van deze woorden. Ze begint te huilen en bekent dat er een periode is geweest waarin ze dood wilde, dat ze serieus heeft overwogen zichzelf van het leven te beroven, dat ze zo boos en verdrietig is geweest dat ze alles en iedereen omver wilde maaien. Ze heeft aan de rand van de afgrond gestaan en de diepte was aanlokkelijk, maar ze dankt nu Hetty dat ze er niet in is gekukeld.

Hetty wendt zich tot mij. Ze kijkt me aan met haar welbekende zachte, open blik, waarin ik ook nog iets anders lees, alleen voor mij bestemd. Minachting.

'En jij, Peter? Gaat het met jou net zo goed?'

'Ja,' antwoord ik. De rest houd ik voor mezelf. Dat het zo goed gaat de laatste tijd dat het beangstigend is. Dat ik de hele tijd het gevoel heb iets over het hoofd te zien. Dat ik niet kan slapen omdat ik te opgewonden ben over alles wat ons de laatste tijd overkomt.

'We zijn dichter bij elkaar gekomen.'

Ik hoor het mezelf zeggen. Ik wil ook een tien. Terwijl het verre van waar is. We zijn verder van elkaar verwijderd dan ooit. Vijf jaar lang tobden we met zijn tweeën maar wat aan. Draaide alles om zaad, eitjes, temperatuur, hormonen, hoop, verdriet en pijn. Het eiland waarop we zaten werd kleiner en kleiner, totdat we elkaar dreigden te verstikken. Maar nu is er ineens ruimte gekomen. Ruimte om in te vluchten. Ik heb Steef, Eva heeft Rebecca. Ik heb weer een motor gekocht en ga bijna iedere zondag met Steef de hort op, Eva gaat de deur weer uit. Steef en ik gaan binnenkort naar een concert van U2, er is een kind in ons leven waar we zo nu en dan op passen en Eva en ik hebben weer seks. Niet veel, en niet overdonderend, maar dat hoeft ook niet. Ik ben al blij met een flintertje Eva.

Het gebeurde al de nacht na de verzoening met Steef. Eva nam nota bene het initiatief. Ik was nog steeds kwaad op haar en vroeg haar wat ze nog in me zag. Wat ze nog met me moest. Ze bedolf mijn gezicht onder zachte kusjes, als een kind dat om vergeving vraagt bij haar oude vader en ik pakte haar hoofd en duwde mijn tong ruw in haar mond. Ik had haar op dat moment kunnen slaan. Dat was wat ik wilde: haar pijn doen.

'Wat is dat nou voor een vraag? Laten we opnieuw beginnen. Het spijt me dat ik je gekwetst heb…'

'Ik houd van je, dat zeg ik iedere dag, maar je zegt het nooit tegen mij.'

Ik hield haar stevig vast en boorde mijn tanden in mijn onderlip om niet te huilen. Huilen ja. Kan een man nog dieper zinken?

Ze duwde haar neus in mijn haren en snifte.

'Ik ben bang dat al mijn liefde bij Lieve begraven ligt.'

Ik gleed naar beneden, mijn wang langs haar warme zachte borsten en legde mijn hoofd op haar buik.

'Hoe doen anderen het? Hoe doen ze dat, weer opkrabbelen, na zoiets? Ik wil het, echt. En ik kan ook wel blij zijn, soms. Vrijdagavond en deze avond waren er momenten dat ik me echt gelukkig voelde. Maar meteen daarna komt het schuldgevoel. Alsof ik Lieve in de steek laat. Heb jij dat niet?'

Nee. Dat heb ik niet. Ik ben verdrietig omdat Eva verdrietig is. Ik heb het kind niet gedragen. Ik heb het zelfs niet gemaakt. Ik voel leegte omdat zij van me wegdrijft. En als ik eerlijk ben woedt in mij vooral boosheid. Om alles.

'Ja, lieverd, natuurlijk heb ik dat.' Ik kneep zacht in haar heerlijke ronde billen en streelde de binnenkant van haar benen. Ze sidderde en schoof weg van mijn handen.

'Met Steef en Rebecca… vrijdagavond. Was dat zo'n geluksmoment?'

'Doe dit niet, Peter.'

Ze rolde onder me vandaan. Ik mocht haar niet wegjagen. Het niet weer verpesten. Maar ik wilde het wel weten.

'Zeg het maar. Het geeft niet. Ik ben niet meer boos.'

Ik streelde haar rug, die ze inmiddels naar me toe had gedraaid.

'Ik heb het allemaal al uitgelegd. Ik was kwaad op je. En heel erg dronken. Ik weet niet wat me bezielde.'

'Dat zijn allemaal excuses. Ik wil weten hoe het voelde.'

Zachtjes verplaatste mijn hand zich naar haar borst, mijn vinger draaide cirkeltjes om haar tepel, die onmiddellijk hard werd. Ze kreunde.

'Het voelde goed. Zacht.'

'Wat was zacht?'

'Rebecca's mond. Haar handen, haar borsten.'

'Ja, Rebecca's borsten. Ik ben jaloers op je. Daar zou ik ook weleens aan willen zitten.'

Ik duwde mijn pik tegen haar billen. Eva trok een been op, het teken dat ze me niet zou afwijzen. Mijn hart roffelde als een razende.

'En Steef?' vroeg ik, terwijl mijn hand afgleed naar het kroezende haar tussen haar benen. 'Volgens mij kwam je klaar,' fluisterde ik in haar oor. 'Dat zag ik. Dat is mij nog nooit zo snel gelukt…'

Ze opende haar benen en liet mijn vingers toe. Ik had haar in tijden niet zo nat gevoeld.

'Het maakt niet uit…' zei ze licht hijgend.

'Wel. Het maakt wel uit. Zeg het. Misschien kan ik er wat van leren.'

De woede welde weer in me op. De trut. De moeite die ik had moeten doen, jaar in jaar uit. En de eerste de beste kerel vingert haar zo klaar. Onder mijn ogen.

'Het was het idee…'

'Welk idee?'

Ik duwde haar op haar rug.

'Nou?'

'Van een man en een vrouw… Zijn hand, haar mond…'

'Ja wat? Wat deed haar mond?'

'Likken. Zuigen. Niet ruw. Niet ongeduldig.'

Ik stelde me die mond voor rond mijn pik. Vreemde blauwe ogen die me vragend aankeken. Andere, neukende mensen om ons heen. Eva lag onder me, haar ogen gesloten, haar mond halfopen. Ik weet niet waaraan ze dacht, vermoedelijk aan hetzelfde, want ze was warmer, natter, opener, maar ook verder weg dan ooit.

Dit is het, dacht ik. Dit windt haar op. Ze wil gewoon gepakt worden.

Ik ramde mijn pik in haar en nam haar, dieper en harder dan ooit tevoren. Ze duwde me niet van zich af. Ze liet zich nemen als een hond en ik kon niet zien of ze ervan genoot, maar op dat moment interesseerde het me niet. Ze was me wat verschuldigd.

Na afloop stroomden de tranen over haar wangen. Ik zei sorry, ik was geloof ik iets te ruig. Zij glimlachte en antwoordde dat het niets gaf.

We nemen afscheid van Hetty. Er is geen nieuwe afspraak gemaakt. Maar als een van ons er behoefte aan heeft, kunnen we altijd bellen en meteen bij haar terecht. Eva en Hetty omhelzen elkaar, ik steek ter voorkoming van deze ongewenste intimiteit mijn hand uit.

'Dag Hetty,' zeg ik. 'Bedankt. Ik bedoel het niet onaardig, maar ik zeg niet "tot ziens" als je het niet erg vindt.'

'Peter, als ik iets hoop, dan is het jullie nooit meer te zien.'

Ze knijpt in mijn hand en kijkt me nog even ernstig aan.

'En jij: luister goed naar jezelf. Alsjeblieft.'

'Gaat helemaal lukken.'

We lopen het trapje af en zwaaien nog een keer naar Hetty de Heks. Een warme vochtige wind waait door onze kleren. Ik sla mijn arm om Eva heen en kus haar op haar krullen.

'Waar gaan we heen om deze bevrijdingsdag te vieren?' vraag ik.

'Ik wil naar het grafje van Lieve,' antwoordt Eva.

II

Eva plukt wat verdorde bloemetjes uit het perk. Ik pak een gieter, vul deze met water en giet het over de vergeet-mij-nietjes. Ze praat niet met me, alsof ze bang is dat zodra ze haar mond opent, er alleen maar een schreeuw uitkomt. Ze houdt haar kaken stijf op elkaar en ontwijkt zelfs mijn blik, uit angst dat ze overmand raakt door de pijn. Ik streel haar rug en houd haar hand vast. Nergens voel ik mijn eigen zakkerigheid sterker dan hier, bij het lijkje van Eva's grootste liefde, ik ben verdomme jaloers op een dode baby, en op haar oprechte, intense verdriet.

Eva gaat door haar knieën en legt haar hand op de steen. Ze fluistert.

'Hé, kleine Lieve. Dag schatje. Papa en mama zijn hier.'

Ik schraap mijn keel en rasp: 'Goedemorgen, kleine meid.'

Voor de vorm, het voelt allemaal zo voor de vorm.

'Ik ben hier, lieve Lieve, om je te vertellen dat ik je los ga laten.

Precies een jaar geleden koos je ervoor een engeltje te worden…'

Eva's stem hapert.

Het bloed stijgt naar mijn hoofd. Ik had er niet aan gedacht, maar ineens is-ie er weer, helder als glas, de herinnering aan 22 juli, hoe Eva me vroeg in de morgen wakker maakte, volkomen in paniek, haar handen in haar kruis, dat onder het bloed zat.

'We verliezen de baby! We moeten nu naar het ziekenhuis!' schreeuwde ze. Ze zag krijtwit. Ik wilde eerst de dokter bellen, de verloskundige, een ambulance. Ik maande haar tot rust en zei dat het goed zou komen, hoewel ik heus wel begreep dat het helemaal mis was. Ik pakte de tas die al klaarstond voor het geval dát. Kon de autosleutels niet vinden. Uitgerekend die dag had ik ze niet aan het haakje gehangen. Ik rende door het huis in dwaze paniek terwijl zij gilde dat het bloeden niet ophield, ze hield een grote badhanddoek tussen haar benen maar die was binnen enkele minuten doorweekt. Ze schold. Ze smeekte. Ze bad. 'Lieve Lieve, blijf bij ons, houd vol. We houden van je.' Het leek uren te duren voordat ik de sleutels vond, op het fonteintje van de wc, en we in de auto sprongen, gadegeslagen door verbijsterde buren en voorbijgangers en toen nog langs de hobbelige grachten de stad uit, door rode stoplichten, over stoepjes en fietspaden langs de opstoppingen. Het bloed gutste uit haar en drupte van de vuilniszak op mijn beige bekleding. Ik keek af en toe naar Eva's verstijfde gezicht. Ze huilde niet, ze keek alleen maar strak voor zich uit met grote angstige ogen en beet op haar onderlip. Alles aan haar trilde.

En dan de Eerste Hulp, die in de verste verte niet lijkt op wat we kennen van tv, hordes artsen en verpleegsters die je opwachten, op een brancard gooien en vervolgens met het zweet op hun voorhoofd je leven en dat van je kind redden. Nee hoor, hier zitten zusters die doodgemoedereerd naar je pasje vragen. Ze zetten je vrouw in een rolstoel en laten haar wachten, terwijl zij roept dat ze voelt hoe haar kind vecht tegen de dood. Een echo. Niks echo. Naar de OK met haar, red onze dochter uit haar buik. Ze is zesendertig weken, Lieve is levensvatbaar. Iedere seconde telt. Eva weet beter dan alle anderen wat er aan de hand is. Ze surft alle bangmakende sites af. Eerder dan de gynaecoloog weet ze dat haar placenta heeft losgelaten. Hetgeen de echo bevestigt. En ook dat het hartje van onze lieve Lieve niet meer klopt. De kreet van ontzetting die Eva slaakt. Het professionele troosten dat volgt. De stilte. De wegdraaiende blikken. In nog geen uur tijd is het allemaal voorbij.

In het witte, armoedige kamertje dat ruikt naar ontsmettingsmiddelen en de metalige geur van bloed zit ik verslagen naast mijn vrouw, die op de operatietafel ligt. Ze staart naar het plafond. Haar lippen zijn blauw. Ze lijkt zich niet bewust van de onrust om ons heen. Verpleegsters bedekken haar met een groen laken. Ontnemen ons het zicht op haar buik. Leggen gehaast twee infusen aan. Een zakje bloed, een zakje doorzichtige vloeistof. Onze gynaecoloog dokter Van Dam komt binnen, verstopt achter zijn masker. Ik ruik het rubber van zijn handschoenen. De scherpe lucht van de jodium waarmee ze haar buik insmeren. Hij overlegt met de anesthesist. Eva wil geen roesje. Ik houd haar koude, breekbare hand vast, dat is alles wat ik kan doen en hoop dat ik niet flauw zal vallen. Of braken. Ik vecht tegen de duizelingen door af en toe heel hard op mijn tong te bijten. Er wordt tegen ons gepraat, maar we horen het niet.

Dan begint het. We zien niks, maar we horen het gekletter van gereedschap. Het geduldige gebliep van de apparaten waarop Eva is aangesloten. Een traan rolt uit haar oog. Een verpleegster staat aan haar andere kant en aait haar liefdevol over het hoofd. Ik ben zo bang dat ik het bijna in mijn broek doe. Straks zal ik onze dochter zien. Onze dode dochter. Het kleine mensje dat hoort te leven. Daar hebben we godverdomme al die jaren voor gestreden. Alles, werkelijk alles voor gedaan en gelaten. Waarom moeten wij dit meemaken? Het is een belachelijke vraag, ik weet het, maar hij hamert in mijn hoofd.

En daarna. Het eeuwige verdriet van Eva. De blikken van mijn schoonouders, onze buren, de bakker op de hoek, mijn collega's. Als ik het ze moet vertellen. Ik had Eva's moeder allang moeten bellen. Ik ben een lul. Ik denk aan mezelf terwijl ik er helemaal niet toe doe. 'We zijn er,' zegt Van Dam. Iedereen zwijgt. Een paar seconden later tilt hij Lieve boven het groene gordijn uit. Ze is zo klein. Paars. Stil.

'Wil je haar bij je?'

Eva knikt. De verpleegster pakt een doek en wikkelt Lieve erin. Daarna wordt ze op Eva's borst gelegd. Eva kermt. Streelt het kleine, verwrongen gezichtje met haar wijsvinger.

'Ze is perfect,' fluistert ze. 'Helemaal af... Helemaal klaar... O god.'

Die ochtend stierf mijn gezin. Met een zucht was het gebeurd. Al onze hoop, al onze liefde, al ons geloof verdween samen met het kind dat ons een toekomst had moeten geven. We trokken Lieve het pakje aan dat we samen voor haar hadden gekocht tijdens een weekendje Maastricht. Een laatste weekend samen. Een laatste weekend rust. Geniet er maar van, zei mijn zwager. Het pakje droomden we om spartelende beentjes. Ze werd gewikkeld in het dekentje dat Eva's moeder voor haar had genaaid van restjes babykleertjes, lakentjes en dekentjes, die stamden uit de periode dat Eva zelf een baby was. Ze legden haar in een doorzichtig bakje, dat naast Eva's bed kwam te staan en we staarden haar tot leven. We herkenden Eva's neusje, haar mond, het platte achterhoofd van Eva's vader. Streelden verbaasd huilend de kleine vingertjes en teentjes. Knuffelden en kusten haar koude, dode lijfje, en roken steeds weer aan haar hoofdje om haar geur te onthouden.

We kozen ervoor haar mee naar huis te nemen en te begraven. Eva wilde een eigen plekje voor haar, dat ze zo vaak mogelijk kon bezoeken. Precies een jaar lang ging ze iedere dag, soms zelfs wel twee keer. Een keer werd ik op de krant gebeld door een dame die zich ernstige zorgen om haar maakte. Ze had Eva zien liggen op het graf. Ze was ernaartoe gelopen om zich ervan te vergewissen dat ze nog leefde. Toen ze dichterbij kwam, zag ze dat ze huilde, met haar vuisten gebald in haar buik. Of ik haar wel goed in de gaten hield.

'Lieve, papa en mama moeten verder. Er is geen andere manier. Maar we laten je niet in de steek. Je zit in ons hart. Al kom ik niet meer iedere dag, ik denk iedere minuut aan je. Ik blijf je mama. Jij blijft onze dochter. Ons engeltje.'

Eva buigt voorover en kust de steen. Dan pakt ze iets uit haar tas. Een stenen engel met een devoot gezichtje.

'Zij zal over je waken als ik er niet ben.' Ze zet de engel tussen de vergeet-mij-nietjes, staat op en pakt mijn hand. Samen staren we naar het kitscherige beeldje, naar de dansende blauwe bloemetjes, naar de vierkante meter grond waarin onze droom begraven ligt. Ik vind het knap van Eva dat ze kan geloven dat Lieve nu een engel is, en ergens om ons heen zweeft. Mij lukt het niet.

'Ik laat haar los,' fluistert ze. Ik strijk met mijn hand over haar krullen, duw mijn neus in haar nek en kus haar zachte oorlelletje. We zuchten een afscheid en huilen niet. Als we weglopen, hand in hand, voel ik me kilo's lichter. Ik hoor de vogels, het gekrijs van meeuwen, ik zie hoe het zonlicht tussen de bomen schittert.

'Zullen we naar het strand gaan?' vraagt Eva zacht.

We lopen voor mijn gevoel kilometers langs de vloedlijn, door het lauwe water van het pierenbad. Broekspijpen opgerold, rok opgetrokken, schoenen in de hand. Het is druk aan zee, en warm, nog warmer dan op het kerkhof. We bereiken het naaktstrand, waar het een stuk stiller is en Eva stelt voor om hier even te liggen, in het zand. Ik voel me niet op mijn gemak, tussen al die blote mensen, maar vandaag zal ze me niet horen zeuren, dus ga ik zitten, op mijn overhemd en doe hartgrondig mijn best om niet te kijken naar de borsten en pikken om ons heen. Eva trekt haar rok uit, haar beha, ploft naast me neer en stroopt vervolgens onhandig haar roze slipje naar beneden. 'Zo,' zegt ze. 'Dit is fijn. Dit is wat ik wil. Vrijheid.'

Ze vlijt haar naakte, witte lichaam in het warme zand en spreidt haar armen.

12

Ik kan het niet. Ik kan mijn broek niet uittrekken. Ik zou het best willen, net zo ontspannen rondlopen als al die andere kerels, die gewoon rustig aan hun zak krabben tijdens een kletspraatje en geen erectie krijgen van de warmte in combinatie met hordes naakte vrouwen.

Eva vindt me belachelijk. Als ik haar herinner aan haar eigen preutsheid, hoe ze vroeger weigerde topless te liggen, en aan haar bikinibroekjes die navel en heup bedekten, zegt ze: 'Ja, dat was vroeger.' Nu wil ze zich niet meer voor zichzelf schamen.

'Ik ga proberen,' zegt ze, terwijl ze op haar ellebogen omhoog komt en ik mijn ogen niet af kan houden van haar kleine, zachtroze tepels, 'om alles los te laten. Schaamte. Schuld. Angst.' Ze kijkt me brutaal aan.

Het staat haar goed deze schaamteloosheid, maar het heeft ook iets verontrustends en ik vraag me af of ze dit wel zelf verzonnen heeft.

'Waarom?' vraag ik. En wat heeft het voor consequenties? vraag ik niet.

Eva gaat rechtop zitten en wrijft afwezig het zand van haar voeten. Ik zie dat ze haar teennagels heeft gelakt. 'Omdat ik verder moet. En dat kan alleen op een andere manier. Niet door terug te vallen in onze oude, burgerlijke patronen. Wat heeft het dan allemaal voor zin gehad, die pijn en ellende van afgelopen jaar? Alles gebeurt om een reden. Er moest ons iets duidelijk gemaakt worden. Wij wilden niet luisteren en daarom werden de lessen steeds harder. Daarom verloren we Lieve. Daarom zijn Steef en Rebecca nu op ons pad gekomen.'

Ze pulkt aan haar vuurrode teennagels en wendt haar blik af naar de zee. Een reusachtig dikke vrouw rent schaterlachend het water in. Zij heeft duidelijk alles losgelaten.

'Hoor ik hier Hetty blaten?' vraag ik cynisch.

'Jezus, Peter. Wat een dooddoener. Ik ben een volwassen vrouw, ik heb hier lang over nagedacht. Ik heb een nieuwe leidraad in mijn leven nodig. Ik heb jarenlang gedacht: straks, als ons kind er is, gaan we genieten. Dan pas is mijn leven compleet. Misschien waren we veel te bang om te leven in het hier en nu. We hebben ons vastgebeten in die kinderwens omdat dat toch makkelijker was dan elkaar recht in de ogen te kijken en onszelf af te vragen: horen wij wel bij elkaar? Willen wij wel hetzelfde?'

Ze ontwijkt mijn blik. Staart strak naar zee. Ik lach een knorrend, nerveus lachje. Wij hebben ons vastgebeten. Wij zijn bang om te leven. Wij willen niet hetzelfde. Wat een gelul.

'Je spreekt voor jezelf, Eva, niet voor mij. Als jij iets wilt veranderen, als jij je afvraagt of wij nog wel bij elkaar horen, oké… Trouwens, het is niet oké. Het is niet oké wat je nu doet. Zomaar ineens op de proppen komen met dit soort geouwehoer. Terwijl we verdomme voor het eerst in jaren op het strand zitten! Twijfel je aan mijn liefde voor jou?'

Ze slaat haar armen voor haar borst en legt haar voorhoofd op haar knieën. Ze schudt van nee.

'Zo simpel is het niet.'

'Zo simpel is het wel. Ik hou van jou. We doen alles op jouw manier. Ik bouw een huis voor je met alles wat je hartje begeert. We hebben nauwelijks seks, omdat jij geen zin hebt. Jij laat je vingeren door de buurman en ik vergeef het je. Jij wilt in therapie bij een of andere hysterische therapeute, en ik ga mee. Hoe kun je je dan afvragen of wij wel hetzelfde willen?'

Ik ben razend. Ik kom overeind en loop naar het water. Mijn vuisten gebald in mijn zakken. Wij zijn bang om te leven. Wat een gelul. Waar haalt ze het vandaan? Weer een of ander internetforum? Rebecca? Wat voor soort leven staat haar voor ogen? Zoals dat van Steef en Rebecca? Ik moet er niet aan denken.

Ik boor mijn tenen in het zware natte zand en tuur het schitterende water over. Het licht doet pijn aan mijn ogen. En ineens begrijp ik het. Ik weet precies waar ze naartoe wil. Waar deze woorden de opmaat van zijn. Zij laat alles los, onzin. Ze laat mij los. Ik draai me om en ik kijk naar haar, de afstand tussen ons lijkt eindeloos. Ik zie een vrouw, mijn vrouw, haar heerlijke molligheid, haar verhitte gezicht, ze lakt haar nagels ineens, ontbloot zomaar haar romige lijf, er is van alles mis, dat kan niet anders, en wat moet ik ermee? Ik wil me het liefst aan haar vastklauwen, voor eeuwig. Ik mag haar niet verliezen. Ik ben niets zonder haar. Er zit niets anders op dan het op haar manier te doen. Alles, zolang ze maar bij me blijft.

Een hand op mijn schouder. Ik schrik. De grijnzende tronie van een piemelnaakte Steef met Sem in zijn armen. Rebecca staat naast hem. Streeploos bruin, glad, glanzend.

'Jij bent zeker verdwaald?' vragen ze. Ik grinnik. Voel een flits van ergernis. Zo blij met zichzelf, zo gefixeerd op het lichaam. Zoals Steef staat, een beetje wijdbeens, zijn enorme pik trots voor zich uit stekend. Geen schaamhaar. Rebecca ook niet. Haar lipjes krullen schaamteloos naar buiten. Ze draagt een gouden kettinkje om haar enkel en dat windt me op.

'Jullie niet zo te zien,' antwoord ik en we lachen alle drie. Rebecca veegt denkbeeldig zand van haar borsten. Haar tepels worden hard.

'Gaat het een beetje?' vraagt ze en ze zet haar blik op meelevend.

Ik haal mijn schouders op. 'Prima,' zeg ik.

'Is Eef hier ook?'

'Zeker,' zeg ik en ik wijs in de richting van Eva, die al enthousiast zit te zwaaien. Rebecca haast zich haar kant op, Steef en ik dralen bij de vloedlijn.

'Het zit erop, jongen. Dit eerste jaar. En jullie hebben het overleefd,' mompelt hij en hij klopt liefdevol op Sems billetjes. Ik toon mijn verbazing niet, en knik alleen maar. Kennelijk weten ze alles. De grote vraag blijft of deze ontmoeting zo toevallig is als ze lijkt.

Steef stelt voor iets te gaan drinken. Hij dropt Sem bij Rebecca en Eva, die haar handen begerig naar de mollige baby uitsteekt. We sloffen door het gloeiend hete zand naar het paviljoen, Steef voorop, ik sjok achter hem aan met uitzicht op zijn harde kont en de grote, zwarte tattoo op zijn rug. Hij ploft neer op een van de azuurblauwe ligbedden, pakt twee Corona's uit zijn koeltas en opent ze met zijn aansteker. Hier wordt het leven geleefd waarvan Eva vermoedt dat wij er bang voor zijn. Het krioelt van de getatoeëerden, met ijzer doorboorde naakte mannen en vrouwen, blote kindertjes lopen er vrolijk tussendoor, amechtig hijgende honden graven zich verkoeling, Coldplay klinkt uit de boxen. De geur van wiet prikkelt mijn neus.

'Wat een paradijsje, hè? Dit is toch veel relaxter dan daar op dat buma-strand?'

'Buma-strand?'

'Het burgermansstrand. *Windschermcountry*. Jouw strand, zeg maar.' Hij lacht hard en slaat op mijn knie. 'Grapje, jongen.'

Ik neem een slok en zie dat Rebecca haar arm om Eva's schouders heeft geslagen. Ik vermoed dat mijn vrouw zit te snikken. Steef gaat achterover liggen, schikt zijn haarloze geslacht dat roerloos en slap in de zon ligt. We klinken de flesjes, proosten op de zomer die officieel nog maar net begonnen is, en toch al maanden lijkt te duren en die volgens Steef maakt dat iedereen de kolder in zijn kop heeft. Mensen rijden te hard, veroorzaken ongelukken, drinken te veel en vechten om niks. Hij wordt er gek van.

'Daarom is het hier zo fijn. Niet dat opgefokte gedoe. Alles kan, alles mag. Dus trek die belachelijke broek maar uit, vriend, laat je eens gaan!'

'Als alles kan en mag, mag ik hem ook aanhouden.'

'Daar heb jij weer gelijk in.'

We klinken weer en grijnzen plagerig naar elkaar. Ik kom overeind, knoop mijn broek los en laat hem tegelijk met mijn onderbroek vallen. Steef fluit op zijn vingers en ik ga snel weer zitten. Zo doe je dat, loslaten. Van het ene op het andere moment duik je erin en dan blijkt het water lang niet zo koud te zijn als je altijd hebt gevreesd.

Naakt lopen went snel. Omringd zijn door andere naakten ook. Drie Corona's later zie ik de borsten, billen, pikken en kutten niet meer en loop ik net zo ongedwongen in mijn blootje naar de wc als de rest. En het voelt goed. Vrij, inderdaad, en een klein beetje opstandig. Zoals ik me ook voel op de motor.

Eva en Rebecca komen erbij zitten. Sem gaat in de wagen. Steef draait een jointje. Ik vraag hem of hij zich dit allemaal wel kan permitteren, als agent. Hij antwoordt dat ik niet half weet wat zich allemaal onder dienders afspeelt. Het zijn ook maar mensen. Bovendien, een beetje blowen, daar is niks illegaals aan. Het is voor hem de enige manier om zich te ontspannen. Het is zijn dagelijks medicijn. Marihuana heeft hem door de diepste dalen getrokken. Echt kicken, dat is xtc. Op een feestje. Als ze naar de club gaan. Daarvan word je zo geil als boter. Je vindt iedereen mooi en lief, zelfs jezelf. En coke, heel af en toe, in het juiste gezelschap. Dat knettert echt je *brains* eruit.

'Maar hoe kom je dan aan die spullen? Je kunt toch niet als agent drugs kopen bij een of andere dealer?' vraagt Eva, die een beetje tegen me aan leunt, waardoor ik haar gloeiende huid voel. Als een puber aai ik aarzelend haar rug. Ze laat het toe.

Steef begint te grinniken. 'Nee. Maar je kunt hem wel inrekenen. En de boel in beslag nemen.'

'Dat meen je niet…'

Steef zuigt de zoete wietdamp tussen zijn tanden door naar binnen.

'Het gebeurt. En natuurlijk geven we de grote hoeveelheden af. Maar hij heeft natuurlijk ook wel wat op zak voor privégebruik. En het is toch zonde als dat allemaal vernietigd wordt?'

'Zeker,' zegt Rebecca met schorre stem, terwijl ze met twee vingers graait naar de joint in Steefs hand. Haar goddelijke honingbruine lichaam hangt tussen zijn benen en ze lacht haar hese lach. Haar borsten deinen zachtjes.

'Heb jij dat weleens meegemaakt?' Eva leunt naar voren en staart geïntrigeerd naar Steef. Ik maak van de gelegenheid gebruik en laat mijn hand begerig afglijden naar haar billen, die lichtroze verbrand zijn.

'Bij narcotica, ja. Zo'n opgefokte zwartjoekel heeft weleens wat laten vallen tijdens het fouilleren, zomaar in mijn zak. Nu kan dat niet meer, helaas, maar er zijn genoeg collega's die weleens wat vinden en niet te beroerd zijn het te delen.'

We zijn even stil. Rebecca reikt me de joint aan. Ik zuig de warme rook naar binnen en geef hem door aan Eva, die hem tot mijn verbazing aanneemt en eraan lurkt alsof ze de hele dag niets anders doet. Dat loslaten gaat steeds beter.

'Ik wil ook wel een keer xtc proberen,' zegt Eva.

'Kan,' antwoordt Steef. 'Zeg maar wanneer, dan regel ik het.'

'Je moet het wel nemen in een vertrouwde omgeving, hoor.' Rebecca schiet overeind, alsof het woord xtc haar weer tot leven heeft gebracht.

'Jullie komen gewoon bij ons. Lekker met z'n viertjes. Goed muziekje op, hapje, drankje erbij. Dan kan er niets misgaan. Je moet nooit zomaar snoepjes kopen in een discotheek, want dat is troep. Ik weet wie het goede spul heeft en wij hebben ervaring, dus als je het wilt, kun je het het beste bij ons doen.'

Alle drie kijken ze naar mij.

Ik lach en neem nog een hijs van de joint, om tijd te winnen.

'Je lijkt wel een drugsdealer, Steef, in plaats van agent.'

Hij grijnst.

'Doe niet zo buma. Genotsmiddelen gebruikt iedereen. Er is geen verschil tussen een avondje tequila drinken of een snoepje nemen. Dat dit laatste verboden is, komt omdat we geregeerd worden door buma's. Dat is mijn privéovertuiging. In mijn werk voer ik slechts hun regels uit. Dat is nu eenmaal wat ik doe. Ik kán niets anders. Maar ik rijd ook te hard op mijn motor. Ik download muziek in plaats van keurig een cd'tje te kopen. Ik betaal de tuinman zwart. Net zoals iedereen.'

De zon brandt op mijn rug. Drie verhitte gezichten staren me aan. Ik ben een buma, denk ik en ik heb daar nooit moeite mee gehad. Heb geen moment verlangd naar een ander, opwindender leven. Ik wil meer seks, meer liefde van mijn vrouw, dat is het enige. Ik ben zo simpel. Zo snel tevreden. Af en toe een biertje met Steef drinken. Doordeweeks buffelen op de redactie. In de weekenden bezig zijn met onze motoren, luisteren naar Steefs stoere verhalen, zijn grove grappen. Meer leven heb ik niet nodig.

'En als we alle vier zo'n pil nemen en zo geil worden als boter zoals jij dat uitdrukt, wat dan?'

Ik vraag het maar, en het gaat me makkelijk af, tussen de naakte lijven, zo stoned als een aap. Rebecca kijkt me loddereig aan, glimlacht en ik denk 'zaadvragende ogen', een term uit mijn puberteit die ineens in mijn hoofd opduikt, en ze zegt: 'Moeten we dat van tevoren allemaal al bespreken?' En ik zeg: 'Ja, graag,' en voel mijn lul groeien.

'Er gebeurt niets wat je niet wilt.'

'Maar misschien wil ik wel,' zeg ik, om Eva voor te zijn, om te laten zien dat ik ook kan loslaten, dat ik niet bang ben en omdat ik Rebecca wil met haar deinende borsten, haar kale, gladde lippen en haar bruine, tanige kont.

'Ik geloof dat ik even een biertje moet,' zegt Eva en ze wendt haar blik van me af.

'Petertje toch,' grinnikt Steef.

Ik wurm mijn benen in mijn broek en duw mijn stijve lul naar beneden. We grijnzen naar elkaar, ik verontschuldig me en loop het terras op, naar het toilet, waar ik mezelf met driftige rukken aftrek. Het gaat gebeuren, dat is zeker.

We rijden stapvoets naar huis. Het suist in mijn kop en ik ben helemaal verbrand. Bowie is op de radio. Eva zet hem harder.

We can be heroes just for one day

We zingen luidkeels mee en voelen ons helden, de helden die Bowie
bezingt.

I, I will be king

Onheilspellend jankende gitaren.

And you, you will be my queen

Wij gaan alles anders doen. Jaloezie is een aangeleerde emotie, zegt
Steef. Net als schaamte. En wat aangeleerd is, kun je weer afleren.
Alle slechtheid in de wereld is gebaseerd op jaloezie, volgens hem.
En daar zit wat in. Het is verdomd waar. En jaloezie is angst. Angst
om te verliezen. Tragisch is wel dat je juist door jaloers te zijn, verliest. Nu ik erover nadenk: ik ben jaloers op alle mensen die liefde
krijgen van mijn vrouw. Haar vriendinnen, haar familie, de kinderen in haar klas, ons dode kind, Steef en Rebecca, Hetty. En dus
raak ik haar kwijt. Het is een vicieuze cirkel. Die ik ga doorbreken.

We can be us
Just for one day

Ik probeer onder woorden te brengen wat ik zojuist heb bedacht,
maar Eva kijkt me niet-begrijpend aan. 'Het is goed, schat,' zegt ze.
'We moeten het er morgen maar over hebben. Als we allebei weer
nuchter zijn.'

Eva

13

'Ik weet niet of we het moeten doen, Eef.'

Ik schrik wakker. Het laken is klam van ons zweet, het bed ligt vol zand. Peter ligt op zijn rug met zijn handen gevouwen onder zijn hoofd naar het plafond te staren. Zijn oksels zitten vol rode krassen. Hij heeft ze met zijn stonede kop nog geschoren. Ik kijk op de wekker. Het is half drie 's nachts.

'Waar heb je het over?' vraag ik, hoewel ik dondersgoed weet waar hij het over heeft. Maar ik wil het nog een keer uit zijn mond horen.

'Over dat jij een keer xtc wilt proberen.'

'Wij, Peter. Jij wilde het ook. En jíj zei dat je wilde dat het uit de hand zou lopen.'

Ik doe hem pijn. Ik weet niet waarom, maar ik vind het prettig hem te zien worstelen.

'Ik ben bang dat we te hard van stapel lopen. Ik weet niet of ik het echt wil.'

Ik draai mijn rug naar hem toe en schop het laken van me af. Een doffe pijn zeurt achter mijn ogen. Misschien wil ik het alleen maar om weer iets te voelen. Of om hem te straffen. Die neiging heb ik al sinds het verlies van Lieve. Hem vernederen. Hoewel ik hem af en toe ook zielig vind, en lief zelfs, vooral gistermiddag.

'Er gebeurt niets dat je niet wilt,' zeg ik Rebecca na. Hij hunkert naar mijn lichaam, dat voel ik, evenals zijn angst om me aan te raken.

'Het zal net zo gaan als op het strand. Ze teasen ons, met hun stoere, losbollige gedoe. Dan wil ik niet voor ze onderdoen, laat ik me meeslepen door hun spel. Jij ook, dat merk ik.'

'Schat,' zeg ik en ik draai me om, kijk hem recht in zijn angstige ogen, 'stel dat gebeurt waar jij nu bang voor bent. Dat kan toch ook heel mooi zijn? Jij krijgt eindelijk de seks die je zo graag wilt en ik... Ik hoop gewoon dat het bij mij ook terugkomt. Dat ik weer kan verlangen.'

Hij zucht. 'Jezus, Eef...'

Zijn stem klinkt afgeknepen. Ik sla mijn armen om zijn bezwete lichaam en zijn handen klampen zich aan me vast.

'Wat is er met je? Wat is er met ons?' snottert hij tegen mijn schouder.

'We slaan een nieuwe weg in. Zo moet je het zien. Als een nieuwe kans,' zeg ik en ik woel met mijn vingers door zijn weerbarstige haren.

'Doet het je dan niks, het idee dat ik straks misschien met Rebecca lig te vrijen?'

'Ik weet het niet,' zeg ik en dat is de waarheid. 'Maar ik mag ze graag. Ik voel me fantastisch bij hen. Ik vertrouw ze genoeg om met hen dit experiment aan te gaan. En als het ons niet bevalt, kunnen we er altijd nog mee stoppen.'

Peter haalt diep en schokkerig adem.

'God, hoe vaak heb je dat niet tegen me gezegd?' verzucht hij.

We liggen tegen elkaar aan, plakkerig en verstild. Langzaam dommelen we in slaap, en we schrikken wakker als we buiten een enorme klap horen. En daarna woedend geschreeuw.

'... Stefan Blok, klootzak!'

Er klinkt glasgerinkel. Daarna is het dreigend stil. We zitten rechtop in bed, verlamd van schrik, en hopen tegen beter weten in dat het stil blijft of dat we het verkeerd hebben verstaan. Een doffe klap en meer glasgerinkel helpen ons uit de droom.

'Ik heb je gevonden, vieze, vuile moordenaar!'

Peter knipt het nachtlampje aan. 'Wat is dit?'

We lopen naar het raam, schuiven het vouwgordijn opzij en zien iemand met een baseballpet, die op het punt staat met een honkbalknuppel op Rebecca's Fiat Panda in te slaan.

'We moeten de politie bellen…' fluistert Peter, alsof de jongen ons zou kunnen horen.

'Steef is de politie,' fluister ik terug, 'hij zal toch wel zelf bellen?'

Peter schiet in zijn spijkerbroek en T-shirt en haast zich naar beneden. Ik ren achter hem aan, sjor mijn jurk over mijn hoofd. Beneden staat Peter door de voordeur te gluren.

'Laat het licht maar uit,' fluistert hij.

De jongen schreeuwt Steefs naam steeds harder en slaat de voorruit van de auto in gruzelementen. Hier en daar in de straat gaan lichten aan. Verder houdt de buurt zijn adem in. Er komt niemand naar buiten.

'Verdomme! Wat moeten we nou doen?'

Ik pak de telefoon en toets het nummer van Steef en Rebecca. Rebecca neemt hijgend op.

'Gaat het?' vraag ik de domste vraag die in mijn hoofd opkomt, en zij begint angstig te snikken.

'Nee… Steef is over de rooie… Ik weet niet wat hij gaat doen…'

'Waar ben je nu?'

'Ik zit op zolder… met Sem… Hij gaat naar buiten, Eef! Ik hoor hem…'

'Moeten we de politie bellen?'

'Nee! Steef zegt dat hij het zelf regelt. Hij wil geen gezeik op zijn werk!' Ze gooit de hoorn erop.

'Kom tevoorschijn, vuile schijtbak! Dan doe ik dit ook met je kop!' Hij vermorzelt met de knuppel de buitenspiegel en heft hem opnieuw boven zijn hoofd. Als hij de voordeur ziet opengaan, houdt hij zijn wapen stil.

Steef verschijnt in de deuropening in alleen een rafelige spijkerbroek. Hij lijkt iets te zeggen tegen de jongen, die opnieuw vervaarlijk met de knuppel zwaait.

'Ik sla je hartstikke dood, man!'

Peter mompelt. 'Wat doet-ie nou? Wat doet-ie nou?' Steef loopt langzaam naar buiten, naar de jongen, die angstig kleine stapjes achteruit lijkt te maken. Met zijn handen in zijn zij loopt Steef door, gooit zijn kin in de lucht, lijkt wat te zeggen als 'kom maar op, sla dan' maar iets weerhoudt de jongen. Wij staan bevroren van angst achter de ruit van onze voordeur, niet in staat iets te bedenken of te doen om Steef te helpen.

'Waarom bellen we de politie niet?' fluistert Peter.

'Rebecca zegt dat Steef het zelf regelt. Dat hij geen gezeik op zijn werk wil.'

'Straks slaat die gozer hem neer…'

Ik kijk naar Steef, naar zijn bruine, gespierde, intimiderende lijf tegenover de broodmagere jongen met zijn knuppel, hoe hij zelfverzekerd grijnst en richting zijn aanvaller sluipt, wijdbeens als een voetballer. En dan zie ik ineens waar de jongen zo van onder de indruk is. Onder zijn hand, hangend in de band van zijn spijkerbroek, zit iets zwarts. Het is nauwelijks te zien, Peter heeft het niet in de gaten, maar ik weet waar hij zijn vingers om gevouwen heeft, en waarom de jongen zo achteruitdeinst. Het is een pistool, ik weet het zeker.

Als de jongen het op een lopen zet, met de knuppel tegen zich aan gedrukt, en Steef er als een dwaas achteraan gaat, durven we weer hardop te praten.

'Hij is gek…'

'Hij zal het wel weten. Het is zijn vak,' zeg ik. Ik zeg niets over het wapen. Ik wil dat beeld zo snel mogelijk vergeten. Peter doet het licht aan en vraagt of ik wat wil drinken. Slapen gaat voorlopig toch niet. Hij schenkt net twee glazen rode wijn in als de bel gaat.

Rebecca trilt als een bang hertje. Ik til de huilende Sem uit haar armen, druk zijn angstige lijfje tegen me aan en loop rondjes met hem door de kamer, terwijl ik hem zachtjes en sussend wieg. Ik voel hoe hij zich onmiddellijk ontspant.

Ik ben een goede moeder, flitst het door mijn hoofd. Ik ben verdomme een betere moeder dan alle anderen. Ook beter dan Rebecca, om eerlijk te zijn. Was Sem mijn zoon, dan stonden er geen hysterische criminelen voor mijn deur, hoefde ik niet naar parenclubs, tot diep in de nacht te feesten en te zuipen. Dan was de liefde die ik van mijn kind kreeg genoeg.

Peter zit naast Rebecca en wrijft troostend over haar rug.

'Waarom moet hij erachteraan? Waarom moet hij het allemaal zelf opknappen? Waarom doet hij dit?' Ze heeft haar handen voor haar gezicht geslagen. 'Ik heb gezegd, bel het bureau, bel je collega's, laat hen achter die gozer aan gaan, laat er een einde komen aan de terreur van die familie…'

'Het komt wel goed,' troost hij. 'Steef weet wat hij doet.' Hij durft blijkbaar niet te vragen wat ze bedoelt. Dus vraag ik het.

'Die jongen is een broertje of een neefje van die junk, weet je wel, over wie Steef een paar weken geleden vertelde? Die hij per ongeluk neerschoot? In Utrecht zat de hele familie al achter Steef aan. Aso's. Ze rusten niet voordat ze wraak genomen hebben.'

Ik strijk Sem, die ingedommeld is in mijn armen, over zijn zachte hoofdje en vang Peters bezorgde blik op. We lijken allebei hetzelfde te denken. Waar zijn we in godsnaam in terechtgekomen?

Rebecca haalt een pakje sigaretten uit de zak van haar ochtendjas en steekt er nerveus een op.

'Ik snap niet waarom Steef er geen politie bij wil hebben. Dit is echt serieus… Jullie lopen alle drie gevaar,' zeg ik.

'Volgens Steef wordt het alleen maar erger als we zijn collega's erbij halen. Als dat jochie wordt opgepakt, zullen ze hem nog meer haten. Of Steef raakt zijn baan kwijt. Dat kunnen we al helemaal niet gebruiken. Deze mensen verstaan uitsluitend de taal van de straat, zegt hij.'

Er gaat een rilling door me heen.

Ineens staat Steef in de kamer, zijn borst nat van het zweet, ogen die alle kanten op schieten. 'Wat doe je hier?' vraagt hij opgefokt aan Rebecca. Ik zie dat hij zijn wapen niet meer draagt.

Rebecca begint te huilen. Tegelijk met Sem.

'Mensen, relax. Alsjeblieft!'

Hij strijkt met bevende hand door zijn haren.

'Jezus Steef, waarom ga je zomaar achter die creep aan! Ben je gek of zo?'

'Hij bedreigde ons gezin. Dat laat ik toch niet zomaar gebeuren? Door zo'n teringlijer die net uit de luiers is? Daar ben ik niet bang voor, Rebec. Die vreet ik op.'

'Waar is hij nu?'

'Terug naar mammie.'

'Ik meen het, Steef, wat heb je met hem gedaan?'

'Hem op het hart gedrukt dat hij beter geen oorlog met mij kan voeren. Dat hij dat verliest. En dat ik niet bang ben. Van niemand niet. En nu gaan we, want ik wil onze lieve buren niet langer lastigvallen.'

Hij steekt zijn hand uit naar Peter.

'De hele buurt heeft die herrie op straat gehoord. Je hebt kans dat een van hen de politie heeft gebeld,' zegt Peter.

'Welnee, joh. Dat vinden ze veel te eng. Leer mij dit soort buurten kennen. Het interesseert niemand ene reet wat er bij anderen gebeurt. Maar maak je geen zorgen, ik denk dat dat jochie de boodschap begrepen heeft. Eindelijk.'

Hij pakt Sem uit mijn armen. Ik zie een ader op zijn voorhoofd kloppen.

'Je valt ons niet lastig, Steef,' zeg ik.

Hij lacht en geeft me een zachte kus op mijn mond. 'Het is goed, moppie.'

We kijken elkaar aan. Zijn felle grijsblauwe ogen boren zich in mijn ziel. Een warme gloed trekt vanuit mijn lendenen naar mijn navel. Ik ben me bewust van zijn onvoorspelbaarheid, zijn donkere kant, maar ik negeer de alarmbellen die in mijn hoofd rinkelen. Ik ben te nieuwsgierig, te ver gekomen om nu nog naar mijn verstand te luisteren.

14

Toen ik probeerde zwanger te worden, zag ik overal zwangere vrouwen. Op het schoolplein, bij de groenteboer, achter de kassa van de Albert Heijn, op televisie, in de bladen, op verjaardagen, in de lerarenkamer. Ik werd er paranoïde van. Hoe wanhopig ik ook mijn best deed er niet aan te denken dat het bij ons niet wilde lukken, er leek geen ontkomen aan. Alsof de dikke buiken me achtervolgden, me iets probeerden duidelijk te maken, me uitlachten. Jij hoort niet bij ons.

Soms zocht ik ze op. Welbewuste zelfkastijding. Dan ging ik naar Prénatal en beeldde me in dat ik ook zwanger was. Liet me uitgebreid adviseren over kolfapparaten en voedingsbeha's, kocht rompertjes en speentjes met I ♥ MAMA erop. Ik genoot ervan aangesproken te worden als een van hen, ik wilde zelf geloven dat er een kind in mijn buik groeide, totdat ik de winkel weer verliet met een tas vol spullen en een hol hart.

Tegen de tijd dat ik werkelijk zwanger was werden babywinkels pas een ware obsessie. Ik bezocht ze dagelijks na mijn werk, pronkend met mijn buik, iedere dag moest ik even bevestigd worden in mijn nieuwe rol van aanstaande moeder. Ik wentelde me als een spinnende poes in de oprechte aandacht en spendeerde kapitalen aan de baby-uitzet. Na het eten ging ik het net op om nog meer kennis te vergaren over mijn toestand, om te chatten met collega-zwangeren op babyforums en te werken aan mijn baby-weblog. In bed las ik *Samen zwanger, Veilig zwanger, Zwanger met hart en ziel*, waarna Peter en ik op haptonomische wijze met Lieve 'speelden'. Ik deed alles volgens de regels. At geen filet americain, geen boerenbrie, dronk geen druppel alcohol, meed rokerige ruimten, ontdeed me van de kat, slikte trouw iedere dag foliumzuur, douchte mijn borsten af met koud water en droogde ze met ruwe handdoeken ter voorkoming van tepelkloven. Ik zou thuis bevallen bij kaarslicht. Negen maanden borstvoeding geven. De baby altijd bij me dragen in de daarvoor aangeschafte handgeweven Mexicaanse draagdoek. Fruit- en groentehapjes zelf pureren.

Zo ben ik nu eenmaal. Als ik iets doe, doe ik het met volle overgave. Daarom snap ik ook niet waarom het toch fout is gegaan. Waarom junks met hiv wel gezonde baby's krijgen en ik niet. Kennelijk heeft het helemaal geen zin om je best te doen. Het gaat zoals het gaat. Soms heb je geluk, soms pech. Sommigen hebben alle geluk, anderen alle pech.

Misschien hebben Peter en ik te krampachtig geprobeerd vast te houden aan ons gedroomde gezinnetje en is het daarom mislukt. Dit soort dingen zegt Rebecca. Dat je alles wat je overkomt moet zien als een les in loslaten. Ze heeft me verteld van haar jeugd op Ibiza, het eiland van de ultieme vrijheid zoals zij dat noemt, waar haar moeder zich meer bezighield met *full moonparties* dan met haar opvoeding. Daar heeft ze geleerd om geen verwachtingen te hebben, want die worden toch nooit ingelost, en niet bang te zijn iets te verliezen, want dan verlies je het zeker en bovendien is het zonde om je korte en kostbare tijd op deze aardbol angstig en ontevreden door te brengen. Op Ibiza, zegt Rebecca, bestaan geen hokjes of labels. Je mag zijn wie je wilt zijn. De ene dag een oppervlakkige hedonist, de andere dag een spirituele hippie. Een oermoeder of een seksgodin. We hebben beiden in ons. Het enige dat je nodig hebt om ze naar buiten te brengen, is lef.

Rebecca en ik zien elkaar bijna dagelijks. Vaak komt ze rond een uur of elf vragen of ik koffie heb en dan raken we aan de praat. Koffie gaat over in lunch en de lunch in een borrel. Soms wandelen we met Sem naar het speeltuintje, of naar de eendenvijver, doen we samen boodschappen, of gaan we shoppen in de stad en al die tijd praten we over alles wat ons bezighoudt. Het helpt me meer dan de therapie van Hetty ooit gedaan heeft, meer dan het chatten met andere vrouwen die hun kind verloren hebben. Na een dag met haar bruis ik van energie en tolt mijn hoofd van de nieuwe gedachten. Voor het eerst in mijn leven heb ik een vriendin die niet zeurt en klaagt over haar man, haar werk, haar lijf. Rebecca is blij met alles, maar vooral met Steef, die haar gered heeft van een straatkattenbestaan, zo zegt ze zelf. Voor ze hem ontmoette was ze hard bezig dezelfde weg in te slaan als haar moeder, vluchtend van kick naar kick. Altijd op reis, altijd bezig met mannen en drugs. Met seks was ze vrij makkelijk, het was haar betaalmiddel, daarmee zorgde ze voor een dak boven het hoofd, eten en drinken, entree in dure clubs en de drugs die ze nodig had om zich goed te voelen. Ze was geen hoer, zegt ze zelf, ze heeft er altijd plezier aan beleefd. Seks is energie, de motor van ons bestaan, alleen mensen die seksueel volledig vrij zijn, zijn werkelijk gelukkig. Helaas kwam ze die weinig tegen. Doorgaans waren de mannen met wie ze het deed heimelijke vrouwenhaters. Agressieve neukers. Daarom deed ze het eigenlijk liever met vrouwen, die waren zoveel liever, zachter en bedrevener in bed dan mannen, maar ja, zij hadden meestal geen geld, geen macht, geen xtc of coke.

Steef leerde ze kennen in de Liberty, toen ze weer een tijdje in Amsterdam bivakkeerde. De man met wie ze op dat moment omging, nam haar mee naar de club, waar Steef ook was met zijn toenmalige vrouw. De ex-vrouw die hij nooit meer ziet. Van wie hij nog steeds nachtmerries heeft, zoals hij zelf lachend zegt. Die avond in de Liberty was zijn eerste keer en ze gingen erheen in een laatste poging om hun huwelijk te redden.

'Als je dan toch zo nodig vreemd wilt gaan,' had zijn vrouw gezegd, 'wees dan een kerel en doe het waar ik bij ben.' En zo geschiedde. Ze herinnert zich nog haar minzame knikje toen Steef haar toestemming vroeg om met Rebecca te dansen. Rebecca en hij lieten elkaar niet meer los. Zijn ex bleef de hele avond in haar jarretelles aan de bar zitten wachten. Drie maanden later was hun scheiding een feit.

Rebecca bevrijdde Steef en Steef bevrijdde Rebecca. Zij gaf hem het seksleven waar hij naar snakte, hij haar de liefde die ze altijd had ontbeerd. Het was zo perfect, dat ze naar een kind begon te verlangen. Een kind, dat hen voor altijd zou binden. Het was even schrikken toen bleek dat Steef dat helemaal niet wilde. Een kind paste niet in zijn nieuwe leven. Hij zag dagelijks hoe rot de wereld was en daaraan wilde hij zijn kind niet blootstellen. Bovendien vond hij zichzelf niet stabiel genoeg om vader te worden. Hij had nog zijn handen vol aan zichzelf. Hoe ze ook smeekte, pruilde, argumenteerde, beloofde dat zij voor het kind zou zorgen, dat hij er geen last van zou hebben, dat het kind hem tot niets zou verplichten, hij was onvermurwbaar. Een kind had een vader nodig, vond hij en hij kon dat niet zijn. Hij had al genoeg aan zijn kop.

'En toch is Sem er,' zegt Rebecca met haar bekende mysterieuze glimlachje, terwijl ze een boterham in stukjes scheurt en die naar de eenden gooit. Sem kruipt er enthousiast kraaiend achteraan. De eenden vluchten de vijver in.

'Hoe heb je dat voor elkaar gekregen?' vraag ik.

Ze haalt haar schouders op en grinnikt zelfingenomen.

'Dat lijkt me duidelijk,' zegt ze. 'Wie vergeet niet af en toe de pil?'

'Jeetje,' zeg ik. 'Dat vind ik helemaal niet bij je passen. Je hebt hem er dus ingeluisd?'

Ze lacht en kijkt me spottend aan.

'Laten we zeggen dat ik hem een duwtje in de goede richting heb gegeven. Dat hebben mannen als Steef nodig. Zachte dwang. Maar het maakt toch niet uit hoe ons kind tot stand gekomen is? Het belangrijkste is dat hij nu dolblij is met Sem. En dat het vaderschap van hem een ander, beter mens heeft gemaakt.'

'Maar was hij niet boos toen je vertelde dat je zwanger was?'

'Natuurlijk wel. Een paar weken. Hij is zelfs even bij me weg geweest. Maar hij kwam terug, met hangende pootjes. Knielde voor me en kuste mijn buik. Hij nam zijn verantwoordelijkheid, zei hij. En hij kon niet zonder me. Geen dag.'

Er zijn momenten dat ik haar niet uit kan staan en dit is zo'n moment. Ze is zo blij met zichzelf, ze weet alles zo goed. Hoe ze zit, loopt, kijkt, lacht, met haar haren schudt. Het maakt me chagrijnig.

'En weet je zeker dat Sem van Steef is? Ik bedoel, met jullie manier van leven…'

Ze wankelt nooit. Ze grijnst of lacht, altijd voorbereid op de aanval.

'Natuurlijk weet ik dat. In clubs of op een ruilavond doen we het met condoom en daarbij neuk ik zelden met een andere man. De meeste paren hebben afgesproken dat er niet gepenetreerd mag worden, dus neuken zit er meestal niet in.'

'Heb je een DNA-test laten doen?'

'Ik kan rekenen. Sem is van Steef. Dat zie je zo.' Ze vraagt of ik soms boos ben. 'Je klinkt zo boos.'

Ze legt haar hand op mijn been en geeft me troostende klopjes. Ze zegt dat ze het wel begrijpt, dat het ook lullig is dat zij zo makkelijk zwanger is geworden. Dat ze het mij ook zo gunt. Kan zij ons kind niet dragen? Dat zou ze best voor ons over hebben.

'Het ligt niet aan mij,' zeg ik. 'Dat weet je toch? Ik wil het kind in mijn buik voelen, het zelf op de wereld zetten, dat mijn bloed zijn bloed is. Dat míjn borsten volschieten als het huilt.'

Ze steekt een sigaret op en ik denk: dat is alvast één reden waarom jij mijn kind nooit zou mogen dragen. Hoewel ik het ook bewonder dat ze alle regels aan haar laars lapt.

'Als je dat werkelijk wilt, moet je ook niet gaan adopteren,' zegt ze. 'Dan moet je gewoon zelf zwanger worden.'

'Peter wil nooit meer naar het ziekenhuis. Geen KID, geen IVF, geen ICSI meer. Het beste compromis is adoptie. Dan hebben we geen van beiden een bloedband met het kind. Dat is het eerlijkste.'

'Voor hem, ja. Maar wie gaat er het meeste voor zorgen? Dat zul jij toch zijn? Bovendien, het is altijd gedonder met die adoptiekinderen. Het is helemaal niet eerlijk. De basisliefde, het oergevoel, blijft bewaard voor de echte moeder, wat die het kind ook heeft aangedaan. Zo werkt het nu eenmaal.'

We zijn even stil. Ik kijk naar Sems stralende gezichtje. Strek mijn hand naar hem uit. Voel hoe zijn klamme, zachte vingertjes zich om de mijne heen vouwen. Hij is er gewoon. De ruzies rond zijn verwekking zijn allang vergeten en vergeven. Een kind maakt alles goed.

Sem trekt zich op aan zijn moeders benen. Hij steekt zijn armpjes naar haar uit, zij buigt zich naar hem toe en neemt hem in haar armen. Ik zie hoe ze haar neus in zijn nekje begraaft, hoe hij giebelt als zij speels tegen zijn wang knort.

'Waarom neem je geen kind van Steef?' vraagt ze plompverloren. Ik schrik op en giechel betrapt, alsof ze mijn gedachten heeft gelezen.

'Doe normaal.'

'Nee, ik meen het. Ik vind het niet erg. Waar gaat het om? Een eierdopje sperma, dat jullie voor altijd gelukkig kan maken. Meer is het niet.' Ze laat de peuk in het droge gras vallen, trapt hem uit met haar gouden slipper en blaast de laatste rook uit.

'Steef wilde al geen kind van jou, laat staan van mij.'

'Dit is anders,' zegt ze. 'Dit is niet zijn kind. Dit is jullie kind. Wij helpen jullie alleen maar. Jullie geluk is ons geluk. Steef hoeft het niet eens te weten.'

We kijken elkaar lang en zwijgend aan.

'En dan is Peter er nog…'

'Daarom gaan we het ook helemaal niet met hen overleggen. Dan wordt het allemaal veel te ingewikkeld. We laten het erop aankomen en dan zul je zien dat Peter en Steef jou die baby gunnen. Trouwens, waarom zou er geen wonder kunnen gebeuren? Het kan toch, dat er één klein levend zaadje uit Peter komt?'

'En hoe laten we het er dan op aankomen?' vraag ik, hoewel ik het allang weet. Ik heb het scenario al honderden keren gefantaseerd en vervolgens schaamtevol verworpen.

'Zachte dwang. We gaan swingen. Jij rekent uit wanneer je volgende eisprong is, en dan spreken we af. Als het niet lukt, doen we het nog een keer.'

'En het condoom dan?'

'Dat kan lekken.'

'Dus we luizen ze erin?'

'Dat vind ik een belachelijke term. Wij zijn op elkaars pad gekomen met een reden. Als Steef de vader van jouw kind wordt, dan heeft dat zo moeten zijn. Lukt het niet, dan niet.'

Ze pakt mijn kin en veegt een traan weg met haar duim.

'Hé,' zegt ze zacht. 'We doen niets slechts. Dat kind wordt met liefde gemaakt en in liefde ontvangen. Dat is heel wat anders dan in een laboratorium.'

Ik omhels haar. Over haar schouder kijk ik naar onze wijk, die achter de eendenvijver ligt te zinderen in de zon en ineens zie ik die kale berg stenen als een paradijs vol beloftes. Ooit zal ik daar achter een eigen buggy lopen. Met een kar vol pampers door de supermarkt schrijden. Net zo uniek als alle anderen.

15

Vijfendertig graden is het vandaag. Er wordt gewaarschuwd voor smog. Kinderen, bejaarden en mensen met astma kunnen maar beter binnen blijven. Iedereen heeft inmiddels een partytent in de tuin staan. De caravans worden 's avonds gesopt. Overdag is het niet te doen. Pas als de zon ondergaat, beginnen de kinderen te kwetteren, de vaders te sproeien, de moeders te sjouwen. Nog een week en de hele buurt gaat op vakantie, behalve wij en Steef en Rebecca. Zij gaan nooit meer buiten Nederland op vakantie, vanwege Steefs 'probleempje' zoals Rebecca dat noemt. Ze zijn een keer naar haar moeder geweest en toen werd hij letterlijk gek van angst. Hij sliep niet meer, keek om zich heen als een opgejaagd dier, dacht dat iedereen achter zijn rug over hem sprak en kreeg flashbacks van de angstige situaties die hij als Dutchbatter in Srebrenica had meegemaakt. Dat wil hij nooit meer meemaken. Rebecca zou nog weleens een weekje weg willen, naar de Cariben, of Ibiza, maar ze kan Steef niet alleen laten. 'Als hij zo'n PTSS-aanval krijgt en ik ben er niet bij, dan sta ik niet voor de gevolgen in,' zegt ze. Ik heb haar gezegd dat wij wel op Steef willen letten, dat ze ons kan vertrouwen, maar dat durft ze niet aan. Vraag hem naar zijn vakantieplannen en hij antwoordt dat hij zijn vrije dagen gaat doorbrengen in het mooiste land ter wereld, namelijk Nederland, aan het fijnste strand ter wereld, namelijk het Nederlandse strand. 'Alle ruimte, alle vrijheid, waar vind je dat nog?' zal hij roepen.

Tot mijn grote vreugde heeft hij ook Peter ervan overtuigd de zomer in het mooiste land ter wereld door te brengen en hem een tripje met de motor naar Zuid-Frankrijk uit het hoofd gepraat. 'Met twee miljoen Nederlanders stapvoets richting het zuiden, naar die kut-Fransen die je liever zien gaan dan komen. Je lijkt wel gek.'

Dus nu hoeven we niet naar een camping vol gelukkige gezinnen. En blijven we in de buurt van Steef en Rebecca, en daar ben ik ook erg blij mee. Ik moet er niet aan denken twee weken alleen met Peter in een tent te zitten.

Ik lig in mijn bikini op onze bank van koel katoen, met mijn benen omhoog tegen de muur te luisteren naar het gezoem van een vlieg. De mannen zijn naar het concert van U2 waar ze zich al weken op verheugden, het huis is heerlijk leeg en stil na dagen vol onafgebroken geblèr van Bono. Ik heb het niet zo op die pathetische aansteller, maar voor Steef is hij God en dus voor Peter ook. Ze hebben elkaar helemaal gevonden in hun twee grote liefdes, muziek en motoren. Peter denkt er zelfs over weer op gitaarles te gaan, op aansporing van Steef die zegt dat muziek de mooiste en minst elitaire kunstvorm is die er bestaat.

Mijn huid kookt. Ik snap niet hoe Rebecca het volhoudt, hele middagen in de brandende zon braden. De hitte verlamt me. Zelfs het washandje vol ijsblokjes op mijn hoofd helpt niet. Straks komt ze eten, maar ik kan mezelf er niet toe zetten op te staan, het huis op te ruimen, eten klaar te maken. Veel liever geef ik me over aan de fantasieën die zich aan me opdringen, aangewakkerd door de warmte en aanstaand weekend, waarin mijn eisprong valt. Rebecca en ik hebben een briljant plan bedacht. Het laat me niet los, ik tel de dagen, de uren, de seconden.

Ik streel mijn benen, die plakkerig zijn van de zonnebrand, de binnenkant van mijn gloeiende dijen, en dwaal aarzelend af naar de zachte huid naast mijn schaamlippen. Ik scheer mezelf daar sinds kort, op aanraden van Rebecca en het voelt inderdaad veel frisser, gladder, geiler.

'Als je geschoren bent, likken ze je graag.'

Peter wil wel, maar ik liever niet. Ik vind het gênant en ik vrees dat hij dan wil dat ik het ook bij hem doe. Bovendien, ik kom er toch niet van klaar. Niet als hij het doet. Misschien wel bij Steef. Zeker wel bij Steef. Die doet niets liever, als ik Rebecca moet geloven. Ik ga met mijn vingers naar binnen en stel me voor dat hij tussen mijn benen ligt. Dat zijn tong bij me binnendringt. Langzaam en warm van beneden naar boven gaat. Ik hoef me nergens voor te schamen, omdat ik zeker weet dat hij het lekker vindt. Hij heeft zijn grote handen om mijn billen gevouwen en eet me als een perzik. Mijn vinger, zijn tong, flitst steeds driftiger heen en weer, ik voel de zoete pijn in mijn lendenen, het tintelen van mijn baarmoeder, maar daar blijft het bij. Ik droom de mond van Rebecca om mijn tepel, die ik draai en masseer met mijn andere hand en dat werkt maar even. Mijn opwinding neemt toe. Ik sluit mijn ogen en probeer het beeld vast te houden, evenals het juiste plekje, de juiste druk, Steef tussen mijn benen, zijn tong ver uit zijn mond, smakkend en kreunend, Rebecca bij mijn borsten. Het zet niet door. De warme gloed ebt weg, maakt plaats voor schaamte. Zie hoe belachelijk ik hier lig. Ik krijg mezelf niet eens klaar. Was ik maar een man. Dan was het met een paar eenvoudige rukken geregeld. Nu lig ik onbevredigd op de bank en baal van mezelf.

Rebecca stapt binnen, eerder dan verwacht. Ik heb me nog niet gedoucht en het huis is nog een grote puinhoop. Boodschappen staan nog onuitgepakt op het aanrecht. Ik kan er niet tegen als mensen te laat komen, maar ik kan er helemaal niet tegen als ze te vroeg zijn en mijn planning doorkruisen.

Ik drentel heen en weer, de boodschappentas uitruimend en me verontschuldigend voor de troep. Tot mijn schrik begint Rebecca te huilen.

'Sorry hoor, sorry, maar ik weet even niet meer wat ik moet doen…'

Het is de hitte, die wordt ons allemaal te veel. Ik pak snel een glas uit de kast, vul het onder de kraan en geef het aan haar. Ze neemt kleine slokjes, waarna ze snikkend een stapeltje kreukelige A4'tjes uit haar tas pakt en op tafel legt.

'Dit lag vanmiddag in de brievenbus. Hier word ik heel bang van. En als Steef dit ziet, dan slaat hij helemaal door. Dat weet ik zeker.'

Ik vouw de papieren open en zie Rebecca liggen, naakt op een glanzend roze sprei. Ze tuit haar lippen en kijkt met geloken ogen in de lens. Met één hand duwt ze haar borst omhoog, de andere hand zit tussen haar benen. Mijn wangen beginnen te gloeien. Ik kan hier niet naar kijken. Ik concentreer mijn blik op het Senseo-apparaat op de foto, dat vreemd genoeg op het nachtkastje staat, alsof ze na gedane zaken aan de koffie gaan. Over de foto heen heeft iemand met woedende rode letters geschreven: YOU DIE.

'Wat is dit?'

'En moet je deze zien.'

Ze wijst op een foto van haar en Steef op de trap. De flits weerkaatst in het glas van het ingelijste kunstwerk dat bij hen op de overloop hangt. Steefs spijkerbroek hangt op zijn hielen, Rebecca draagt een rode kanten body. Haar hoofd in extase achterover, van Steef zie ik alleen zijn brede rug en bruine kont.

KILL AND B KILLT staat eroverheen.

Mijn mond valt open. Ik voel een ernstige aandrang de foto's te verkreukelen, weg te gooien. Ik schuif het hele stapeltje terug naar Rebecca, met afgewende blik. Hoe kan ze zoiets doen?

'Sorry hoor, maar ik vind dit echt vreselijk…' zeg ik schor.

'Het zijn foto's van onze site,' murmelt Rebecca. Ze steekt bibberig een sigaret op.

'Jullie staan zo op internet?'

Ze knikt en zuigt de rook diep haar longen in. Ik kan het niet rijmen. Zo lief en wijs als ze soms lijkt te zijn.

'Wat moet ik doen, Eva? Ze bedreigen ons. Ze weten alles. De volgende keer sturen ze die foto's naar Steefs werk. Als ze dat al niet hebben gedaan.'

'Je moet hiermee naar de politie.'

'Dat ga ik natuurlijk niet doen.'

Ze kijkt me niet aan, ze houdt haar blik gericht op het glas dat voor haar staat, als een mokkend kind.

'Ik neem aan dat je die site al uit de lucht hebt gehaald?' vraag ik.

'Ik weet niet hoe dat moet. Steef doet die dingen altijd,' antwoordt ze met een dun stemmetje.

'Mijn god, Rebecca, hoe kun je jezelf zo op internet zetten?'

Ze haalt haar schouders op. 'Op die manier komen we aan andere paren. Maar het is anoniem, het is niet zo dat onze namen en adressen erbij staan. Ik snap niet hoe ze ons gevonden hebben.'

'Dat is niet zo moeilijk. Als ze weten dat swingen jullie hobby is, hoeven ze alleen maar de swingersites af te struinen. Wie weet heb je liggen vrijen met degene die je nu bedreigt. Ik snap niet dat jullie…' Ik kan nauwelijks woorden vinden, 'zo… zo slordig met jezelf omspringen.'

Ze kijkt me fel aan. 'Heb je nu ineens een oordeel over mij? Vergeet niet dat je niet kunt wachten om met ons mee te doen, zaterdag.'

'Ik oordeel niet… Ik vind het gewoon niet zo handig. Dat je jezelf zo te grabbel gooit…'

Ze verbergt haar hoofd in haar handen. 'Het houdt nooit op,' mompelt ze. 'Die idioten zullen ons de rest van ons leven blijven volgen…'

'Daarom moet je het aangeven. De hele kwestie voor eens en voor altijd oplossen. Schoon schip maken.'

'Luister, aangeven is gewoon niet aan de orde. Zie je me al aankomen, bij Steefs collega's, met deze foto's? En ik wil ook niet dat Steef terugvalt. Dat hij weer zo flipt als vorig jaar. Dat heeft hem bijna zijn baan gekost. En onze relatie. Verdomme. Het gaat net zo goed tussen ons.'

Ik pak haar hand, die ondanks de hitte koud en klam is, en zoek haar blik.

'Ik denk dat ze ons alleen maar bang willen maken. Ze zullen ons heus niet echt vermoorden,' fluistert ze. 'Toch?'

'Jij zegt altijd dat alles je overkomt met een reden. Dat je overal een les uit kunt trekken.'

Rebecca drukt haar peuk krachtig uit op het daarvoor bestemde schoteltje.

'Vertel jij het me maar.'

'Ik denk dat je deze situatie moet oplossen. Deze jongens zullen achter jullie aan blijven komen. Altijd maar bang moeten zijn voor hen is toch vreselijk?'

Ik kijk haar lang en ernstig aan, alsof ik haar gedachten, haar overwegingen begrijp, maar ik begrijp er helemaal niets van. Rebecca schudt haar hoofd en gaat rechtop zitten. Haar ogen worden weer helder, lijken feller blauw dan ooit. Zij is Rebecca de onverschrokkene. Ze is nergens bang voor.

'Nee, dat is te simpel. Het is anders. De les die wij moeten leren is niet bang te zijn. Voor niets en niemand. Zelfs niet voor chanteurs, zelfs niet voor laffe dreigementen. Dit spel is voor gevorderden. En daarom doe ik helemaal niks. Ik laat me niet bang maken. Dit is gewoon helemaal niet gebeurd.'

Ze draait aan haar aansteker en houdt de vlam onder de foto's.

'Beloof me dat je niks aan Peter vertelt.'

Ik sta op, loop naar het aanrecht en maak de fles rosé open. Pak ijsblokjes, doe ze in de glazen. Mijn hart bonkt in mijn keel. Ik ben bang en opgewonden tegelijk. Bang voor wat mijn intuïtie me vertelt: dat ik bevriend ben met een vrouw die geen grenzen kent, die dingen doet die ik eigenlijk walgelijk vind, die me meesleept in een avontuur dat me alles kan kosten. Maar er gebeurt wel eindelijk wat in mijn leven.

'Natuurlijk vertel ik niets,' beloof ik.

Peter

16

De laatste keer dat ik naar een popconcert ging, was naar Pink Floyd in De Kuip, The Division Bell tour in 1994. Dat was zo'n overweldigend spektakel, dat ik daarna nooit meer naar een andere band wilde. Twee uur lang kippenvel. Ultieme perfectie. En ze kunnen zoveel zeggen over U2, maar voor mij is Pink Floyd nog steeds de beste band ter wereld en 'Wish You Were Here' het mooiste nummer ooit.

Daar is Steef het niet mee eens. Hij vindt David Gilmour en Roger Waters een stelletje zwaar overschatte, overjarige symfo-masturbanten, die muziek maken voor autisten. Wekelijks discussiëren we in zijn werkplaats over muziek, over het verschil tussen zijn favoriete band, U2, en mijn voorkeur voor, zoals Steef dat zegt, 'ouwe rukkers' als Led Zeppelin en Deep Purple. Ik zeg dat ik The Edge een pieler vind, die maar één hyperactief deuntje uit zijn gitaar weet te fabriceren, niet te vergelijken met Ritchie Blackmore van Deep

Purple, met zijn betoverend virtuoze gitaarsolo's, laat staan met Jimi Hendrix, de Allergrootste. Volgens Steef ben ik een nostalgisch pikkie dat is blijven hangen in zijn puberjaren. U2 is van nu, al vijfentwintig jaar lang. En Bono zit niet alleen maar op zichzelf te kicken, zoals de meeste popartiesten, Bono probeert ook iets goeds te doen in de wereld. Hij is een doener en daar houdt Steef van. Om hem op stang te jagen, zeg ik dan dat ik Bono nogal een megalomane pathetische moralist vind, die zichzelf tot de nieuwe profeet heeft uitgeroepen.

Om te bewijzen dat Bono werkelijk de grootste popmuzikant op aarde is, neemt Steef me mee naar het Concert van de Eeuw, volgens zijn zeggen: U2 in de ArenA. Hij heeft 125 euro per kaartje betaald op de zwarte markt en hij wil er geen cent voor terug, mits ik beloof open te staan voor Bono's boodschap. En dat beloof ik.

De ArenA ken ik op mijn duimpje. Tot twee jaar geleden was ik er kind aan huis en bij het zien van de gigantische vliegende schotel, begint het weer even te kriebelen. De opgewonden sfeer van verwachting rond het stadion, hoe lang is het geleden dat ik dat zelf voelde? In het laatste jaar als verslaggever al niet meer. De massa's, de hotdogs, het afval, het infantiele gezwaai met vlaggetjes en de onverholen agressie kwamen me toen de neus uit. Wat hier gebeurde had niets meer met een goede pot voetbal te maken. Het was verworden tot een poppenkast. Het ging meer om het erbij zijn dan om de sport. Het kan best zijn dat dit ook al het geval was bij Pink Floyd, maar toen was ik een andere man. Toen werd ik nog geraakt, voelde ik me deel van het geheel, kon ik mezelf nog verliezen in de muziek. Nu lukt me dat niet meer, hoe graag ik het ook zou willen. Tegenwoordig erger ik me aan de rijen. Rijen voor de parkeergarage, rijen voor de ingang, rijen voor de pasjesautomaten, rijen voor het bier, rijen voor het toilet, rijen voor de merchandising. Maar Steef doet het fluitend. Hij wilde zelfs 's morgens om vijf uur al voor de deur gaan liggen, niet alleen om een plekje te kunnen bemachtigen in The Golden Circle, maar vooral voor de gezelligheid van U2-fans onder elkaar. Ik vond dat een belachelijk puberaal plan.

We slenteren een rondje, waden door plastic bekertjes en snack-afval en besluiten bij de Febo een hamburger te nemen. Steef haalt er vier en twee flesjes Spa blauw. Zittend op de stoeprand proppen we de burgers naar binnen, die we wegspoelen met het water. We zeggen niet veel. Kijken naar de oneindige stroom mensen. Dan begint Steef in zijn zakken te zoeken en haalt een propje papier te-voorschijn dat hij voorzichtig openvouwt. Twee kleine roze pille-tjes liggen erin.

'Hier,' zegt hij, 'neem er een. Die krijg ik niet mee naar binnen.'

Ik schiet in een zenuwachtige lach.

'Wat is dat?'

'Xtc. Goeie. Vertrouw me. Hiervan ga je compleet uit je dak.'

Ik kijk naar de pillen en weer naar Steef. Hij knipoogt.

'Je voelt je goed, toch?'

Ik knik.

'Nou, als je je goed voelt, ga je je hier alleen maar nog beter van voelen. We zijn samen, er kan niets gebeuren. Je moet het alleen niet nemen als je depri bent, of een beetje paranoia. Je gaat er niet van trippen of zo. Je wordt er alleen maar heel blij van. Anders neem je een halfje, om mee te beginnen.'

Hij pakt een pilletje en breekt het doormidden. Ik neem het aan. Ik weet ook niet waarom. Moet er altijd een goede reden zijn om iets stoms te doen? Ik wil geen zeikerd zijn, geen burgerlul. Ik gooi de halve pil achter in mijn keel. Steef neemt een hele. We delen de laatste slok Spa.

'Het werkt pas over een uurtje of zo. En niet ieder halfje is even sterk. Soms druppelen ze scheef en zit alles in één helft. Maak je geen zorgen. Ik ben bij je.'

Hij steekt zijn hand uit en trekt me naar zich toe. Even zitten we in een onhandige omhelzing. Dan staan we op en sluiten aan in de rij.

De pil lijkt bij Steef al binnen twintig minuten aan te slaan. Zodra we op het veld van de ArenA staan, begint hij te stuiteren. We drin-ken Breezers want bier is niet te zuipen in combinatie met xtc, vol-gens Steef. Ik ben me voortdurend bewust van mijn lichaam, let op iedere tinteling, maar er gebeurt helemaal niks. Ik moet alleen maar de hele tijd pissen. Volgens Steef is dat normaal. Hij staat strak van opwinding. Hij doet mee met de wave, fluit, zwaait en klapt, grapt en praat met iedereen. Ik weet zeker dat de pil bij mij niet gaat werken. Ik ben er te bewust mee bezig. Ik probeer er niet aan te denken. En ook niet aan mijn blaas. Ik wil niet alleen naar de wc, ik wil Steef niet kwijtraken.

Steef gaat naar voren. Ze kunnen nu ieder moment opkomen, dat voelt hij. Er wordt gejoeld, de menigte komt in beweging. Lichten gaan uit. We wurmen ons tussen de mensen door, ik achter Steefs brede rug aan, me verontschuldigend. Tegen hem durven ze zich niet te verzetten, tegen mij wel. Ik moet bij hem blijven. Er wordt geduwd, de menigte dikt in, iedereen schreeuwt. Ze tillen me op. Ik moet meespringen. Ik zie Steefs armen de lucht in gaan.

'Unos, dos, tres, catorce!'

Ik kan niet springen met een volle blaas. Mijn lichaam faalt. Niemand moet pissen op een moment als dit.

Iedereen danst, springt, brult, duwt.

Ik ga toch naar de plee, anders pis ik in mijn broek. Ik loop alleen en je moet niet alleen zijn als je een pilletje hebt geslikt. Een halve pil. Die niet werkt. Ik ben niet blij en ook niet geil. Ik moet alleen maar pissen en kakken de hele tijd.

Er zijn goddank geen rijen bij de wc. Niemand gaat op de wc zitten terwijl Bono staat te zingen. Ze zingen allemaal. Er kan dus toch vrede zijn.

De wc is smerig. Mijn gympen lopen vol pis. Maar het geeft niet. Want ik ben hier. Bij U2. Het Concert van de Eeuw. Ik leeg mijn blaas, genietend van het krachtig kletterende geluid. Ik lach want ik voel het ineens allemaal. De muziek, de liefde van de mensen en ik ga naar buiten, terug het veld op, ik mag geen seconde meer missen en ik krijg een stijve van de bas die dreunt in mijn buik, ik ren, ik zweef eigenlijk, heel zacht en licht, bruisend, dat ben ik, en mijn handen gaan de lucht in. *I will follow*, inderdaad. Het stadion golft. We zijn één beweging. En ik maak er deel van uit. Eindelijk. Het is waar, The Edge is fantastisch. Dat moet ik tegen Steef zeggen. Ik moet daarheen. Naar voren. Niemand vindt het erg als ik glimlach. Als ik lach en ze aanraak. We schudden met onze hoofden en zingen. Stralend. We stralen.

Ik zie Steef. Het is een wonder en tegelijkertijd niet meer dan logisch. We horen bij elkaar. Steef is mijn man. Mijn vriend. We zijn niet voor niets tegenover elkaar komen wonen. We hebben een magische band. Soulmates. We tillen elkaar op. We springen en ik voel mijn blaas, maar die kan het bekijken. Er zijn twee meiden. Uit Brabant. Doorschijnend witte huid. Tieten, jezus wat een tieten. Allebei in spijkerminirok. Bleke benen in motorlaarzen. De een klimt op Steefs schouders. Ik zie haar roze string. Bobbelige billen. Ook goed. De ander staat wat sip te kijken. Donkere donshaartjes rond haar oren. Ik streel ze. Ze trekt haar hoofd niet weg en houdt haar blik strak op Bono gericht. Steef kijkt naar mij en geeft me een vette knipoog. Slaat zijn handen om de blote benen in zijn nek en streelt de sponzige dijen. Steef is de enige man met wie ik het zou kunnen doen. Ik houd van hem. En wat is daar eigenlijk gek aan? 'Elevation' wordt ingezet. We worden massaal gek. Ik zie de handen in de lucht. We zijn een grote, zwaaiende zeeanemoon. En naast me het meisje. Haar geschoren oksels. Haar grote ogen, waarin tranen lijken te staan. Ik sla een arm om haar heen. Ze zingt. Haar borsten deinen.

> I've got no self-control
> Been living like a mole now
> Going down excavation
> Higher now, in the sky
> You make me feel like I can fly
> So high
> Elevation

Het meisje nestelt zich in mijn armen. Haar billen tegen mijn lul. Ik weet haar naam niet. Ze ruikt naar vroeger, een alternatieve geur. Musk of zoiets. Mijn armen klemmen zich om haar middel, mijn vingers tintelen en willen naar die borsten. Ze draait zich om en schreeuwt iets in mijn oor wat ik niet versta. Zachte g onderbroken door Bono's gekrijs. Ze pakt mijn hoofd tussen haar handen en glimlacht. Oneindig lief. Jezus.

Ontberen, dat woord zwermt door mijn hoofd. Ik ontbeer. Liefde. Iemand die mijn hoofd in haar handen neemt en me zomaar zoent. Wat ze doet. Ze aait met haar warme tong langs mijn lippen. *It's a beautiful day.*

We openen onze monden en ik duw mijn tong bij haar naar binnen. Geiler ben ik nooit geweest. Het is die pil en ik wil die pil iedere dag. Ik streel haar flanken, van onder naar boven, strijk met mijn duim langs *the Giants*, ik grinnik er zelf om en streel door haar T-shirt heen met duim en wijsvinger haar harde tepel. Voor het eerst in vijftien jaar heb ik een paar andere tieten in handen. Het vierde paar in mijn leven en tevens het grootste. Haar rok is kort. Ik kan haar ter plekke neuken. Ik steek een hand tussen haar dijen, die een beetje plakken, maar ze duwt hem giebelend weg. Ze richt zich weer op Bono, gilt en klapt en ik schreeuw mee. Ik herken mijn eigen stem niet. Het nummer wel. *But I still haven't found what I'm looking for.*

Steef is terug, met Smirnoff Ice. Grijnzend wurmt hij het koude flesje in mijn spijkerbroek. Ik pak hem bij zijn schouders en druk hem tegen me aan. Zeg hem hoe te gek ik het vind, hoeveel ik van hem houd. Dat ik wel heb gevonden waar ik naar zocht. Naar een vriend. Naar hem. Ik weet niet of hij me verstaat. We beginnen te springen, tegelijk, zo hoog mogelijk en ik ben zo licht, zo geil, zo gelukkig.

'Wauw…' zegt Steef met schorre stem als we de ArenA uitgebraakt worden, hand in hand met de meiden uit Budel. We nemen afscheid met lange, natte zoenen, maar het voelt al niet meer als net. Ik wil dat ze nu verdwijnen, maar de meisjes blijven om ons heen zoemen als muggen. Of we meegaan naar de Afterparty. Of we nog zin hebben in een drankje. Mijn meisje grijpt in mijn kruis en zegt dat als ik wil, zij vannacht met me mee naar huis gaat. Ik grinnik. Dat zou me een stunt zijn. Hé Eef, schuif es op, Daphne komt erbij.

Maar ik wil haar niet meer. De euforie is weggeëbd en nu wil ik alleen met Steef zijn. Ze krabbelt haar mobiele nummer op een servetje en propt dit in mijn zak.

'Bel mich moar, as ge wat wilt…' zegt ze en ze zwaait koket. Bij het weglopen trekken ze beiden giechelend hun rokje van achteren omhoog.

'Blubberbillen,' mompelt Steef. 'Kom op. We gaan op zoek naar de echte lekkere wijven.'

Even denk ik dat hij onze eigen vrouwen bedoelt. Maar als we eenmaal op de motor zitten, rijdt hij een andere kant op. Ik vind alles goed.

Voor Club Panama in Amsterdam moeten we weer in de rij. En weer gefouilleerd worden. Ik vraag aan Steef waar hij de andere helft van die pil heeft gelaten. Glimlachend graait hij in zijn kruis en vist het propje met het halve pilletje eruit.

'Wil je hem?'

Ik knik.

'Jij vindt het wel een lekker snoepje, hè?'

Hij geeft de halve pil aan mij en bukt. Peutert in zijn halfhoge laars.

'Haha, wie wat bewaart heeft wat.'

In zijn hand heeft hij een roze pilletje.

Op het toilet zit ik te staren naar de halve pil in mijn hand. Flesje water binnen handbereik. De muziek beukt tegen de deur. Ik moet 'm niet nemen, maar ik doe het toch. Ik wil het nu allemaal beleven. Ik probeer bij mijn werkelijke gedachten te komen, achter de roes van *what the fuck*, maar het lukt niet. Misschien ben ik mezelf volledig kwijtgeraakt door die chemicaliën. Of misschien heb ik mezelf wel hervonden. Ik kijk op mijn horloge. Het is half een. Eva weet niet waar ik ben. Zal ze zich ongerust maken? Waarschijnlijk niet. Ik zet mijn mobiel uit en doe mijn trouwring af. En dan nog… Laat ze zich maar zorgen maken. Laat haar maar bang zijn.

Aan de bar wacht Steef. Zijn hoofd knikkend op de muziek. Ik schreeuw dat dit wel wat anders is dan U2.

'Maar ook lekker,' brult Steef terug. Meer zeggen we niet. We staan en kijken naar al het moois dat voorbij komt. Vrouwen van nu laten zien wat ze hebben. Het lijkt wel een *Battle of Tits*. Grote, kleine, ronde, hangende, witte en bruine tieten schuifelen op presenteerblaadjes voorbij.

'Kom,' zegt Steef in mijn oor, 'we gaan dansen.'

Hij gaat voor, zijn vuisten gebald, boksend op de muziek, zijn gespierde borstkas in zijn strakgespannen U2-shirt. We zwaaien met onze vuisten in de lucht op het ritme van de bonkende house, maken neukbewegingen met onze heupen. De xtc lijkt nu al aan te slaan. Het zachte bruisen van mijn bloed, het tintelen van mijn vingertoppen en tepels. De house lijkt het ritme van mijn hartslag over te nemen. Ik moet dansen. Ik hef mijn handen ten hemel en sluit mijn ogen. Het overweldigt me. Dit gevoel. Dit ben ik, denk ik. Ik ben geen dooie. Ik ben jong, godverdomme. Ik ben geil, godverdomme. En ik heb recht op genieten, godverdomme. Ik beweeg als de koning der apen over de dansvloer, ga voor een meisje met lang blond haar staan, dat in trance heen en weer zwaait. Haar armen bewegen traag en gracieus, haar heupen bonken sexy heen en weer. Ze draagt een strak zwart jurkje en kniehoge puntlaarzen. Haar tepels zijn hard, ondanks de hitte. Je bent wat je denkt, zegt Hetty. Dus vanavond ben ik de koning. Een andere vrouw schudt met haar billen en draait ze mijn kant op. Ik pak haar heupen. *Dirty Dancing*. Ze vinden alles goed. Zo makkelijk is het.

Daar komt Steef, zwetend als een otter. Ik zwaai mijn armen in de lucht. Hij trekt me mee.

'Doe normaal!'

Mensen om ons heen deinzen achteruit. Ze kijken.

'Kom op man, we zijn nog maar net begonnen! Wat is er aan de hand?'

Hij wijst op twee lange, brede jongens, die nors terugkijken.

'Wat is daarmee?'

'Die Joego's zitten achter me aan. We moeten gaan. Nu.'

Hij duwt me voor zich uit. Dwingende handen in mijn rug. Het lijkt alsof ik zijn gehijg boven de muziek uit hoor. Ik kijk om. Zie de Joego's niet meer. Mijn handen beginnen te trillen. Ik word ineens bang, heel bang.

Mijn hart pompt als een bezetene. We persen ons door de donkere gangen vol mensen, langs borsten en billen. Ze staren ons aan. Ik zie de tronies van de Joego's overal. Het is heel goed mogelijk dat ze ons buiten opwachten.

We moeten opschieten. Waar is de uitgang?

'Wat is er aan de hand, Steef, verdomme?'

Hij roept in mijn oor. Ik voel zijn natte, rasperige wang langs de mijne. 'Het is hier niet veilig voor ons. Ze zijn er.'

'Wat is er met die Joego's? Moeten we wel naar buiten gaan? Misschien staan ze daar…'

Ik kijk in zijn ogen. De pezen in zijn nek staan gespannen.

Daar is de uitgang. We zijn er. Maar kunnen we eruit? Door nog meer mensen heen? Ik hoor Steef snuiven.

'Misschien moeten we de portier inlichten…' zeg ik.

'Nee! Ben je gek! Hier is niemand te vertrouwen. Rot op, we moeten gewoon weg. Vluchten. De bush in. Daar vinden ze ons niet.'

We worden tegengehouden door de portier.

'Heren. Even rustig aan. Eerst de mensen naar binnen laten.'

Steef duwt.

'Ho ho. Zo werkt het hier niet. Zijn er problemen?'

'Hij is ziek,' zeg ik.

'Ja ja. Pilletje genomen zeker?'

'Nee.' Ik schud mijn hoofd. Echt niet. Steef duwt harder.

'Klootzak! Laat me gewoon naar buiten, ja?'

'Ik dacht het niet. Ik dacht dat we maar even de politie erbij moesten halen.'

Hij pakt zijn telefoon.

'Luister,' zeg ik en ik klamp me vast aan de stevige arm van de portier. Ik kijk hem recht in de ogen. Het hangt nu allemaal van mij af. 'Sorry voor zijn gedrag, maar hij is echt ziek. Zijn medicijnen liggen in de auto. Laat ons er alsjeblieft door, hij moet ze nu hebben.'

Ik sla mijn armen om Steefs schouders. Hij siddert over zijn hele lichaam. De portier staart me ijzig aan. Ik staar terug. Boor mijn blik in de zijne. Ik ben volkomen nuchter. Kijk maar.

Hij laat Steef los. Zwaait de deur open.

'*Go*. En niet meer terugkomen. Begrepen?'

Steef stormt naar buiten.

'Sorry,' stamel ik nogmaals en ik ren achter hem aan.

17

We rennen over een parkeerterrein, naar het water. Ik kan Steef niet bijhouden. Achter de struiken laat hij zich op zijn buik vallen. Ik blijf staan, heb het gevoel dat ik moet blijven bewegen.

'*Get down!*' fluistert hij.

Het stinkt hier naar pis. Ik wil hier niet liggen.

'Sorry hoor, Steef, maar ga je me nu vertellen wat er aan de hand is?'

'Die geile kut-Joego's zijn overal. Ik hoorde ze praten. Ze zitten nog steeds achter me aan. Zelfs hier. Nog steeds.'

Ik wiebel heen en weer en begin langzaam te begrijpen wat er met Steef aan de hand is. Ik zuig de frisse lucht diep naar binnen. Het is van groot belang dat ik weer nuchter word.

'Ik kan de deur vanaf hier zien, en er is nog niemand naar buiten gekomen. Er zit niemand achter je aan.'

'Zij lopen met wapens, verdomme. Zij wel.'

Ik hurk naast hem neer en sla zachtjes op zijn schouder. Ik voel de neiging om hem in mijn armen te nemen en te kussen. Het moet niet gekker worden.

Ik kruip naar het water. Steek mijn handen erin en plens mijn gezicht nat. Daarna leg ik mijn koude, natte handen in Steefs nek. Hij schokt. Hij tilt zijn hoofd op en ik zie dat hij huilt. Zijn ene wang zit vol zand.

'Ik ben fucking bang, Peet. Wat moet ik doen? Hoe kom ik hier uit? Ik wil dat het ophoudt.' Ik herken zijn stem nauwelijks. Hij klinkt iel en klein.

'Hé Steef, kom op. Kom zitten. Het is die pil. Misschien moet je wat water drinken en wat eten. We hebben te weinig gegeten. Zal ik Rebecca bellen? Of Eva? Dat ze ons komen halen?'

Hij schudt zijn hele lijf.

'Ben je gek of zo? Natuurlijk niet.'

'Oké, oké. Misschien moet je me de sleutels geven van je motor, dan haal ik die en rijd ik ons naar huis.'

'Nee. Nog niet. Laten we gewoon even blijven zitten.'

Hij komt omhoog. Kruipt helemaal tegen de smerige bosjes aan. Slaat zijn armen om zijn knieën en kijkt me aan, zijn gezicht is verkrampt.

'Er zijn hier geen Joegoslaven,' zeg ik.

Ik kan er niet tegen hem zo te zien. Het is gênant. Zo gênant dat ik hem niet in de ogen kan kijken. Ik boor mijn hakken in het rulle, stinkende zand en kijk naar mijn schoenen.

'Ze zijn er wel. Ik hoorde ze. Ze stonden achter me. Ze schreeuwden naar elkaar. Ik kan die taal niet horen. Ik versta er geen reet van, maar ik weet dat het Joego's zijn. En dan flip ik. Ik weet niet wat er met me gebeurt, maar ergens gaat er een knop om en ineens zit ik weer in een of andere modderige kutgreppel. Echt, Peet, ik ruik het zweet, de stront.'

'Dat ruik ik ook. Maar we zitten hier in een soort openbaar toilet, dus dat kan wel kloppen.'

Hij lacht. Het gaat beter. Ik lach voorzichtig mee.

'Ik ben naar de klote. Mijn hele kop. Verrot. Het komt nooit meer goed. Moet je zien hoe ik hier zit, verdomme, als een of ande-

re gek in een afrukbossie. Ik ben zo bang, Peet. Die beklemming...
Ik weet dat het niet echt is. Ik ben in Amsterdam, met jou, ik hoef
niet bang te zijn... Ik ben sterk. Ik train als een gek. Maar die angst
zit in mijn hart, in mijn bloed. Die gaat nooit helemaal weg. Soms
slaapt-ie, maar altijd met één oog open, klaar om me te bespringen.'

Ik zeg dat we beter een eindje kunnen gaan lopen. Bewegen is altijd goed, zeg ik en ik begin alvast met mijn benen te schudden.
Steef komt overeind en slaat het zand van zijn kleren af, ondertussen rondspiedend en ik realiseer me ineens dat hij dat altijd doet.
De omgeving verkennen. Over je schouder kijken terwijl je tegen
hem praat, alsof hij iemand verwacht.

Hij vraagt me of ik een shaggie voor hem wil draaien. Zijn handen beven te veel. Hij geeft me zijn pakje. Ik draai, lik, steek hem
aan. We lopen zwijgend naar de straat, over de stoep, zomaar een
kant op en Steef merkt op dat een jointje nu wel lekker zou zijn, om
rustig te worden.

'Volgens mij hebben we wel genoeg drugs gebruikt voor een
avond,' antwoord ik. Ik ben blij dat de roes van de xtc eindelijk wegebt.

'Het is het enige dat helpt,' mompelt Steef. 'Seks en drugs en
rock-'n-roll. Het is cliché, maar waar.'

'Dat weet ik niet hoor, in jouw geval. Vanavond hielp het je in elk
geval geen moer.'

'Maar jou wel, Petertje! Ha, jij ging goed uit je dak met die Brabantse muts!'

Hij slaat zijn arm om mijn nek en drukt me stevig tegen zich aan.

We lopen naast elkaar zonder iets te zeggen. Over de brug, langs
verlaten kantoorgebouwen, door stille straten. Uren, voor mijn gevoel. Als de hemel langzaam lichter wordt, stel ik voor om naar huis
te gaan.

'Ja,' zegt Steef, 'natuurlijk.'

Hij stopt met lopen en pakt me bij mijn schouders. Ik kan hem
weer aankijken. Zijn ogen staan vermoeid. 'Dank je wel,' zegt hij.
'Dat je mijn vriend bent. Je bent echt een bijzondere man, Peter.'

Wat hij zegt, ontroert me.

'Geen dank, jij bedankt. Afgezien van wat er op het eind met jou gebeurde heb ik een waanzinnige avond gehad.'

Hij knipoogt en grijnst op vertrouwde wijze.

'Je hebt wel wat gedaan. Je hebt me geholpen door je bek te houden. Me geen wijsneuzige adviezen gegeven. En dat gaan we thuis ook doen. Onze bek houden. Over die Brabantse mutsen, en over mijn kleine inzinking.'

Het is fijn om te horen dat ik iets voor hem beteken. Dat hij mijn zwijgen aanziet voor wijsheid, zoals Eva dat vroeger ook deed.

'Natuurlijk houd ik mijn kop. Ik ben de discretie zelve,' zeg ik glimlachend.

Thuis kruip ik voorzichtig naast Eva. Haar warmte bezorgt me een erectie. Van slapen komt niets meer, ik ben te hyper. Ik schrik als ze vraagt hoe het was.

'Waanzinnig,' antwoord ik.

'Fijn voor je,' zegt ze.

'Ik heb gedanst.' Voorzichtig begin ik haar blote rug te strelen.

'Nee!'

'Echt waar.'

'Volgens mij is het tien jaar geleden dat ik jou voor het laatst heb zien dansen…'

Ik heb ook getongd. En aan grote Brabantse borsten gezeten. Wij zoenen bijna nooit meer Eva, waarom niet? Vroeger deden we het urenlang, hongerig, traag en nat, we konden niet ophouden. Waarom draai je je hoofd weg als ik mijn lippen op de jouwe druk?

Ze duwt mijn hand van zich af.

Ik steek mijn andere hand tussen haar benen en voel met mijn duim dat ze nat is.

'Eef, alsjeblieft…' Dan maar door het stof. 'Ik houd zo van je. Je bent zo mooi en zacht. Het doet pijn gewoon…'

Ze draait zich naar me toe en kijkt me aan met een kille blik.

'Jij komt om half zes thuis, maakt me wakker en nu wil je ook nog vrijen?'

Ik sluit mijn ogen. Wat een trieste klootzak ben ik.

'Sorry,' fluister ik. 'Ga maar lekker slapen.'

Dat ik niet zal slapen weet ik als Eva haar rug weer naar me heeft toegekeerd. Ik luister naar haar ademhaling, die steeds rustiger wordt totdat ze zachtjes snurkt. De muziek van U2 galmt na in mijn hoofd, afgewisseld door de doffe housedreun die mijn hart lijkt te slaan. Mijn mondhoeken lijken te strak aangedraaid en mijn oogleden vechten trillend tegen het dichtvallen. Alles in me gonst van opgefoktheid.

Het is niet te stuiten, de mooiste gedachten suizen door mijn hoofd als vuurwerk, ik kan ze bijna niet bijhouden. Ik zoek in mezelf naar een negatief gevoel, naar relativering, maar het is verdwenen, ik kan alleen maar geloven in onze vriendschap met de nieuwe buren, zelfs ook in partnerruil met hen, misschien inderdaad wel de manier om ons gecrashte seksleven een nieuwe impuls te geven, op een eerlijke, vertrouwde manier. Er kunnen afspraken gemaakt worden. Het voorkomt wellicht de ellende van een scheiding of een geheime affaire van Eva of mij. Ik heb liever dat ze het met Steef doet dan dat ze op een kwade dag vreemdgaat met een of andere vent en verliefd op hem wordt. Steef heeft ervaring, hij weet waar de grenzen liggen en ik gun het haar. We waren zo jong toen we verkering kregen, het is logisch dat zij wil weten hoe het is met een ander. Ik wil het ook weten. Ik heb recht op een beetje genot, op passie, op seks. Steef en Rebecca zullen ons uit de impasse trekken, dat weet ik zeker.

Ik kan beter opstaan. Heb te veel energie om stil te liggen en buiten is het toch al licht. Ik ga lekker hardlopen. De hardloopschoenen liggen in de kast, ooit gekocht in een opwelling van goede voornemens, maar nooit gebruikt, tot nu. Het gaat gebeuren. Ik moet aan mijn lichaam werken. Ik hijs me in een oude joggingbroek en T-shirt, tennissokken en gympen en ren de trap af. Beneden op de mat ligt een cd met een foto van een geblinddoekte Bono erop. Achterop een briefje van Steef.

Yes, I sometimes fail, but at least I'm willing to experiment.
Bono

Môgge Peet, hier mijn favoriete U2-nummers voor jou.
Het was een bijzondere avond,
Bedankt,
STEEF

Ook hij heeft duidelijk niet geslapen.

Ik doe niet aan warming-up. Ik begin te rennen over de pas aangelegde straat, en zie voor het eerst niet de doodsheid van de stenen gevels, maar het leven daarachter. Allemaal nieuwe levens in een nieuwe wijk. We richten ons op de toekomst. Voor de meesten die hier wonen is die toekomst gevuld met kinderen en kleinkinderen. Voor ons met het leren leven zonder nazaten. Dat kan ook mooi zijn.

Ik ben zo licht als een veer. Is dit nog steeds het effect van die pil? Ik versnel en snuif mijn longen vol zuurstof, stoot mijn vuisten in de lucht. Als Rocky Balboa.

'Eye of the Tiger'. Dreunende gitaren.

Risin' up, back on the street
Took my time, took my chances

18

Het weekend dat door ons vieren gekozen is als 'swingweekend' breekt aan. Eva en ik hebben er de afgelopen week nauwelijks over gesproken. Met zijn vieren kozen we als locatie het huis van Steef en Rebecca, hoewel ik nu de datum nadert betwijfel of dat de beste keuze is. Maar ik betwijfel altijd alle keuzes achteraf volgens Eva, dus zij wil van geen verandering weten. We doen het bij hen thuis omdat dat minder eng is. Geen pottenkijkers, geen moeilijke confrontaties met wildvreemden. Een parenclub bezoeken is 'best heavy' volgens Rebecca, en het is beter eerst wat ervaring op te doen.

's Nachts slaap ik nauwelijks. Sinds het concert heb ik daar last van. Zodra ik ga liggen, begint mijn hart als een bezetene te kloppen en voel ik me onrustig. Ik kan het ronkende, warme lijf van Eva naast me bijna niet verdragen. Ik wil alleen zijn, in een koude, donkere kamer, alleen met de gedachten die maar door mijn hoofd malen.

Onzinnige gedachten, maar ze laten me niet los. Zodra ik mijn ogen sluit, komen de twijfels. Vraag ik me af of ik het goed gedaan heb met Steef, of we een kind moeten adopteren, of ik in staat ben Rebecca te bevredigen, of ik het aankan Eva met Steef te zien vrijen, ik bedenk dat ik moet zoeken naar een leidraad voor mijn leven, een idee dat me de kracht geeft Eva los te laten en me bevrijdt van de angst voor mijn eigen grenzen. Tussendoor schrijf ik in gedachten stukjes, columns voor de krant, over van alles en nog wat. Totdat de gedachten op me beginnen te drukken alsof er een olifant op me zit, dan moet ik het bed uit. Meestal rond een uur of vier 's morgens. Ik sluip naar beneden, schenk mezelf een glas rode wijn in en kruip op mijn werkkamer achter de computer. Surf van wintersportsites naar tweedehands Harley Davidson-choppers op Marktplaats, googel naar informatie over xtc. Ik leer dat mijn slapeloosheid een gevolg kan zijn van het gebruik, evenals depressie en hyperactiviteit, omdat de xtc in één klap al je endorfines opgebruikt. Steevast eindig ik nieuwsgierig en opgewonden op www.partnerruil.nl. Duizenden links naar homepages van echtparen die zich aanbieden. Hier lijkt het alsof de hele wereld uitsluitend met seks bezig is. Voor swingers is neuken blijkbaar net zoiets als tuinieren, of skiën, compleet met eigen jargon en gereedschap. Het is goed voor me om het zo te benaderen. Swingen is gewoon vertier, een lekker tussendoortje. Waarom zou je seks altijd en alleen maar met dezelfde moeten hebben? Met skiën neem je toch ook niet steeds weer dezelfde piste? In je tuin zet je toch ook verschillende planten? Nou dan. Swingen trekt huwelijken uit het slop. Swingen inspireert. Swingen maakt vrij. Mensen die het op kunnen brengen hun partner los te laten, zijn de meest verlichte geesten ter wereld.

Ik surf langs de homepages van stellen die zich aanbieden, heus niet alleen maar lelijkerds, hoewel… wel veel, scrol langs de foto's van echtparen neukend op de trap, kijk naar mannen in opengewerkte leren broeken, gefotografeerd door hun vrouw naast de skaileren bank, krijg een erectie van de vrouwen in synthetische lingerie die masturberen in armoedige badkamers. Dikke, kaalgeschoren vrouwen, lelijk als de nacht, het maakt niet uit, ik krijg er een stijve van. Het is ranzig, het is wegwerpseks, het is een walgelijk idee dat op dit moment miljoenen mannen over de hele wereld zich zitten af te rukken bij miljoenen foto's van vrouwen in alle soorten en maten, net als ik. Het internet is een grote vierentwintiguursorgie.

We ontbijten zwijgend op de dag dat het gaat gebeuren. Drinken onze jus, eten een eitje, lezen de krant. Ik gluur af en toe naar Eva, als ik zeker weet dat ze het niet doorheeft. Dit is mijn vrouw. Ik vind haar vanochtend mooier en begeerlijker dan ooit. Mooi op een klassieke manier. Verzorgd, rond, zacht. Ik weet dat ze straks met een andere man zal vrijen. Volgens Rebecca is dit de hoogste vorm van liefde: elkaar een ander gunnen. Genieten van andermans genot.

Ik zie ook een verbeten trek op haar gezicht, het kauwen op de binnenkant van haar wang. Ik ken haar. Ze is bloednerveus. En vastbesloten, al vindt ze het doodeng. Maar ze gaat dit doen, zoals ze ook de eicellen uit haar buik liet opzuigen. Eva twijfelt nooit. Ik weet dat ze boos wordt als ik haar nu vraag of we er wel aan moeten beginnen. Jezus, daar kom je nu mee!

Als ze de tafel afruimt, pak ik haar hand. Ze glimlacht en ik druk een kus op haar vingers. Ze heeft haar nagels knalrood gelakt. 'Ik hou van je,' zeg ik.

'Dat weet ik, Peter, ik hou ook van jou,' antwoordt ze en ze strijkt haar hand door mijn haar. Ik grijp haar pols en trek haar op mijn schoot.

'Liefje,' mompel ik en duw mijn neus tegen haar borsten. 'Seks kun je delen met anderen, liefde niet. Onze liefde is uniek. We hebben zoveel doorstaan...' Ik kijk haar aan en voel me een bedelende hond.

Ze geeft me een klopje op mijn rug, zoals ze bij een van haar kleuters zou doen. Ik wil in haar kruipen. Voor altijd verdwijnen in haar zachtheid.

'Ik wil niet op mijn sterfbed denken: had ik het maar geprobeerd,' zegt ze.

'Je kunt ook op je sterfbed denken: had ik het maar nooit geprobeerd,' antwoord ik.

Het is acht uur als we de woonkamer van Steef en Rebecca binnen-stappen, op van de zenuwen. Buiten is het nog licht en Rebecca sluit met een sereen gebaar de gordijnen. Ze draagt een doorschij-nend blauwe tuniek vol glimmertjes en daaronder een beha en string in dezelfde kleur. Haar outfit past perfect bij de sfeer van de kamer, die compleet omgetoverd is tot een Marokkaanse berber-tent. Op de vloer liggen felgekleurde zachte kussens, de bank is be-dekt met een deken van bont en overal branden dikke, kleurige kaarsen. Het ruikt in de kamer naar wierook en sigaretten. Zweve-rige loungemuziek vult de ruimte.

'Als ik had geweten dat het een themafeestje was, had ik mijn djellaba aangedaan,' zeg ik tegen Steef, die blootsvoets in zijn witte linnen broek en overhemd binnenkomt. Hij lacht overdreven hard vind ik, hij denkt dat zijn lach mij kan ontspannen, maar het tegen-deel is het geval.

'Vind je dit niet helemaal te gek?' zegt hij met zijn armen ge-spreid. Wij knikken. Ja, het is helemaal te gek. Het is een sprookje. Een sprookje in De Zonnepolder.

'Dit vinden wij nou leuk. Illusies creëren. Onze fantasie werke-lijkheid maken. Dit is onze *escape*, onze therapie. Of sport, zo kun je het ook noemen. Na zo'n avond kunnen we er weer weken tegen.'

Hij kust Eva op de mond en daarna mij, terwijl hij mijn hoofd in zijn handen klemt. Ik schrik ervan.

'Dit zijn allemaal spullen die ik van mijn moeder gekregen heb,' zegt Rebecca. 'Ze stuurt ieder jaar wel wat op, uit Bali of Marokko. Normaal staat dit allemaal op onze slaapkamer. Als Sem uit logeren is, vind ik het leuk om het zo in te richten. Zeker voor een avond als deze.'

Ze legt haar hand voorzichtig tegen mijn onderrug.

Steef vlijt zich in de kussens en vraagt ons bij hem te komen zit-ten. Eva trekt haar pumps uit en ploft naast hem neer. Ik moet pis-sen maar ik ga niet. Mijn schoenen houd ik aan. Rebecca loopt naar de keuken om de hapjes en drankjes te halen. Ik bied aan haar te helpen.

'Ben je gek! Jullie zijn onze gasten. Vanavond gaan wij jullie ver-wennen.'

'Zijn jullie nerveus?' vraagt Steef grijnzend, terwijl hij zijn shag tevoorschijn haalt en begint te rollen.

'Natuurlijk,' antwoordt Eva. 'Ik heb de hele dag niet kunnen eten.'

Steef kijkt naar mij.

'Dit is niet iets wat ik iedere dag doe, dus ja, ik ben best zenuwachtig...' zeg ik en ik krab op mijn hoofd.

'Hebben jullie hierover gepraat met elkaar? Want dat is wel belangrijk, dat jullie goede afspraken gemaakt hebben over hoe ver je wilt gaan.'

'Ja,' zegt Eva en ze legt me met haar blik het zwijgen op. 'We zien dit als een soort experiment. Met jullie durven we het wel aan. Of we echte swingers worden, weten we nog niet.'

Steef zet de vlam in zijn sigaret en inhaleert diep. 'Realiseer je je dat na vanavond jullie seksleven nooit meer zo wordt als ervoor? Al blijft het bij deze ene keer, er zal definitief iets veranderen tussen jullie. Je zet alles op zijn kop. Dat moet je wel kunnen *handelen*.'

Rebecca komt binnen met een grote zilveren schaal vol bakjes. 'Ik heb allemaal tapas gemaakt, dat vind ik zo gezellig eten.'

'*Finger food*,' grinnikt Steef, 'hoe toepasselijk.'

Rebecca zet de bakjes en de servetten op de salontafel, rent de kamer weer uit en komt terug met twee feestelijke kannen witte sangria, zoals zij dat noemt, boordevol vitamientjes volgens Steef, die er meteen met zijn grote vingers een stuk ananas uit graait en dat druipend naar zijn mond brengt. 'Dit is spul,' zegt hij, 'man, daar krijg je een olifant mee om.'

Rebecca vult de glazen en neuriet mee met de weemoedige Arabische zang die uit de boxen schalt. Daarna gaat ze zitten, vouwt haar benen lenig over elkaar en nestelt zich tegen me aan. We klinken de glazen. 'Proost. Op ons. Op vanavond.'

Mijn hart bonst bijna mijn borstkas uit en ik hoop dat het niemand opvalt dat het glas in mijn handen trilt. Ik zoek Eva's blik en vind die, heel vluchtig: ze glimlacht zoals ze ook deed op de pijnbank van de gynaecoloog. Troostend en vastberaden.

'Om de feestvreugde compleet te maken, heb ik hier nog een kleine verrassing,' zegt Steef. Hij haalt een wit zakdoekje uit zijn zak, vouwt het open op tafel en toont ons vier zachtroze pilletjes.

Rebecca slaakt een opgewonden kreetje en Eva schiet in een nerveuze lach. 'O jéé,' zegt ze en legt haar handen tegen haar wangen. Ik kijk naar Steef die een pil op zijn tong legt en wegspoelt met sangria. Kennelijk is hij niet bang om weer te flippen.

'Niet graaien dames, er is er voor ieder een, of een halve zo u wilt.'

Rebecca pakt een pilletje met haar parelmoer gelakte nagels.

Eva weet het niet en kijkt vertwijfeld van mij naar Steef. Het voelt goed om haar een stap voor te zijn. Ik zeg haar dat er niks engs aan is en pak een pil.

'Jezus… ik weet het niet hoor…' stamelt ze.

'Neem een halfje,' zegt Steef, 'vertrouw ons. Er kan niets gebeuren. Je wordt er alleen maar vrolijk en geil van. Je gaat geen rare dingen zien of doen en morgen herinner je je alles nog.'

'Het kan geen kwaad,' vul ik aan en ik geniet van haar verbaasde blik. 'Ik heb het geslikt bij het U2-concert en ik vond het helemaal te gek. Je bent wat minder geremd. En je vindt iedereen lief en mooi. Het is heerlijk.'

'En trouwens, jij wilde het toch proberen? Dat zei je laatst, op het naaktstrand… Tegen Steef hoef je dat soort dingen altijd maar één keer te zeggen,' zegt Rebecca flemerig.

'Oké,' zegt Eva met vlammende wangen. 'Ik doe een halfje.'

Steef breekt een pilletje doormidden en overhandigt de helft aan Eva. Dan heffen we nogmaals het glas, leggen de xtc op onze tong en nemen een slok.

We eten gamba's, glibberig van de olie, en pittige gehaktballetjes terwijl Steef en Rebecca ons de rest van de regels van vanavond uitleggen, die we goed moeten bespreken voordat de pil begint te werken, volgens Steef. Er zijn paren die kiezen voor soft swap, wat betekent dat er wel gestreeld en gevreeën wordt, maar niet geneukt. Het afmaken doe je met je eigen partner. Steef en Rebecca zijn ervaren full swappers, seks met alles erop en eraan en alles tegelijk met z'n vieren. Rebecca heeft geen moeite met biseksuele handelingen, maar Steef wel. Dus daar ligt zijn grens. Sommige paren willen afzonderlijk ruilen, andere willen hun partner zien neuken. En het komt ook voor dat de afspraak is dat er alleen getongzoend wordt met de eigen partner.

'En uiteraard wordt er, in geval van full swap, een regenjasje gebruikt,' grijnst Steef. 'En gebeurt er niets tegen je zin. Je hoeft niets uit te leggen, het wegduwen van een hand is voldoende. En je kunt er elk moment uitstappen. Een tikje op de schouder van je partner betekent dat het spel afgelopen is. Of een klopje op de deur in geval van een gesloten ruil.'

'Nou,' zegt Rebecca, terwijl ze haar vingers aflikt, 'aan jullie de keuze. Het is jullie avond. Wij zijn jullie nederige slaven...' Ze giechelt en knijpt me zachtjes in mijn nek. Ik heb al een erectie vanaf het moment dat Steef begon over het swap-gebeuren. Het is geil en gênant tegelijk om hen te horen praten over seks alsof het om een spelletje pimpampetten gaat. Maar zelf krijg ik het niet over mijn lippen.

'Kunnen we het niet gewoon overlaten aan spontaniteit? Gewoon afwachten wat er gebeurt?' vraag ik en Eva sluit zich daar opgelucht bij aan.

'Dat kan,' zegt Rebecca, 'maar het is wel handig om te weten wat jullie niet willen.' Ze steekt haar hand in de lucht en telt op haar vingers. 'Niet neuken, niet tongzoenen, niet beffen, niet pijpen, geen anuscontact. En dan kun je nog zeggen: ik wil het wel ondergaan, maar niet uitvoeren. Of andersom uiteraard.'

Eva plukt aan haar lip.

'Jeetje,' zucht ze. 'Jullie zijn de experts... Ik denk dat ik mijn grenzen gaandeweg wel ontdek...'

'Ik hoef niet per se te zien hoe Eva met een ander vrijt, eigenlijk. Ik had gedacht dat het in twee verschillende kamers ging gebeuren,' gooi ik eruit.

'Dat kan,' zegt Steef. 'Persoonlijk vind ik het fijner om bij elkaar te blijven, maar ik heb geen last van jaloezie. Ik vind het heerlijk om Rebecca te zien genieten. Maar laten we gewoon rustig aan beginnen met een massage. De dames gaan Peter masseren en elkaar een beetje verwennen. Dan kunnen we daarna altijd nog zien. Ik zal niet aan je vrouw zitten Peter, ik ga lekker kijken.'

'Ja Peter, als jij nu eens je kleren uittrekt...' zegt Rebecca glimlachend.

'Ik moet eerst pissen,' mompel ik en ik sta wankel op.

'We kunnen ook beginnen met Steef…' zegt Eva zacht.

'Nee,' zegt Steef, 'Peter is eerst. Ik ben een geduldig man. En ik vind toekijken heel prettig.'

Op het toilet ruikt het zwaar naar kaneel. Ik haal mijn pik, die te stijf is om mee te kunnen plassen, uit mijn broek. Ik glimlach om mezelf en om het zoete gevoel dat langzaam bezit van me neemt. Misschien praat ik, misschien denk ik alleen maar, ik weet het niet, ik zie mezelf in de spiegel en geloof dat ik oprecht van alle drie houd. Ik trek mijn schoenen uit en lach om mijn sokken. Sokken. Wie heeft die ooit bedacht? Ik trek ze van mijn voet, rol ze op en prop ze in het afvalbakje onder het fonteintje. Daarna trek ik de rest van mijn kleren uit. Ook mijn onderbroek. Weg ermee. Ik duw mijn pik onder de koude kraan om van de erectie af te komen. Het helpt. Ik kan eindelijk pissen.

Ik dans naar binnen. Ik weet dat ik belachelijk doe, maar het interesseert me niet. Ik lach en wieg op het sijpelende pianospel. Een didgeridoo kreunt mee, op de achtergrond zingt een vrouw klaaglijk en oosters. Nog nooit zulke geile, relaxte muziek gehoord, die de ruimte eindeloos doet lijken. Rebecca zit naast de kussens en draagt alleen nog maar haar blauwe string. Een strikje boven haar bilnaad. Aan de andere kant zit mijn vrouw. Ook topless. Beduidend kleinere tieten. Zwart kanten broekje, nog nooit gezien. Het licht komt alleen nog van de kaarsen en ik zie de nevel van rook en wierook hangen. Ik ga liggen, vlij mijn tintelende lijf op de grote mat die klaarligt. Aan iedere kant een godin. Een die warme olie op mijn rug spuit. Een andere die de olie met trage halen uitsmeert. Trillende vingers. Gegiechel. Het is ondoenlijk om stil te blijven liggen. Handen fladderen langs mijn oksels, over mijn billen, nagels langs de binnenkant van mijn dijen. Er strijkt een tepel langs mijn schouder. De meisjes praten gedempt, ik kan ze niet verstaan. Een van hen gaat op mijn rug zitten, ik moet mijn ogen wel opendoen. Eva kneedt mijn schouders terwijl Rebecca haar borsten streelt. In de verte zie ik Steef onderuitgezakt naar ons kijken. Ik vind het lullig voor hem dat hij niet meedoet. Hij mag meedoen, het maakt me niets meer uit. Ik wenk, en hij steekt zijn duim op. 'Geniet,' zegt hij, of denk ik dat hij zegt. Ik draai me om. Ik wil het zien. Mijn vrouw met een andere vrouw. Hoe vaak heb ik me daar niet op afgerukt? Ze tongzoenen. Rebecca speelt geroutineerd met Eva's tepels. Eva's handen gaan aarzelend over de enorme kalebassen van Rebecca. Dan laten ze elkaar los en komt Rebecca op me zitten. Ik knal bijna uit elkaar. Mijn tong ligt dik en zacht in mijn mond en gonst van verlangen. Maar Rebecca zoent me niet. Ze trekt aan de huid op mijn borstkas, draait die tussen haar vingers, gaat plagerig met haar tieten langs mijn gezicht. Ik tuit mijn lippen, maar krijg haar tepels niet te pakken. Heel voorzichtig leg ik mijn hand op haar bil. Mijn vingers gaan langs het elastiek van haar string. Het dunne stukje stof dat mijn lul van haar kut scheidt. Meer durf ik niet te doen. Ik moet ook aan Eva denken. Ik weet niet waar haar grenzen liggen en ik wil het nu niet verpesten. Rebecca daalt af. Ze streelt me, van mijn gezicht tot aan mijn lul met haar fluweelzachte tieten en ik zie haar kont omhoogkomen. Het strikje in het midden. Wat een plagerig wijf is dit. Dat Steef dit aan kan zien. Rebecca gebaart naar Eva, die over mijn kuiten wrijft. Ze wisselen weer, Eva zit nu op me. Haar durf ik wel aan te raken. Ik neem haar borsten in mijn handen en glimlach. Ze ontwijkt mijn blik. De handen van Rebecca vervangen de mijne. Eva's kleine, harde tepeltjes tussen haar lange glanzende nagels. Ik moet erbij blijven. Ze gaan zo met elkaar aan de haal. Dit keer wil ik geen toeschouwer zijn. Ik kom omhoog en leg mijn handen om hun billen. Drie tongen flitsen langs elkaar. Ik heb twee meisjes op schoot. Vier tieten, vier billen, twee kutten. En ik weet niet wat ik moet doen. Ik wil niemand beledigen.

Gelukkig neemt Rebecca de leiding. Ze pakt mijn lul en begint vakkundig te trekken. Eva lijkt het prima te vinden. Maar ik kan me er niet aan overgeven onder haar ogen. Ik schuif mijn vinger tussen Eva's billen en kneed met mijn andere hand Rebecca's tiet. De volheid ervan. 'Wil je klaarkomen?' vraagt Rebecca hees. Ik knik. In haar warme, natte mond, als het even kan.

'Dat moet je vrouw maar doen,' fluistert ze, waarna ze met het trillende puntje van haar tong over mijn oor gaat. Ze veranderen weer van positie. Eva neemt mijn lul over, Rebecca komt naast me zitten. Eva trekt onzekerder, trager. Haar hand is klam. Rebecca buigt zich over me heen en dan ineens gebeurt het, ze zoent me, het is alsof mijn hoofd explodeert, haar tong, die vaag smaakt naar nicotine en drank, haar zachte lippen, haar wangen die voelen en ruiken als perzik, het lijkt een zoen vol liefde en het ontroert me bijna. Ik laat Eva los en streel Rebecca's magere rug, mijn handen langs haar billen. Ik rol haar string naar beneden en strijk mijn vingers langs haar schaamlippen, die zo glad zijn als een babyhuidje. Ik weet niet of ik het kan, haar klaarmaken, het lukt me maar zelden bij Eva en Rebecca heeft zoveel ervaring. Zoveel pikken, zoveel vingers, zoveel tongen in zich gehad.

'Open je ogen,' hijgt ze en ik durf het bijna niet. Ik kan haar niet aankijken, of om me heen kijken, Steef zien liggen op de bank. Als ik nu kijk verpest ik misschien wel alles. Maar ik doe het toch, ik kijk naar haar halfgeloken ogen, haar gezwollen open mond, haar deinende tieten, mijn hand in haar broekje. Ze steekt haar vinger in mijn mond, trekt hem er weer uit, een sliert speeksel verbindt ons, en ze begint zichzelf te vingeren. Ik trek mijn hand terug, ze doet het zelf veel beter. Ik blijf kijken, naar de show die ze opvoert. De vinger die als een razende ronddraait, haar andere hand waarmee ze haar tiet naar haar mond duwt, de uitgestrekte tong die net haar tepel raakt. Het is geil inderdaad, maar de intimiteit is op slag verdwenen. En Eva, rukt en rukt, steeds driftiger, totdat ze het zat is en hem in haar mond neemt. Bij haar hoef ik geen regenjasje aan. Ik laat het gaan, concentreer me op het zuigen en geef haar wat ze wil: mijn orgasme.

Daarna is het of alle lichten aangaan, hoewel ze uit blijven. Eva krabbelt overeind, lijkt zich geen raad te weten met haar houding, alsof ze zich plotsklaps bewust is van haar naaktheid. Rebecca knuffelt me en noemt me een fijne, lekkere gozer. Of ze klaargekomen is, is onduidelijk. 'Pauze!' roept Steef, die naakt door de kamer danst.

'Sigaretje!' zegt Rebecca, en ze vraagt of we nog iets willen drinken.

'We hebben bubbels,' zegt Steef. 'We gaan bubbels uit elkaars navel drinken.'

Eva gaat naar het toilet. Rebecca komt terug met een nat washandje en twee flessen Cava. Steef trekt een fles open en Rebecca veegt mijn plakkerige buik schoon.

'Heb je het koud?' vraagt ze. Ik schud mijn hoofd en tover een glimlach op mijn gezicht.

'Omdat je zo rilt...'

'Hij siddert na Bec, van genot. Mijn god, Petertje, dat was wel verwennerij of niet?'

Steef knuffelt me en ik voel zijn zachte lul langs mijn onderbuik gaan. Hij gloeit.

Ik zoek naar het extatische gevoel dat ik daarnet nog had, naar de schaamteloosheid en de liefde die ik voelde, maar het lijkt wel totaal omgeslagen. Ik ben alleen, en ook nog eens naakt, tussen wildvreemden.

We ploffen op de bank en ik trek het kleed van nepbont om me heen. Rebecca reikt glaasjes bubbels aan. Eva kruipt erbij.

'En,' vraagt Rebecca, 'wat vonden jullie?' Ze trekt een roze sigaret uit haar pakje en steekt hem op.

'Het was echt fantastisch,' zeg ik en ik meen het oprecht.

'Af en toe wist ik niet goed wat ik moest doen,' zegt Eva. 'Ik vind het best moeilijk om het initiatief te nemen.'

'Nou, dat was mij niet opgevallen,' lacht Steef. 'Vanaf de bank zag het er geweldig uit.'

'Dit was natuurlijk nog niet helemaal voluit. Willen jullie het zo soft houden of mag het wat meer zijn, de volgende ronde?' vervolgt Rebecca.

'Hé, weet je, volgens mij moeten we niet zoveel lullen, maar gewoon lekker gaan vrijen...' Steef neemt een slok en buigt zich over Rebecca. Hij laat de champagne uit zijn mond lopen, op haar mond, hals en borsten, waarna hij het grommend oplikt.

'Neem, Petertje, neem. Ik wil dat je mijn vrouw neemt...'

Rebecca kijkt me aan, terwijl ze de rook uitblaast. Steefs hoofd verdwijnt in haar kruis. Eva zit naast hem, haar gezicht glanst van opwinding. Ze legt haar hand aarzelend op zijn billen. Steef komt weer omhoog en bijt zachtjes in Rebecca's tepel. Ze slaakt een gilletje.

'Kom op, ik ben zo geil als een beer. Wat gaan we doen?'

'Mag ik met jou?' vraagt Eva hem zachtjes en ze slaat haar ogen neer.

'Natuurlijk lieverd, daar zijn we hier voor,' antwoordt Steef en hij buigt zijn grote lijf over mijn vrouw.

'Ho ho,' zegt Rebecca als ze mijn hand pakt. 'Sorry hoor, maar volgens mij heeft Peter hier ook nog een stem in.'

Drie paar ogen richten zich op mij. Ik kan de avond maken of breken.

'Als ik jou nou eens ontzettend lekker pijp. En jij me daarna van achteren neemt…'

Rebecca zwaait haar been over me heen en zit ineens op me. Haar borsten wiegen voor mijn gezicht. 'Full swap…' grinnik ik, hoewel ik niet zeker weet of ik wel wil lachen.

'Heel goed jochie,' hoor ik Steef zeggen, ergens ver weg, en ik mompel: 'Toe maar…'

Ik moet me overgeven. En me afsluiten. Ik wil Eva en Steef niet zien, ik wil me focussen op het goddelijke lijf van Rebecca, die me haar borsten aanbiedt. Tussen mijn wimpers door zie ik Eva en Steef naar de kussens lopen. Hand in hand. Ik doe mijn ogen dicht en reik met mijn tong naar die van Rebecca. Troostend slaat ze haar armen om mijn hoofd en ze drukt haar warme lijf tegen me aan.

Eva

19

De xtc-pil neem ik niet, ik spuug hem uit en duw hem in de bloem-
pot die naast de bank staat. Dit is misschien mijn enige kans en ik
wil geen enkel risico lopen. Vanavond is het van het grootste belang
dat ik mezelf in de hand houd. Ik temperatuur al twee weken zodra
Peter het bed uit stapt om te douchen, de temperatuurcurve ligt onder mijn matras. Dat is het voordeel van een man die zich niet met
het huishouden bemoeit, je kunt van alles voor hem geheimhouden.
Ik ben misselijk van de zenuwen, al de hele dag. Mijn handen en
voeten zijn ijskoud, ondanks de hitte in de kamer. Ik wrijf mijn
voeten langs mijn kuiten, klem mijn handen tussen mijn dijen,
maar wat ik ook doe, het blijven ijsklompen, terwijl mijn hoofd
gloeit alsof ik koorts heb.

Vanochtend heb ik mijn hele lichaam geschoren met Peters mes-
je. Van mijn tenen tot mijn oksels. Tussen mijn benen, zelfs tussen
mijn billen en dat laatste had ik misschien niet moeten doen. Het

jeukt alsof er een miljoen mieren krioelen. En nog voel ik me een boerentrien naast de bruine, gladde Rebecca, met haar gracieuze bewegingen. Het gemak waarmee zij in haar lingerie rondloopt. Geen bultje of putje te bekennen. Peter zou me dankbaar moeten zijn dat ik hem haar gun.

Volgens Rebecca ben ik een sterke, bijzondere vrouw. Hoe ik omga met mijn verdriet. Hoe ik vecht om de draad weer op te pakken. Hoe ik opensta voor haar en Steef. Zo zijn niet alle vrouwen, zegt ze. Het is fijn zo'n positieve, inspirerende vriendin te hebben. Rebecca zegt bijvoorbeeld ook dat ik mooi ben, ze is jaloers op mijn zachtheid. Ze noemt zichzelf 'een benig geval'.

We hebben samen lingerie gekocht voor deze avond, in een sekswinkel voor vrouwen nota bene. Sem was gewoon mee, slapend in de buggy. De verkoopster gaf me een zwart kanten setje, met ritsjes bij het kruis en op de tepels. 'Supergeil,' zei ze. 'Wel goed scheren, dat er geen haartjes tussen de tandjes van de rits komen.' Ik heb het gekocht, samen met nog drie andere setjes en orgasmebevorderende bodylotion. Toen ik in de spiegel keek, dacht ik niet aan Peter maar aan Steef. Hoe hij mijn lichaam zou bewonderen, hoe hij goedkeurend zou lachen, hoe hij de ritsjes langzaam open zou trekken.

Nu voel ik me ziek van angst. Ik sla twee glazen sangria achterover, met trillende handen, in de hoop dat ik daar wat rustiger van word en ik knabbel aan een olijf, maar ik weet geen woord uit te brengen. Steef gaat maar door over full swap en soft swap en wat er allemaal wel en niet mag en ik denk alleen maar: laten we beginnen, alsjeblieft, laten we zo snel mogelijk doen waarvoor we gekomen zijn.

De bodylotion helpt geen zier. Ik ben helemaal niet opgewonden. Het is alsof ik buiten mezelf sta. Ik zie mezelf zitten, ik zie hoe ik knik, gespannen glimlach, mijn armen rond mijn middel. Het liefst zou ik vluchten uit deze derderangsklucht. Het doel, denk ik. Het doel heiligt de middelen. Later, met ons kind op de arm, lachen we er misschien om. Zeggen we tegen elkaar dat we zo blij zijn dat het ooit zo gelopen is. Zie het resultaat. Zo heeft het moeten zijn.

Steef heeft de regie in handen en geeft ons de opdracht te beginnen met Peter. Dat brengt me in verwarring. Ik wil Steefs zaad, zo snel mogelijk, ik wil geen tijd verspillen. Maar Steef wil er niets van horen. Kennelijk wil hij Peter op zijn gemak stellen. We kleden ons uit. Rebecca was al zo goed als naakt, ik stap uit mijn jurk en neem zo relaxed mogelijk plaats in de kussens. Rebecca maakt haar beha los en ik doe hetzelfde. Steef roept: 'Jezus meiden, wat zijn jullie mooi,' en dat helpt. Ik sla mijn ogen op en kijk naar Rebecca, naar haar serene, mysterieuze gezicht en ze knikt me bemoedigend toe. 'Als het niet gaat, dan tik je me op mijn schouder en ik ben weg,' fluistert ze. Maar het zal heus wel gaan. Ik voel geen jaloezie. Voelde ik dat maar.

Wat me bijblijft van dit triootje, het eerste en waarschijnlijk het laatste in mijn leven: dat je bij alles wat je doet moet nadenken. Het gaat niet vanzelf zoals bij gewone seks. Er zijn twee mensen met wie je rekening moet houden en tegelijk moet je ervoor zorgen niet buitenspel te komen staan. Ik kan mezelf er niet in verliezen. Ik ben me bewust van al mijn handelingen, van mijn onervarenheid, en laat het initiatief over aan Rebecca. Zij kneedt mijn borsten, sabbelt aan mijn tepels, streelt mijn billen, trekt aan Peters piemel, pakt mijn hand en legt die op haar borst en doet dit alles op een natuurlijke, toegewijde manier. Ik zoek in mezelf naar opwinding, maar het gaat allemaal veel te mechanisch voor mij. Ik kijk naar Peters hand in haar kruis en voel niks. Haar vinger gaat in me. Hier heb ik van gedroomd, maar nu het werkelijk gebeurt, heb ik het gevoel alsof ik bij de gynaecoloog ben. Wat is er met me aan de hand? Ik kan ons alleen als hompen vlees zien. Peter moet snel klaarkomen, want zo gaat het niet goed. Ik wil het doen met Steef, ik wil dat hij me streelt, aan mijn tepels likt. Ik haal diep adem en buk tussen Peters benen, bied Steef uitzicht op mijn kont, het maakt nu niets meer uit, ik neem Peters geslacht van Rebecca over en stop het in mijn mond zoals een ervaren pornoactrice zou doen. De misselijkheid is verdwenen, evenals mijn angst. We zijn halverwege.

Als Peter klaar is gekomen, roept Steef om een pauze. Rebecca wil een sigaretje, Peter een borrel. Ik sla een van de gebatikte plaids om me heen. Rebecca drukt een condoom in mijn handen. Ze knipoogt. 'Het was fijn, lieverd,' zegt ze zacht en ze legt haar hand tegen mijn wang. 'Vond je niet?'

Ik knik.

'Wil je wel doorgaan?'

'Waarom zou ik dat niet willen?' vraag ik schor.

'Ik vraag het voor de zekerheid. Open communicatie is heel belangrijk als je dit soort dingen doet. Vergeet niet dat je elk moment terug kunt. Ga niet over je eigen grenzen heen…'

Steef vraagt aan ons of we door willen naar *the next and ultimate level*, zoals hij dat noemt. Hij buigt zich over me heen, grijnst en kust me. Ik herinner me mijn belofte aan Peter. Niet zoenen. Ik wil zoenen. Hij zoende ook met Rebecca. Ik wil me aan hem vastzuigen en niet meer loslaten. Over Steefs schouder heen zie ik Rebecca bij Peter op schoot kruipen. Zijn ogen zijn gesloten, hij glimlacht terwijl Rebecca haar specialiteiten in zijn oor fluistert. Ik kan me volledig overgeven aan Steef.

Onze handen vinden elkaar. Steef leidt me naar me naar de kussens en ik ga liggen, spreid mezelf voor hem uit op het matras.

'Andersom,' zegt hij hees en ik draai me om, mijn kleine borsten naar hem toe. Hij kijkt alleen maar, ik voel zijn blik langs mijn benen, mijn buik, mijn borsten glijden, het maakt me klein en bang. Dan legt hij zijn warme hand op mijn onderbuik. 'Rustig,' fluistert hij. 'Haal diep adem.'

Zijn andere hand glijdt langs mijn been, van mijn knie naar de binnenkant van mijn dij. 'Houd vast. Ontspan. Als je je adem loslaat, laat je alles los. Al je angst, spanning, twijfels. Geef je over.'

Ik adem uit en ik ben van hem, warme was in zijn handen, hij mag me leiden, ik wil dat hij dat doet, een man die leidt, een man die de weg weet. Zijn vingers fladderen langs mijn liezen naar beneden, het kietelt, kippenvel schiet over mijn huid. Ze bereiken mijn voeten, mijn tenen, die hij pakt en zachtjes warm wrijft.

'Wat ben je lekker zacht en glad,' mompelt hij. Hij vlijt zich naast me en speelt met mijn borsten alsof hij alle tijd heeft. Cirkelt zijn vinger rond mijn tepel, knijpt er zachtjes in en buigt dan zijn hoofd, brengt mijn borst naar zijn mond en zuigt luidruchtig. Ik zucht. Moet ik iets doen? Ik wil niets doen. Ik wil liggen en zuchten. Mijn hand gaat door zijn korte, stugge haren en hij komt omhoog, zijn tong langs mijn borst, mijn oksel, mijn nek, mijn oor. 'Eva,' hijgt hij, 'Eva, ik doe alles wat jij wilt. Maar jij moet het zeggen. Zeg maar wat ik moet doen.' Hij kneedt mijn buik en borsten en mijn bloed begint te koken. Maak me zwanger, denk ik. En ga met je hand naar beneden. Trek mijn slipje uit. Verwarm mijn koude botten en houd van me, dat zou mooi zijn. Bevrijd mij zoals je Rebecca hebt bevrijd.

Hij trekt mijn hand naar zich toe en likt mijn vingers, een voor een, stopt ze in zijn gulzige mond en slobbert. Hij schaamt zich nergens voor. Dan duwt hij mijn hand naar beneden, naar zijn geslacht dat groot en hard tegen mijn dijbeen aan ligt. Dat misschien wel te groot voor mij is. Ik heb er niet goed naar durven kijken, nu leg ik mijn vingers eromheen. Ik kan niet geloven dat ik dit doe. Ik open mijn ogen half, kijk recht in die van Steef, zijn zelfgenoegzame glimlach, en achter hem zie ik Peter en Rebecca de kamer uit lopen.

'Wat gaan ze doen?' vraag ik.

'Ze willen meer privacy, denk ik. Fijn toch? Kun jij me nu vertellen hoe je het wilt.'

'Vind jij het goed dat ze weggaan?'

'Liefje, ik vind nu alles goed.'

Hij glijdt met zijn vinger langs de naden van mijn slipje, trekt de stof van het kruis plagerig heen en weer. Ik kan geen woord uitbrengen.

'Zeg het,' mompelt hij. Zijn hand verdwijnt onder mijn billen, zijn vinger streelt de binnenkant van mijn dij. Langzaam word ik vloeibaar als honing, maar ik kan het nog steeds niet.

'Vraag het me…' Zijn tong in mijn oor, zijn adem in mijn nek. De vragen stokken in mijn keel.

'Laat los Eva, laat jezelf gaan, geniet, kom,' fluistert hij en ik neem zijn gezicht tussen mijn handen en kus hem. Ik sla mijn armen om hem heen en druk hem tegen me aan, terwijl de tranen over mijn wangen stromen. Hij aait mijn natte wangen en vraagt me of ik wil stoppen. 'Nee,' snik ik, 'ik wil dat je doorgaat.'

'Met wat?'

Hij komt omhoog, torent boven me uit en ik lig jankend onder hem, overgeleverd, onmachtig. Hij trekt mijn slipje naar beneden en doet mijn benen uit elkaar. Ik sla mijn arm voor mijn ogen.

'Je hebt een prachtig kutje. En een waanzinnige kont. Je bent een hele mooie vrouw, Eva. Schaam je niet zo. Kom op, laat zien...'

Ik spreid mijn benen voor hem, wijder dan ik ooit voor iemand heb gedaan.

'Wauw,' fluistert hij en hij strijkt met zijn vingers langs mijn drijfnatte lippen. Ik schok onder zijn aanraking. Zijn duimen openen me en dan ineens is zijn mond daar, vol en warm en ik krimp ineen onder zijn handen waarmee hij me omhoog duwt, zijn tong die zelfverzekerd heen en weer flitst. Hij houdt mijn schokken in bedwang, ik kan geen kant op, ik moet me overgeven aan zijn gretige, ervaren tong, niet te hard, niet te zacht, hij aarzelt geen moment, hij gaat maar door, hij neemt mijn billen in zijn handen en tilt ze op, brengt me naar zijn mond als een rijpe, druipende vrucht, hij eet, gulzig en slurpend, ik huiver en kreun, een warme golf verspreidt zich vanuit mijn buik naar mijn bovenbenen, naar de zoete pijn die door mijn baarmoeder golft. Hij mag niet ophouden, maar hij doet het toch, hij stopt en kijkt naar me, glimlacht, zijn kin is nat van mijn vocht en opnieuw vraagt hij wat ik wil. Nu durf ik het wel te vragen. Ik zeg het. Ga door. Lik me. Alsjeblieft.

Hij tilt mijn benen op. Met zijn tong streelt hij mijn navel, mijn onderbuik, mijn litteken, het gevoelige stukje huid daar waar de binnenkant van mijn dijen overgaan in mijn schaamlippen. Ik begin te trillen. Hij drukt me krachtig tegen de grond en dan is hij terug, rustig en zelfvoldaan, dwingender dan eerst, en het lijkt alsof ik openbarst, de zoete golf breekt en het gebeurt, ik kom klaar zoals ik nog nooit klaargekomen ben, ik ben voor altijd verpest, zijn slaaf zou ik kunnen zijn, een seksslavin, verslaafd aan zijn mond.

'Mag ik je neuken?' vraagt hij terwijl mijn orgasme nog naijlt en hij tussen mijn benen omhoog komt. Grommend duwt hij zijn hoofd tussen mijn borsten.

Ik trek zijn gezicht naar me toe en kus hem. 'Natuurlijk,' zeg ik.

'Je weet zeker dat Peter dat goedvindt?'

Ik knik. Hij rolt van me af, pakt het condoom en scheurt het pakje met zijn tanden open. 'Je bent zo'n lekker wijf,' mompelt hij gehaast terwijl hij het condoom uit de verpakking haalt en geroutineerd omschuift. 'Romig en zacht.' Hij gaat op zijn rug liggen en trekt me op zich. 'Kom op me zitten, dan zie ik je het beste.' Dit is niet mijn favoriete standje. Dan heb ik het gevoel dat mijn lichaam te veel blubbert en schudt. Mijn litteken dat zichtbaar is. Ik doe alles wat hij vraagt. Ik spies me aan hem vast en hij pakt mijn heupen. Hij kreunt. Samen gaan we heen en weer en ik dwing mezelf mijn ogen in zijn ziel te boren, mezelf voor altijd in zijn geheugen te branden, ik glimlach lief en hunkerend, schuif mijn bekken heen en weer en ik zuig mezelf krachtig aan zijn buik vast. Ik zal hem niet loslaten voordat hij al zijn zaad in mij gespoten heeft.

'Jezus, Eva...' kreunt hij. Ik berijd hem met langzame halen. Mijn benen trillen. Hij kneedt mijn borsten, ruwer dan eerst, zijn mond hangt open. Ik leg mijn borsten op zijn borst, hij g in zijn nek, sleur hem mee, andersom, ik moet liggen, het zaad moet zo diep mogelijk, andersom is beter en we rollen om, zonder dat hij uit me glijdt, ik strek mijn benen in de lucht als een balletdanseres en hij pompt door, terwijl ik zijn ballen pak. Dat schijnt te werken, ik kneed ze en hij mompelt: 'Rustig... Wacht...'

Maar ik wacht niet, ik kijk hem recht aan en kneed zijn ballen, knijp ze leeg tussen mijn hunkerende heupen. Het is vals maar zo heeft de natuur het nu eenmaal bedacht. Ik masseer zijn paal krachtig met mijn bekkenbodemspieren en daar heeft hij geen weerstand tegen, hij kijkt verbaasd en dan vertrekt zijn gezicht, hij stamelt excuses en laat het gaan, zijn kostbare vocht. Ik ontvang zijn schokkende lijf in mijn armen en heel even liggen we zo, stil, bezweet, alsof we van elkaar houden, en ik streel zijn rug. Dan kust hij me en trekt zich uit me terug.

'Sorry, het ging een beetje te snel...' mompelt hij en hij trekt het condoom van zijn slapper wordende geslacht. Hij ziet het, de druppel zaad die eronderaan hangt.

'Godverdomme!' fluistert hij en hij richt zijn verbijsterde blik op mij.

20

Peter lacht. Zijn zachte grinniken gaat over in gebulder als Steef vertelt over het lekkende condoom. Hij draagt een of andere gebatikte ochtendjas en stinkt een uur in de wind naar wierook en zit op de bank naast Rebecca, wier blik niets verraadt. Steef rookt het ene shaggie na het andere en blijft herhalen dat het zijn fout is. En dat hij zich vreselijk voelt. Er zijn regels overtreden. 'Sorry, Peter, sorry. We hadden hier nooit aan moeten beginnen. Uitgerekend met jullie, verdomme.'

Ik heb nog geopperd het stil te houden, maar daar wilde hij niets van weten. 'Hij is mijn vriend, Eva, en daar heb ik er niet zoveel van. We moeten het niet nog erger maken door een potje te gaan zitten huichelen.'

En dus zitten we bedrukt op de bank en vertelt Steef zachtjes dat het condoom dat wij hebben gebruikt lek was. Het is hem nog nooit overkomen, een lekkend condoom. En normaal neemt hij zelfs dat risico niet en gaat hij voor het zingen de kerk uit.

'Ha, dat hoefde bij ons niet, hè Rebecca? Nee, want Petertje heeft lui zaad. En dat heeft soms zijn voordelen. Mijn god...' Peter schudt zijn hoofd. Hij is of apestoned, of hysterisch van woede.

'Jongens,' zegt Rebecca met haar zalvende stem. 'Geen paniek nu. Er is toch niets aan de hand. Je bent niet zomaar een-twee-drie zwanger.'

'Jij anders wel,' sist Steef.

'Eva en ik gaan nu naar boven, de boel even goed uitspoelen. Laten we alsjeblieft relaxed blijven.' Rebecca pakt mijn hand en troont me mee de smalle trap op.

Hun badkamer is klein, volgestouwd met spulletjes en helemaal turquoise. Het douchegordijn, de wc-bril, de tegels. Rebecca spreidt haar armen en omhelst me. We kussen elkaar op de mond. 'Gefeliciteerd, meid. En nu maar hopen...'

Haar stem klinkt hoger dan normaal. Ze gaat op de wc-pot zitten, haalt haar pakje sigaretten uit de zak van haar negligé en steekt er met een woest gebaar een op.

'Daar,' ze wijst naar een kastje boven de wastafel, 'staat dat ding. De vaginale douche.'

'Maar dat wil ik niet doen...' stamel ik.

'Nee, dat begrijp ik ook wel. Maar je doet wel alsof. Straks komen ze ineens kijken. Je hoorde Steef toch? Hij is flink *pissed.*'

Ik pak de Lactacyd-doos uit het kastje en haal de fles eruit.

'Beetje water erin doen en dan die staaf erop draaien. Hij is schoon, *don't worry.*'

Mijn handen trillen.

'Hé, niet bang zijn! We moeten hier gewoon even doorheen.'

'Dit was mijn enige kans,' fluister ik. 'Peter en Steef zullen dit nooit meer willen doen. En ik ben bang, Rebecca, ik ben ineens zo bang. Die blik van Steef toen hij zag dat het condoom lek was...'

'Alles waait over, Eva, echt, als iemand dat weet, ben ik het. Nu lijkt het eng en niet te overzien, maar je moet het doel voor ogen houden. Het grotere geheel.'

Het grotere geheel. Dat is dat ik misschien wel over negen maanden moeder word. Dat er een kind komt en blijft. Dat we allemaal van hem of haar zullen houden.

'Waarom doe jij dit?' vraag ik haar.

'Het is niks. Mensen doen er zo moeilijk over, maar wat stelt het nou voor? Het is gewoon fun. Een spelletje. Het is geen misdaad! We doen elkaar geen pijn.'

'Ik bedoel, mij helpen met het krijgen van een kind van jouw man.'

'O, dat. Het is toch mooi? Dat we allemaal even gelukkig zijn. Dat jullie straks ook een gezin hebben? Zaad is maar zaad, hoor. Mannen maken er zo'n big deal van, maar het kind groeit in onze buik, wij baren het, wij voeden het, wij zorgen ervoor, nog altijd.'

'Steef is volgens mij echt woedend.'

'Ja, lekker makkelijk. Hij heeft een fout gemaakt, lieverd. En gelukkig maar. Als mannen zich niet lieten leiden door hun pik, dan waren we allang uitgestorven.'

Er valt een stilte. Ik weet even niets meer te zeggen. Ik wil naar huis, naar bed, met mijn benen in de lucht liggen, het zaad zijn werk laten doen. Of vluchten, weggaan, naar een of ander hotel, hen achterlaten en nooit meer terugkomen. Alleen zijn met mijn kindje. Dat zou mooi zijn.

Rebecca staat op en pakt de fles uit mijn handen. Draait de staaf er weer af en gooit alles in de douchebak. Dan slaat ze haar armen weer om me heen. Ze ruikt naar seks en wierook.

'Eva, het komt goed. Wat er ook gebeurt. Maar laat je niet in de kaart kijken. Wij weten van niks. We zijn net zo geschokt als zij. Het is heel belangrijk dat je dat volhoudt, oké?'

Ik knik. Ze pakt mijn armen en duwt me een stukje van zich af. We kijken elkaar ernstig aan. 'Vond je het eigenlijk leuk vanavond? Dat vergeten we bijna, dat we het ook heel leuk hebben gehad…'

'Het was fantastisch…' zeg ik.

Ze giechelt. 'Mooi zo.'

'En jullie?' vraag ik.

'Daar hebben we het later nog wel een keer over,' zegt ze.

Beneden zijn de lichten weer aan. De mannen hebben zich aange-kleed en lurken bedrukt aan een flesje bier. Ik voel hun blikken branden op mijn huid en het liefst zou ik wegkruipen, als een muis onder de bank, want ik ben heel slecht in liegen. Ik ga blozen en stotteren en dat mag nu zeker niet gebeuren.

'Gelukt,' zeg ik, overdreven hard, en ik dwing mezelf tot glimla-chen.

'Dat valt nog te bezien,' mompelt Steef. 'Als ik alleen al naar een vrouw kijk, raakt ze zwanger.' Hij zet het flesje aan zijn mond.

Peter zegt niks. Hij pulkt zwijgend aan het etiket van zijn bier-flesje.

'Lieverd,' fleemt Rebecca, en ze glijdt met haar hand door Steefs haar. 'Kom op. Laten we de avond niet naar de knoppen helpen. Ik maak nog wat te eten... En zet jij nog even een muziekje op...'

'Ik doe helemaal niks,' zegt Steef en hij duwt haar hand weg. 'Ik ga.' Hij staat op en neemt een laatste slok. 'Ga je mee, Peet?'

Peter schudt zijn hoofd. 'Ik ga naar huis. Naar bed met mijn ei-gen vrouw.'

Een vreemd knorrend lachje klinkt op uit zijn keel.

Daar gaan we, door de motterige, klamme regen naar ons eigen kil-le huis, hoofden en ledematen zwaar van de spanning. De angst heeft me nog niet verlaten. Hij bonkt in mijn borst en in mijn hoofd en ik pak Peters hand, een armetierige poging om vergiffenis te vragen en hij laat het slapjes toe, nog altijd zonder een woord te zeggen.

'Wat vond je ervan?' vraag ik als we binnen zijn. 'Ik bedoel, los van het vervelende einde van de avond?'

Hij kijkt me ernstig aan en blijft kijken, zonder te knipperen.

'We hebben het goed gehad, Rebecca en ik. Ik weet nu wat ik al die jaren tekort ben gekomen.'

'Dat is grappig,' zeg ik sarcastisch. 'Ik ook!'

Daarna trekken we ons woest zwijgend terug, hij op de bank, ik in de slaapkamer, met mijn benen omhoog tegen de muur. 'Laat het alsjeblieft gelukt zijn,' prevel ik in het donker met mijn vingers gekruist.

21

Ik luister naar de regen die zachtjes valt, staar naar de opbollende gordijnen en bereken mijn kansen. De kans dat ik zwanger ben is een op zes. Vreemd zaad vergroot de kans op zwangerschap, evenals het hebben van een orgasme. Dus is mijn kans misschien een op vijf. Maar een op de tien zwangerschappen eindigt in een miskraam. Daar wil ik niet aan denken, maar mijn angsten leiden een eigen leven. Er zijn veel ernstiger zaken waarvan ik wakker zou moeten liggen, maar die doen me niks. Peter diep ongelukkig beneden op de bank, Steef woedend de stad in, mijn huwelijk dat afstevent op een ramp. Het interesseert me niet, ik grijp niet in, ik laat het gebeuren, ik leef onder mijn eigen glazen stolp.

En dan maandag. Weer aan het werk na meer dan een jaar van rouw. De zomervakantie is afgelopen, hoewel het nog steeds belachelijk warm is, veel te warm om met dertig kinderen in een lokaal te gaan zitten. Vorig jaar was ik vol goede hoop, nu keer ik terug naar andermans kindjes, in de hoop dat ze die dikke buik vergeten zijn, maar het houdt me niet echt bezig, het dringt niet tot me door, ik heb het komende schooljaar nog niet eens voorbereid.

Het is nog maar net licht buiten als er aangebeld wordt en ik blijf als verlamd op bed liggen, omdat ik Peter nog niet onder ogen wil komen. Het liefst zou ik voor altijd op deze kamer blijven, uitdijend onder het warme dekbed, alleen met het kindje dat misschien in me groeit. De bel gaat nog een keer en er wordt nu ook op de deur gebonkt. De hond van de buren slaat aan. Waar is Peter in godsnaam? Ik loop naar het raam en beneden staat Steef, zijn handen in zijn zij, zijn haren nat aan zijn hoofd geplakt. Shit. Ik stap in mijn spijkerrokje, trek een T-shirt over mijn hoofd en ren naar beneden.

De regen drupt van zijn neus, die hij luidruchtig ophaalt alvorens hij een ernstige blik op mij werpt. Ik stap opzij en laat hem binnen. Normaal kussen we altijd. Nu niet. Hij vraagt naar Peter en ik zeg dat hij er niet is, waarna ik aanbied om koffie te zetten. Graag, zegt hij en hij trekt zijn jas en zijn schoenen uit en loopt achter me aan de keuken in. Hij schraapt zijn keel en zegt dan dat het hem spijt, zijn reactie, vannacht, op het 'condoom-ongeval'. Hij grinnikt. 'Zo noemde de apotheker het tenminste.'

In zijn hand houdt hij een wit doosje.

'Hier,' zegt hij. 'Dit heb ik bij de nachtapotheek gehaald. Je krijgt dit spul gewoon mee, zonder recept of iets.' Hij schuift het doosje over het aanrecht, mijn kant op. Ik kijk er niet naar. Ik weet wat het is. 'Jij kunt er niks aan doen,' vervolgt hij. 'Het was mijn fout. Maar je was zo lief voor me, zo goed. Het is anders met vrouwen die je niet kent. Dan houd je meer je hersens erbij. Tussen ons is toch iets van een band. Geen verliefdheid of zo, hoor. Maar een soort intimiteit. Je bent meer dan zomaar een lichaam.'

Ik knik en pak de kopjes. 'Ik ben heus niet zwanger, Steef.'

'Ik wil geen enkel risico nemen. Ik wil geen kind meer. Sem is er gekomen tegen mijn wil en ik doe ontzettend mijn best een goede vader voor hem te zijn, maar ik ben het natuurlijk niet. Ik ben te instabiel, te veel gehecht aan mijn vrijheid.'

Dan heb je pech, denk ik. Wie ben jij om te bepalen wat ik in mijn lijf moet stoppen? Dit is mijn lichaam en als ik zwanger ben, is het mijn kind. Niemand neemt me dat af. Ik geef hem zijn koffie en pak het doosje.

'Het zijn twee pillen. Eentje kun je nu nemen en de andere over twaalf uur. Misschien word je er een beetje misselijk van, maar het hoeft niet.'

'En hoe groot is de kans dat ik dan alsnog zwanger ben?'

'Met deze pillen is het voor vijfennegentig procent zeker dat je het niet meer bent.'

We nemen allebei een slok. Hij slurpt.

'Ik snap wel dat ik veel van je vraag, Eva, als het kon zou ík die rommel slikken. Maar het kan echt niet dat er een kind voortkomt uit deze situatie. Dat begrijp jij toch ook wel?'

'Natuurlijk,' zeg ik en ik dwing mezelf te glimlachen. Het is zo oneerlijk dat ik altijd de offers moet brengen. Ik wil niets bijzonders. Ik wil alleen maar wat iedereen heeft, wat anderen krijgen, zomaar, ik wil zijn zaad in me houden, ik wil dit kleine kansje koesteren, ik wil een moeder zijn die houdt van haar kind, niets meer dan dat.

'Ik neem 'm straks, na het ontbijt. Het lijkt me geen goed idee hem op de nuchtere maag te nemen.'

'Oké, lieverd,' zegt hij en hij kust me op mijn gloeiende wang. 'Dan ga ik maar naar Rebecca, die zal zich ook wel afvragen…'

We horen de poort in de achtertuin openzwaaien. Daar staat Peter, drijfnat, in zijn joggingpak. Steef veert op, blij met de afleiding, en hij stormt op hem af. Overdreven enthousiast slaat hij zijn armen om mijn hijgende man heen en drukt hem tegen zich aan. Ik zie hoe Peter zich uit de omhelzing loswurmt. Het doosje gooi ik snel in de keukenla.

Als Steef is vertrokken staan we tegenover elkaar. De afstand tussen ons is nog nooit zo groot geweest. Dit is een moment waarop ik zou kunnen zeggen: ik wil niet verder. Ik kan het niet meer. Ik moet kiezen voor mezelf, hoeveel ik ook van je houd. Ik kijk naar hem en ik weet niet of wat ik voel liefde is. Het is medelijden en schuldgevoel. Schuldgevoel omdat ik het nauwelijks op kan brengen de tegenspoed met hem te delen, hoewel ik dat wel heb beloofd. En er ook in heb geloofd. In theorie. Hij komt op me af en ik zou het liefst terugdeinzen, maar ik weet ook wel dat ik dat niet kan maken. Dus neem ik zijn natgeregende hoofd in mijn handen en streel hem zusterlijk. 'Wat is er met ons aan de hand?' snift hij en hij pakt me bij mijn heupen. Zijn handen glijden onder mijn rok. Hij betast mijn billen. Dan duwt hij me weg en kijkt me verschrikt aan. 'Waarom heb je geen onderbroek aan?' vraagt hij.

'Ik lag nog in bed toen Steef aanbelde. Ik heb maar wat aangetrokken...'

Ik weet wat hij denkt.

'Ik ga douchen,' zegt hij afgemeten en hij draait zich om.

Ik zet een pan heet water op het vuur. Twee eitjes erin. Ik pers sinaasappels uit en vul de theepot met kokend water. Leg zes sneetjes witbrood in het mandje. Stop twee croissants in de oven. De gedekte tafel baadt in het zonlicht. Waarom is dit niet genoeg? denk ik en ik slik meteen de opkomende paniek weg. Zomaar ineens ben ik een vrouw geworden die willens en wetens alles kapotmaakt. Het is niet genoeg, dit voorgebakken leven, dit halfproduct. Zelfs de chaos en ellende die ik over ons afroep, zijn beter dan dit. Ik doe tenminste wat. Ik vecht voor mijn geluk. Dat zullen ze later over me zeggen. De morning-afterpil gaat in de grijze bak, ver weggestopt onder het overige afval.

Peter en ik ontbijten stilletjes, de zondagskrant als buffer tussen ons in.

Peter

22

Ze kussen elkaar. Op de wang natuurlijk, ze zijn voorzichtig, straks komt die sukkel weer thuis. Maar het is me evengoed volstrekt duidelijk wat er gaande is. Zoals ik het vannacht natuurlijk al doorhad. Het spel dat ze spelen. Zo slim. Zo open en bloot mogelijk, dan durft niemand er wat van te denken. Neuken onder onze ogen, onder het mom van we gunnen elkaar alles, wij zijn vrije geesten, vrienden bovendien, sterk en eerlijk en open en o, o, o, wat is jaloezie toch een slechte emotie, bah, zo burgerlijk, zo zijn wij gelukkig niet. Nee. De slangen. Zij en Rebecca. Mij gek maken. Mij pakken op mijn zwakste plek. Je moet hem gewoon geven wat hij wil, Eva, dan is alles mogelijk, dan kan hij niet meer terug. Dan krijgt Steef wat hij wil, want hij is tenslotte God en hij wil twee vrouwen, hij wil Eva erbij, hij ziet het verdriet in haar ogen en hij denkt dat hij dat eruit kan neuken, daar is hij van meet af aan op uit geweest.

Steef vertrekt, na een schuldbewuste omhelzing alsof we nog steeds de beste vrienden zijn. En ik vraag me af hoe hij het kan, mij aankijken, me tegen zich aan drukken, me op de schouder slaan, terwijl hij me zo bedriegt. Ik heb geen andere keuze dan mee te spelen. Alleen zo kom ik erachter wat ze werkelijk van plan zijn.

Ik zie haar staan, tegen het aanrecht geleund, haar geschrokken blik, haar verkrampte handen om het kopje, ik zie alles, de schaafplek op haar knie, misschien heeft ze hem haar kont aangeboden, heeft hij haar genomen als een hond, ze liet het toe, de pijn verbijtend, want Eva wil pijn, dat is het enige dat ze nog voelt, pijn en vernedering.

Ik leg mijn hoofd in haar hals. De geur van verraad. Ineens is alles duidelijk. Hoe is het mogelijk dat ik het niet eerder zag? Waar was ik? Het is alsof mijn rolluiken opgetrokken worden. Geluiden klinken harder, licht is scheller, contrasten zijn haarscherp. Ik zie de situatie zo helder als glas. Ik ruik de weeïge geur van Steefs sperma. Zurig. Ze heeft niet gedoucht. Misschien heeft hij het in haar haren geslingerd.

Ze legt haar hand op mijn hoofd en woelt door mijn haren en ik voel de walging in het gebaar. Ik pak haar heupen. Ik houd van haar heupen. Zo rond en moederlijk. Ik wil weten waarom het fout gaat. Waarom ze zich zo ver van mij heeft verwijderd. Waarom we seks hebben gehad met de buren, wat ons heeft bezield zoiets belachelijks te doen. En hoe we weer terug kunnen. Hoe ik de beelden uit mijn hoofd krijg. De ranzigheid ervan. Zo zijn we niet, zo waren we niet, we zijn vergiftigd. Ik streel de veilige heupen, het baken, kaap kont noemde ik het altijd en dat vond ze een vreselijk suffe uitdrukking, maar ze moest er wel om lachen. Ik schoof naast haar in bed, zij draaide haar rug naar me toe, ik trok aan die heupen, mijn pik tegen haar warme billen, mijn arm over haar buik en dan zei ik: 'Zo, lekker achter kaap kont.' Ze giechelde en gaf me een por. Altijd hetzelfde maar dat geeft niet. Altijd hetzelfde kan ook goed zijn. Ik heb altijd van dezelfde vrouw gehouden.

Mijn spieren trillen van vermoeidheid. Ik moet een oplossing zien te vinden. Eva bij me zien te houden. Haar weghalen bij Steef en Rebecca. Als ik haar weer helemaal voor mezelf heb, zal ze weer van me houden. Ze is zo kwetsbaar en makkelijk te beïnvloeden. Maar ik ben sterker dan zij zijn. Ik zal haar houden, hoe dan ook.

Ik loop de trap af, naar de keuken, en daar zit ze, aan tafel, omgeven door een krans van licht. De tafel is gedekt zoals altijd op zondagochtend. Kleedje, krantje, croissantje. Bij mijn bord ligt het sportkatern, Eva verdiept zich in het nieuws. Ze glimlacht naar me. Verontschuldigend. Ik lach terug. Troostend. Het is goed, Eva, het komt goed. Ik maak het weer goed. Ik zal je beschermen tegen hen. Je terugwinnen.

Eva wil praten over gisteravond. Ik niet. Ik zie de beelden de hele tijd voor me, hoe ze haar hand in die van Steef schoof, dat vond ik het ergste, hun handen verstrengeld, de gretigheid van dat gebaar. Rebecca, die op me kwam zitten, mij het zicht ontnam, en ik wilde het ook niet zien, maar ik zag het toch, hoe Eva zich uitspreidde voor die klootzak, zijn hebberige handen over haar lichaam, zijn kont, zijn bungelende stierenballen. Rebecca nam me mee naar hun slaapkamer, ze had me door, maar ze liet me niet doen wat ik had moeten doen: ingrijpen. 'Laat ze,' zei ze, en ze stortte zich op me als een circusacrobate. Wie kan zich daaraan overgeven, als je weet dat je vrouw even verderop met een ander ligt te naaien? Ik niet. Ik dacht dat ik het kon, maar nee dus, het maakte me wild van jaloezie. En ik weet nu ook dat het niet waar is wat ze zeggen, niet voor mij, niet voor ons, dat het je relatie verrijkt. Welke relatie? Mensen die dit graag doen, hebben geen relatie, die kunnen niet liefhebben.

Dat zeg ik tegen Eva. Dat mensen die zo kicken op swingen gek zijn. Het is niet verrijkend, het is beperkend. Je plukt niet een bloemetje, je rukt meteen de hele plant uit de grond, met wortel en al. En zo ga je verder, ieder weekend weer, tot alle planten aan gort zijn.

Ze kijkt me geïrriteerd aan. Dit is niet wat ze wil horen.

'Jij deed er anders ook aan mee, hoor! En hoe!' zegt ze snibbig.

'Ja,' zeg ik, 'en ik hoop het zo snel mogelijk te vergeten.'

'Je vond het lekker. Dat kun je toch wel toegeven? Vannacht zei je zelfs dat je nu weet wat je al die jaren hebt moeten missen.'

'Natuurlijk vond ik het lekker. Jezus, ik ben een man! Het lijkt me ook lekker om mijn auto eens flink tegen een muur te rammen. Of alles aan diggelen te slaan met een sloophamer. Maar ik doe het niet. Ik zie iedere dag wel een vrouw met wie ik het zou willen doen, maar ik doe het niet! Ik zou jou soms willen dwingen met me te vrijen en dat doe ik ook niet! Omdat ik weet dat ik er spijt van krijg.'

'En nu heb je spijt van vannacht?'

Spijt is een armzalig woord voor wat ik voel.

'Het was een experiment, prima om een keer meegemaakt te hebben, maar daar blijft het bij, wat mij betreft.'

'En ga je nog aan mij vragen hoe ik het vond?' Die toon. De schrilheid ervan. En die smoel erbij. De zelfingenomenheid. Ik haal mijn schouders op.

'Dat was wel duidelijk hoor, dat hoef je me niet nog een keer in te wrijven.'

'Ik ga het je toch vertellen. Niet om je pijn te doen, maar omdat ik vind dat we hier zo open mogelijk over moeten praten. Ik vond het heel bijzonder. Magisch, bijna. Niet meteen hoor, in het begin vond ik het moeilijk om me over te geven, maar toen dat eenmaal lukte, was het helemaal niet plat of ranzig, maar juist heel mooi.'

'Dus?'

'Dus wat?'

'Dus je wilt volgend weekend weer.'

'Natuurlijk niet. Als jij niet wilt, dan houdt het op. Zo zijn de afspraken.'

'Steef wil wel, hoor. Daar heb je mij en Rebecca helemaal niet bij nodig.'

'Er is niets tussen Steef en mij. Niets meer dan tussen Rebecca en jou.'

Ze kijkt me recht in mijn ogen. Ze is er goed in geworden.

You can't hide your lyin' eyes,
and your smile is a thin disguise

The Eagles, *One of These Nights*, 1975. Goed album.

De songs, ze buitelen ineens door mijn hoofd.

'Oké schat, laten we het daar dan maar op houden,' zeg ik. Ik kus haar op haar verwonderde mond en ik haast me van tafel, de trap op, naar mijn werkkamer. Ik realiseer me plotseling iets waarvan ik kippenvel krijg. Het is eng en logisch tegelijk. Ik trek lukraak wat cd's uit het rek en ieder album dat door mijn handen gaat, vertelt me iets. Ik heb nooit echt goed naar de teksten geluisterd, het ging mij altijd om de melodie, de gitaren. Maar nu luister ik en hoor ik de boodschappen die erin verborgen liggen. Het gaat allemaal over mij, over ons. Hoe kan het dat ik niet eerder luisterde naar mijn helden? Ik heb ze niet ingeruild, ik ben ze trouw gebleven en blijkbaar niet voor niks. Op een dag zou hun boodschap tot me doordringen. En die dag is vandaag.

'Wish You Were Here', Pink Floyd, mooiste nummer ooit.

How I wish, how I wish you were here
We're just two lost souls
Swimming in a fish bowl,
Year after year,
Running over the same old ground
What have we found?
The same old fears,
Wish you were here

Twee dolende zielen. Dat zijn wij. Ik wou dat ze hier was. Echt hier. Bij mij. Zoals vroeger. Dat ze van me houdt, zomaar. Ik ben alleen, ik ben een wees, ik zal me nooit voortplanten.

Eva weet het. Dat ze me niet alleen mag achterlaten. Dat er niets van me overblijft als ze me verlaat.

Remember when you were young
You shone like the sun
Shine on, you crazy diamond
Now there's a look in your eyes
Like black holes in the sky
Shine on, you crazy diamond

Ik zet de muziek uit en leg mijn hoofd op het koude formica van mijn bureaublad. Maar in mijn hoofd gaat het door. Rupert Holmes, Paul Young, Robert Cray, ze zingen me toe, door elkaar, allemaal tegelijk.

Him, him, him, what's she gonna do about him?

I'm gonna tear your playhouse down, pretty soon

She was right next door and I'm such a strong persuader

Don't lose your grip on the dreams of the past
You must fight just to keep them alive

Survivor. 'Eye of the Tiger'. *Fight just to keep them alive.* Dat is wat ik ga doen. Ik ga Steef bellen. Ik moet hem dicht bij me houden, hem een stap voor blijven.

23

Steef gaat naar de schietbaan en hij vraagt of ik met hem meega. Natuurlijk. Eerst samen neuken, dan samen schieten, *that's what friends are for.* We gaan op de motor. Ik bij Steef achterop. Hij draagt een leren jas ondanks de hitte. Een harnas. Het is een pose die ik nu pas doorheb. Eva zwaait ons uit. Ik weet dat ons uitstapje haar verontrust en dat is goed. Het is goed dat ze zich eens iets afvraagt over mij. Ik heb de blikken gezien die Eva en Steef wisselden, het magnetische veld gevoeld dat om hen heen vibreert, maar deze middag is Steef van mij, hij gaat mij leren ons te beschermen.

Ik sla mijn armen niet om zijn middel. Ik houd me vast aan het zadel en hang mee in de bochten. Ik kan er ook voor zorgen dat we uit balans raken. Dat we onderuitgaan. Ik ben niet langer de onbeduidende sukkel die zich vriendelijk glimlachend alles laat ontnemen. Ik heb een voorsprong. Ik heb ze door. Ik kan ze maken of breken.

Ik kijk over de weiden naar de grazende koeien. Het gras is geel, verschroeid onder de hete zon. Bladeren vallen al van de bomen door de droogte. Het is een uitzonderlijk jaar. Het blijft maar ondraaglijk warm. De ijskap smelt als een gek. Nog een paar jaar en deze polders zijn ondergelopen. Waar maken we ons eigenlijk druk om? We zullen allemaal kapotgaan, we hebben er geen enkele invloed op, we zijn niets en wij blijven ons maar druk maken om onszelf, ons eigen benauwde bestaan. We zetten maar kinderen op de wereld, hoeveel moeite het ons ook kost, alles hebben we ervoor over, om straks met zoveel mogelijk mensen tegelijk ten onder te gaan. Het maakt ons niet uit of onze kinderen verzuipen, als ze ons eerst maar gelukkig hebben gemaakt, ons hebben laten voelen dat we compleet zijn. Je moet leven in het nu. Wat een gelul. Nu de boel uitwonen en een grote klerezooi achterlaten voor die moeizaam en welbewust op de wereld gezette kindertjes.

Steef rijdt hard, mijn ogen tranen. Het is prettig oerendhard door het landschap te knallen, hoewel dat de wereld ook geen goed doet natuurlijk.

Oehoe oehoerend hard kwamen zie daor aangescheurd

Ik kijk naar zijn gekromde rug, het kleine stukje blote huid dat tussen zijn jack en zijn spijkerbroek te zien is, dat spleetje kwetsbaarheid, dat toont dat hij een echt mens is. Ik heb hem gehaat vannacht, maar nu is de haat verdwenen. Nu wil ik blijven zitten, achter zijn brede rug, met hem door het landschap blijven slingeren, we zouden eigenlijk door moeten rijden naar Frankrijk of Spanje, Bulgarije voor mijn part.

We slaan af, een hobbelig straatje in. Aan weerskanten grauwe gebouwen, opslagplaatsen, armoedige kantoortjes. Naast Amerikaanse terreinwagens staan er meer motoren voor de grote loods. Steef parkeert zijn motor ernaast.

'Zo, jongen. Hier gaat het gebeuren.'

Zijn ogen lijken feller blauw.

'Ben je er klaar voor?'

'Zeker, het lijkt me gaaf.'

Hij pakt mijn schouder beet en ik voel zijn kracht.

'Voordat we hier naar binnen gaan wil ik je één ding zeggen.' Ik knik, probeer hem net zo oprecht en onverschrokken aan te kijken als hij mij. Ik leun nonchalant tegen de motor. 'Ik weet dat het klote was voor jou, gisteravond. Het spijt me dat het zo is gegaan. Gebeurt ook nooit meer. We hadden er misschien helemaal niet aan moeten beginnen. Maar het is zo gelopen en ik hoop dat je het me vergeeft.'

Forgive me, is all that you can't say
Tracy Chapman, *Baby Can I Hold You*, 1988

'Het is goed, Steef. Als je in het vervolg met je tengels van mijn vrouw afblijft...'

Even zie ik verbijstering over dat vierkante gezicht van hem glijden. Dan begint hij te bulderen van het lachen.

Ja, lach maar... denk ik en ik grinnik vriendelijk mee. Hij gaat er niet op in. 'Kom,' zegt hij, 'we gaan naar binnen. Kun je al je agressie van je af knallen.'

We lopen naar de grote groene deur, Steef voorop. Door mijn hoofd snijdt het scherpe geluid van mondharmonica's.

Een kantine zoals alle kantines. De Bravilor-koffie staat klaar. Een vitrine vol bekers en vaantjes. Steef schenkt in, geeft me een bekertje en maakt een praatje met een dikke man in een leren broek, die terugmompelt vanonder zijn snor. We schudden handen, hij stelt zich voor, zijn naam blijft steken in gemompel. Er ontstaat een discussie over het wapen waarmee ik mag schieten. De snor kopieert mijn paspoort en schudt zijn hoofd. Dan wuift hij ons weg als lastige vliegen.

'Cool,' zegt Steef, en hij bezweert de man dat als er een volgende keer komt, we die formulieren wel invullen. Hij staat voor me in.

'Dat gezeik,' mompelt hij. 'Tegenwoordig word je als sportschutter meteen gezien als potentieel seriemoordenaar. De enigen die in dit land een wapen mogen bezitten, zijn de Samir A.'s onder ons.'

We gooien de koffiebekertjes in een grote afvalbak en lopen door de klapdeuren naar een ruimte vol kluisjes. Er hangt een rustige stilte, mannen zitten zwijgend hun wapens te verzorgen. Begroeten ons met nors gebrom. Steef opent zijn kluis. Er liggen drie kistjes in. 'Kijk, daar zijn mijn drie gratiën,' zegt hij en hij pakt de kistjes. Het bovenste geeft hij aan mij.

'Dat is jouw wapen. Mijn Sig-Sauer P-226. Ze is geen schoonheid, maar heel makkelijk te hanteren. Licht, past altijd in je hand. Voel maar.'

Ik open het kistje en pak het grijze, enigszins Duits aandoende pistool.

'Ze is niet mooi. Echt een Germaans mokkel. *Deutsche Gründlichkeit.* Maar zacht, voel je dat?'

Hij streelt de kolf. Onze handen raken elkaar even aan. Ik sidder.

'Maak je geen zorgen, ze is nog niet geladen. Dat gaan we zo doen.'

Hij opent de volgende kist.

'Dit is mijn schatje. Mijn Lara Croft. Hiermee schiet Angelina Jolie in *Tomb Raider.* Mijn Heckler & Koch USP 4.5 Elite. Een echt zwaargewicht, maar zo mooi. Geeft heerlijke klappen. Loepzuiver. Maar je moet er wel spierballen voor hebben.'

Hij tilt het zwarte, zwaar ogende pistool uit de kist alsof het een pasgeboren baby is.

'Maar dit,' roept hij, en hij lijkt ook de aandacht van de andere mannen op te willen eisen, 'dit is de topper. Hiermee schiet ik alleen op de buitenbaan. Met deze kanjer houd je tanks op afstand. Mijn nieuwste aanwinst.'

De derde metalen kist gaat open en daarin ligt een zilveren revolver, met houten kolf.

'De Ruger Super Redhawk 4.5.'

Bewonderend gemompel. Ze komen allemaal kijken.

'Ja, daar krijg je een harde lul van, hè?'

De mannen grinniken. Zeker. Een harde lul.

Ik sta erbij, met het Germaanse mokkel in mijn handen, luister niet naar het uitwisselen van wapenfeiten, ik kijk alleen maar naar mijn hand, waarmee ik een pistool vasthoud, voor het eerst van mijn leven.

'Hé,' roept een van de mannen, 'nooit je wapen zo vasthouden! Je mag pas richten en zwaaien op de baan, op het target. Steef, houd je maat in de gaten, hij kan kennelijk niet wachten.'

En hij heeft gelijk, ik kan niet wachten. Al mijn energie wordt naar mijn rechterhand gezogen, mijn vinger verlangt naar de trekker. Het malen in mijn hoofd is gestopt, de muziek is verdwenen, ik heb alles weer onder controle.

Steef koopt twee doosjes patronen en laadt geconcentreerd en zwijgend de magazijnen. Klikt ze in onze wapens en overhandigt me mijn Sig. Om ons heen klinkt het als oorlog.

'Let op, ze is nu half geladen. Je kunt dus nog niet schieten. Maar toch pak je haar op een veilige manier vast, de loop altijd in een veilige richting.'

Hij geeft me een veiligheidsbril en gehoorbeschermers en dan gaan we het smalle hokje in, dat uitkijkt op een grote schietschijf. Hij laat zien hoe ik moet staan. Benen wijd, bekken licht gekanteld. Rug vastzetten, schouders ontspannen. Rechterhand met wapen heffen tot schouderhoogte, het vizier richten op het midden van de schietschijf. Ondersteun je pols met je linkerhand. Concentreren tot je er zeker van bent dat je je doel zult raken. Diep inademen en je voorbereiden op de terugslag. Schrap zetten. De trekker overhalen. En dan. *Baf.* Loepzuiver jaag je die kogel erdoor. Maar het is een klap. Bereid je voor. Het dendert door je hele lichaam. Daarom is het ook een sport. Je hebt er al je spierkracht bij nodig.

Ik ga staan. Steef laadt mijn pistool door, door de slede naar achteren te trekken.

'Let op, als je gevuurd hebt, kun je onmiddellijk weer vuren. Schiet haar maar lekker leeg. Maar als je wilt stoppen, moet je haar niet zomaar neerleggen. Eerst vergrendelen.'

Hij houdt me vast bij mijn heupen, dwingt me mijn bekken te kantelen. Dan gaan zijn handen omhoog, naar mijn schouders.

'Loslaten. Niet verkrampen.'

Zijn nicotineadem in mijn nek. Hij kijkt mee, langs mijn arm. Goed strekken. Juist.'

Zo heeft hij het bij Eva ook gedaan. Ik kan me omdraaien en zijn hersens eruit blazen.

'Er zijn nog maar twee mensen op de hele wereld. Jij en je vijand. Kijk hem aan en schiet hem tussen de ogen.'

Ik zie geen vijand. Ik zie een stip. De vijand staat achter me en ik weet niet wat ik met hem aan moet, wat ik hier aan het doen ben. Ik zet me schrap, knijp in mijn pols en haal de trekker over. Mijn hand schiet omhoog en ik deins achteruit. De kogel eindigt ruim boven de stip.

Van de twaalf keer lukt het me twee keer de kogel in de buurt van de stip te krijgen en dat is al heel wat, volgens Steef. Hij schiet zijn *Tomb Raider*-speelgoed helemaal leeg, met een stalen smoel en niet één keer naast het doelwit.

Ik sla een volgende ronde over. Zeg dat ik bekaf ben.

'Vind je het gek? De hele nacht gefeest en gezopen, rondje hardlopen erachteraan en dit is ook hard werken. Zullen we een biertje pakken op het strand?'

Ik schud mijn hoofd.

'Ik denk dat ik even ga slapen.'

Kloppende koppijn. Een mond die aanvoelt als een zandmolen.

'Je hebt een *come-down*,' zegt hij. 'Dat heb je soms. Komt van die xtc. Moet je je geen zorgen over maken, het gaat over. Ik breng je naar huis, en daar krijg je van mij een paar vitaminepillen, ben je er zo weer.' Hij ratelt maar door.

'Je lijf is op. Dat doet xtc, al je endorfines worden in één keer naar je kop gejaagd, dus je moet reserve opbouwen. Het went wel, maar je moet het leren herkennen.'

Steef drukt me een beker mierzoete koffie in handen.

'Drink op. Suiker en cafeïne geven energie.'

Ik drink het en sprint daarna gelijk door naar de wc.

We nemen afscheid voor de deur. Hij stapt af en kijkt me opbeurend aan. Knijpt in mijn wangen. 'Ga maar lekker slapen, jongen. Ik breng die pillen… Het komt goed. En ik wil niet dat onze vriendschap naar de klote gaat. Dat is het allemaal niet waard. Dus je moet het mij ook zeggen. Als er iets is of zo…'

'Er is niks,' zeg ik en ik glimlach. Hij naait me. Hij naait me gewoon waar ik bij sta. Waarom in hemelsnaam zou hij mijn vriend willen zijn? Ik zie het in zijn gluiperige ogen, het druipt eruit, hij lacht zich kapot om mij, de loser, het is allang duidelijk wie er hier de grote winnaar is en hij krijgt er geen genoeg van, hij blijft die bevestiging zoeken, iedere keer weer, dus hoe kan ik in godsnaam gaan slapen?

Ik pak zijn hoofd, ik knijp een beetje, genoeg om hem in verwarring te brengen maar niet boos te maken en ik druk een kus op zijn lippen, waardoor hij wankelt en dat doet me goed, Steef van zijn à propos, onhandig gegrinnik, 'ho ho', en ik zeg dat hij de groeten moet doen aan die mooie vrouw van hem.

Ik voel dat hij me nakijkt, dat hij heel even bang is voor mij en ik zie ook de buurvrouw, die op haar hurken tussen de hortensia's zit en ons aanstaart.

In the jungle,
Welcome to the jungle
Watch it bring you to your knees, knees

gilt Axl Rose door mijn hoofd.

24

Eva ligt te slapen op de stretcher onder de parasol. Haar benen opgetrokken, haar handen om haar buik geslagen, als een foetus. Haar mond hangt een beetje open. Ik sluip het huis in alsof het mijn huis niet is, maar dat van vreemden.

> You may find yourself in a beautiful house, with a beautiful wife
> And you may ask yourself – well… how did I get here?

Ik heb altijd een hekel gehad aan de Talking Heads, en die zeikerd van een David Byrne waar Eva vroeger gek op was. Wat doet die eikel in mijn hoofd? Hij moet weg.

Ik loop naar boven, zie ons bed, dat alweer strak opgemaakt is, en weet dat ik geen oog dicht zal doen.

Het is ons huis. Er is iets mis mee. Zodra ik hierbinnen ben, krijg ik het gevoel langzaam verpletterd te worden. Ik heb niet eerder durven toegeven aan mezelf dat ik al mijn energie en hoop heb gestoken in een huis dat ongeluk brengt, van het begin af aan. Nog voordat de fundamenten in de grond lagen. Het gaf ons een dood kind en nieuwe buren die eropuit zijn ons kapot te maken. We moeten weg hier. Ik kan overal aan de slag en Eva ook, ze zitten in heel Nederland om kleuterjuffen verlegen. We moeten de Randstad uit. Een rustig dorp zoeken waar echte huizen staan, oude huizen met een ziel, dat is wat er hier ontbreekt. We bevinden ons in een zielloze wereld, op drijfzand, er zijn ons geen anderen voorgegaan, deze grond is niet eens bedoeld om op te wonen.

Het is alsof ik val. Koud zweet breekt me uit. Mijn middenrif pulseert, de vieze koffie van de schietbaan komt omhoog. Ik denk aan Lieve, haar dode lijfje. Zo doods als dit huis, zo levenloos als ons huwelijk. Ik bal mijn vuisten en onderdruk de aanvechting om te schreeuwen, om koffers van zolder te halen, onze bezittingen erin te smijten en Eva mee te sleuren naar de andere kant van de wereld.

Ik moet verstandig zijn nu. Helder denken. Wat er nu in mijn hoofd gebeurt, is niet waar. Het is de come-down. Ik wil het niet denken, ik weet dat het niet klopt, dat het onmogelijk is, maar tegelijkertijd voel ik in het diepst van mijn hart dat het zo is. Lieve wilde hier niet geboren worden. Dit was niet haar plek. Haar ziel sloeg onze deur over. Waarom? Wat hebben wij verkeerd gedaan? Ik ren naar buiten, naar het licht, pak mijn motor en scheur weg, zomaar ergens naartoe, weg van de gemanicuurde wijk, de modelwoningen, de opgepoetste caravans. Ik ga naar de enige persoon die ik ken die wel bereid is naar me te luisteren.

'Ha, Peter.'

Ze staat in de deuropening in een grijs T-shirt en een vaalgele korte broek, haar haren in een staart bij elkaar gebonden, en glimlacht alwetend. Ze legt haar hand op mijn arm en zegt: 'Jeetje Peter, wat ben jij geladen.'

We lopen door de smalle gang naar de tuin en ze wijst me op een van de rotanstoelen onder de parasol. Een dikke cyperse kater ligt te spinnen op tafel. Zachtjes duwt ze hem weg en vraagt me of ik wat wil drinken.

'Een biertje zou ik wel lusten,' zeg ik en ze antwoordt tot mijn grote verbazing dat zij daar ook wel trek in heeft.

'Het is tenslotte mijn vrije dag,' lacht ze. Ze loopt weg en komt terug met twee ijskoude flesjes Japans bier. Eentje geeft ze er aan mij.

'Dit is gebrouwen van groene thee. Heel gezond, fris bier.'

'Als er maar alcohol in zit,' mompel ik.

'Ik schrok wel van je toen je zomaar opeens voor mijn deur stond. Je ziet er een beetje paniekerig uit. Het gaat toch wel goed thuis?'

Ze zit tegenover me en neemt een slok uit haar flesje, terwijl ze me aan blijft kijken.

'Jij hebt ons ooit een verhaal verteld over oude zielen en nieuwe kinderen…'

'Nieuwetijdskinderen. Sterrenkinderen. Kinderen die zijn gekomen om ons iets te leren over de nieuwe wereld, vanuit hogere bewustzijnsgebieden, die slechts enkelen van ons kunnen waarnemen.'

'Ja, zoiets. Hoe zat het ook alweer?'

'Gut, dat is een heel lang verhaal. Waarom wil je dit ineens weten? Toen ik het de eerste keer vertelde, irriteerde het je alleen maar.'

'Toen je het me de eerste keer vertelde, was er nog niets aan de hand.'

'Er was wel wat aan de hand, jullie hadden net jullie dochtertje verloren.'

'Lieve.'

'Ja, Lieve.'

Ik neem een slok. Het bier is zoet. Ik vraag me ineens af waarom ik uitgerekend de vrouw opzoek die me het gevoel geeft weer een kleuter te zijn. Ik moet haar dingen vragen. De rollen omdraaien.

'Jij zei dat Lieve een sterrenkind was. Ik weet dat ik toen kwaad werd, maar ik weet niet meer waarom.'

'Het is een verhaal dat bedoeld is om troost te geven. Ik geloof erin, maar dat betekent niet dat jij dat ook moet doen. Ik dring het niemand op, maar ik merk dat de ouderparen die ik behandel er hoop uit putten. Jij stond er niet voor open, dus ben ik er niet op doorgegaan.'

Ze pulkt een korstje van haar knie.

'Maar nu sta ik ervoor open,' zeg ik en ik vertel haar wat ik had bedacht vlak voor ik hiernaartoe kwam. Is het mogelijk dat een huis, een plek, ongeluk brengt? En dat Lieve dit voorvoelde? Terwijl de woorden uit mijn mond strompelen, hoor ik hoe belachelijk ze klinken. Hetty's bleke ogen kijken dwars door me heen en ik zou willen dat ze ophield met staren. Het maakt me bloednerveus. Als ik uitgesproken ben, staat ze op, loopt zwijgend naar de rozenstruik en plukt de uitgebloeide bloemen eruit.

'Nu denk je dat ik gek geworden ben.'

'Dat denk ik helemaal niet. Ik vraag me alleen af hoe je erbij komt dat jullie huis ongeluk brengt. Behalve het verlies van Lieve is er niks gebeurd, toch?'

'Er gaat wat gebeuren. Dat voel ik. Eva glijdt van me weg. Volgens mij is ze verliefd op een ander, een man die tegenover ons woont...'

Ons swingavontuur verzwijg ik.

'Peter, wat jullie nu allemaal overkomt, kan overal gebeuren. Jullie zijn aan het rouwen. Jullie zijn op zoek naar zingeving, naar een andere invulling van je bestaan. Als je je relatie wilt redden, zul je aan het werk moeten. Samen.'

Dit is niet wat ik wil horen. Hiervoor ben ik niet gekomen.

'Het enige wat ik wil weten, is of een huis ongeluk kan brengen.'

'Ik geloof niet dat dat jullie probleem is, Peter.'

'Maar kan het?'

'De plek kan slechte aardstralen hebben.'

'En kan het zijn dat Lieve dit voorvoelde?'

'In mijn optiek wordt de persoonlijkheid van een mens gevormd op het moment dat de ziel in het lichaam incarneert op aarde. Dus een baby heeft pas een ziel wanneer hij geboren wordt. De ziel zoekt als het ware zijn ideale bestemming.'

'En haar ideale bestemming was niet bij ons.' Ik voel geen woede dit keer.

'Dat is een negatieve invulling van die gedachte. Ik geloof eerder dat Lieves ziel zo zuiver en puur is, dat zij direct naar de Hogere Wereld is geroepen. En dat jullie uitverkoren zijn haar aan die wereld af te staan omdat jullie het aankunnen, omdat jullie beiden sterke, oude zielen zijn.'

'We moeten verhuizen. Zo snel mogelijk. Weg daar.'

Ik zet mijn flesje bier op tafel en sta op. Hetty grijpt me bij mijn arm.

'Wacht nou even, Peter, dat is wel erg kort door de bocht. De oorzaak schuilt niet in je huis, en niet in de anderen, maar in jezelf. Jij alleen kunt wat er gebeurd is ombuigen naar het goede. En bovendien, heeft Eva hier geen stem in?'

'Zij is de weg kwijt. Ze heeft niet in de gaten wat er aan de hand is.'

Ik geef Hetty een hand en bedank haar voor haar hulp.

'Ik vraag me af of ik je geholpen heb,' zegt ze. 'Stuur Eva alsjeblieft naar me toe, volgende week heb ik nog wel een gaatje. En bel, als je daar behoefte aan hebt.'

'Mooi. Maar ik denk niet dat we nog een keer komen. Ik weet nu wat me te doen staat. Ik weet alles.'

Het zonlicht in de straat van Hetty is fel en onverbiddelijk. Het straalt vanuit de Hogere Wereld. Waar had Hetty het over? Hogere bewustzijnsgebieden die slechts enkelen van ons kunnen waarnemen. Het lijkt erop dat ik een van hen ben. Net op tijd om ons te behoeden voor het ongeluk. Ik loop door de lege straat en kies de zonkant, de warmte, de energie. De lucht trilt, zoals ik tril van opwinding. Van nu af aan wordt alles anders. Alles gebeurt met een reden inderdaad, Eva zei het. Er moest ons iets duidelijk gemaakt worden. De lessen zijn hard. Ik zie het nu ook.

We hebben geprobeerd de waarheid om te buigen. Van mij een vader te maken, terwijl ik daartoe niet op aarde ben. Mijn zaad is lui. Het is niet de bedoeling dat ik me voortplant, dat via mij zielen zich een plek in deze wereld verwerven. Het is zo simpel. Dat we daaraan voorbijgegaan zijn!

Here I go again on my own
Going down the only road I've ever known
Like a drifter I was born to walk alone

Whitesnake. Ik zing mee, keihard.

Thuis hangt Eva op de bank, ze staart naar de televisie. Ze heeft niets door. Ze weet niet dat we in een tikkende tijdbom wonen. Ze ziet niet wat ik zie. Hoe onze relatie verder en verder wegrot. Ik plof naast haar en vraag waar ze naar kijkt. 'Weet ik veel,' zegt ze. Op tv slaan drie kleine kleuters elkaar de hersens in. Een of ander wijsneuzig mens vertelt de ouders van het gebroed hoe ze in moeten grijpen. Eva mompelt dat ze gebroken is. Ik streel haar rug. Ze schiet weg. Weg van mijn hand, weg van haar man. Maar ze zal terugkomen. Als de boze geesten uitgebannen zijn. Als we, ver weg van hier, elkaar weer terugvinden. Tot dan zit er niets anders op dan waken. Dag en nacht. Beschermen en verdedigen. Daarom verplaats ik als Eva naar bed is, mijn computer van de werkkamer naar de woonkamer. Ik maak een plek met zicht op de voor- en de achterdeur, zodat ik op internet naar huizen kan zoeken en tegelijkertijd de boel in de gaten kan houden. Mijn gitaar gaat ook mee. En al mijn muziek. Ik zet Pink Floyd op, 'Wish You Were Here' en ik bedenk me dat dit nummer over God gaat. Dat is wat Roger Waters en David Gilmour bedoelen. Dat we wensen dat er een God is. God zou me nu kunnen helpen. Iemand tot wie ik mijn gebeden kan richten, iemand die alles wat er met ons gebeurt zin geeft, iemand die regels geeft hoe te leven. Hoe goed te zijn. Het komt voor dat God zich ineens aan je openbaart. Ik herinner me de verhalen van verlichte zielen, Eva en ik moeten er altijd om lachen, als we per ongeluk naar de EO blijken te kijken. Maar misschien hebben ze gelijk. Roep Hem, als je Hem nodig hebt. Roep Hem en Hij komt. Je voelt het. Zijn energie, Zijn warmte, je weet meteen dat Hij het is. Er zijn geen vragen meer. Alleen nog maar antwoorden. Ik stel mijn ziel, mijn geest open en roep, smeek of God, als Hij er is, zich aan me wil openbaren.

Eva

25

'Weet je dat Peter bij me heeft zitten huilen?'
Rebecca en ik zitten in haar tuin. Sem speelt met zijn blokken op een kleed onder de partytent. We drinken koffie en eten stukjes boterkoek. Ze zegt het plompverloren, een week na de beruchte nacht. We leken alle vier stilzwijgend te hebben afgesproken te doen alsof het nooit gebeurd was en dat vond ik eigenlijk wel prettig. Niet omdat ik er spijt van heb, integendeel, maar wat valt erover te zeggen? Dat het lekker was? Dat Steef mij wel een orgasme kan bezorgen? Dat kan ik moeilijk aan Peter vertellen. Het zal ons seksleven er niet beter op maken. Ik zou wel willen dat het met Peter ook lukte. Maar hierover praten, ik moet er niet aan denken. Deskundigen doen er zo makkelijk over, 'vertel je partner wat hij moet doen, wat je lekker vindt', maar zodra je dat doet is die partner meteen voor maanden impotent van onzekerheid.
'Hij was compleet over zijn toeren. Heeft hij het je niet verteld?'

'Nee.'

'Hij had een come-down, denk ik, van de xtc.'

'Een wat?'

'Een come-down, dat heb je soms, dan sodemieter je in één klap van je *high* af en word je bang en nerveus. Meestal gebeurt dat pas de volgende dag, maar je kunt het ook tijdens je high krijgen. Ik denk dat hij zich toch niet helemaal op zijn gemak heeft gevoeld. En dan keert de xtc zich tegen je.'

'Wat deed hij dan?'

Ze kijkt me ernstig aan en lijkt te aarzelen of ze me alles zal vertellen. Kom op, denk ik, jij begint erover.

'Hij wilde jou en Steef tegenhouden. Hij wilde stoppen. Daarom nam ik hem mee naar de andere kamer en ik heb mijn best gedaan, hoor, maar het ging niet meer. Hij werd zelfs kwaad. Een beetje terecht ook wel, want we hadden van tevoren afgesproken dat je er elk moment uit mocht stappen.'

Ik probeer me voor te stellen hoe Rebecca haar best doet.

'Jezus…'

'Ik heb zelfs de deur op slot gedraaid. Anders was ons hele plan in de soep gelopen. Ik had wel met hem te doen. Uiteindelijk hebben we een tijdje zitten praten. Hij is een lieve man, Eva. Heel gevoelig. En hij adoreert jou, weet je dat?'

'Helaas wel.'

Ze heeft gelijk. Ik heb een man voor wie andere vrouwen een moord zouden doen. Waarom kan ik daar niet tevreden mee zijn?

'Nou ja, helaas… Ik wou dat Steef zo over mij praatte,' zegt Rebecca afgemeten.

'Het is niet alleen maar fijn om een man te hebben die zo afhankelijk van je is, hoor,' zeg ik. 'Dat je weet: als ik wegga, wordt het zijn dood.'

Sem begint te huilen en gooit driftig zijn blokken door de tuin. Rebecca veert op en haast zich naar hem toe.

'Als je straks ook nog een kind hebt, heb je twee personen die zo afhankelijk van je zijn, dat moet je je wel realiseren,' zegt ze, terwijl ze haar woedend spartelende zoon in haar armen neemt.

'Dan leef je tenminste,' zeg ik. 'Dan weet je waarvoor je het allemaal doet.' We paaien Sem met een stukje koek en een pakje drinken en hij krabbelt terug naar zijn blokken. We kijken hem zwijgend na.

'Een kind is geen bindmiddel, Eva. Als je het zo graag wilt om je relatie te redden, dan moet ik je teleurstellen. Het is eerder een splijtzwam.'

Ze zucht en ik vraag haar wat ze daarmee bedoelt.

'Ik heb ook gedacht dat alles zou veranderen als we maar een kind hadden. Dat onze liefde voor elkaar versterkt zou worden. Dat we voor eeuwig verbonden zouden zijn. Maar zo werkt het niet. We houden allebei meer van Sem dan van elkaar. Het is eigenlijk heel pijnlijk, als je er goed over nadenkt. Je denkt je grote liefde gevonden te hebben, je *soulmate,* je bent zo gek op hem dat je met hem een kind wilt, en dan krijg je een kind en vervang je die grote liefde voor een nog grotere. Daarom wilde Steef het ook niet.'

'Ik dacht dat hij het niet wilde omdat hij de wereld zo verrot vindt…'

'Ook. Maar hij wilde vooral onze liefde zuiver houden.'

'Dus hij kan je wel delen met andere mannen, maar niet met een kind?'

'Met andere mannen deelt hij slechts mijn lichaam. Niet mijn liefde. Kijk, Steef is anders dan andere mannen. Hij is zeer gehecht aan zijn vrijheid, aan zijn antiburgerlijke levensstijl. Maar een kind verdient het beste, het veiligste, het meest harmonieuze, vindt hij. Daarin is hij zeer conservatief. Dat komt door wat hij allemaal gezien heeft in zijn werk. En aangezien hij vindt dat wij dat niet kunnen bieden…'

'En hoe doe je dat dan, nu? In de praktijk?'

'Schipperen. Sem is nog klein, hij merkt nog niets van onze levensstijl. Maar als hij groter wordt… Ik vind niet dat wij ons ergens voor hoeven schamen, maar Steef is daar heel rigide in. Sem mag er nooit iets van weten.'

Ze staart even peinzend voor zich uit en wuift haar gedachten weg met haar hand.

'Hij is zo dubbel…' zegt ze, bijna fluisterend.

'Zeg dat wel.'

Rebecca schenkt koffie bij en steekt een sigaret op.

'Wat moet ik nou doen?' zeg ik. 'Als ik zwanger blijk te zijn? Hij zal me haten.' Ik vertel haar van die ochtend, dat hij de morning-afterpil kwam brengen.

'Ja, dat is wel heavy. Daar heeft hij niets over verteld.'

Ze staat op en loopt de tuin in. Ik heb ineens spijt. Allesoverweldigende spijt van ons plan. Het zal zich tegen ons keren. We moeten ermee stoppen. Er zit maar één ding op, dit besef raakt me als een stomp in mijn maag. Maar ik weet niet of ik het kan, of ik de kracht heb.

Ik loop haar achterna, leg mijn hand op haar frêle schouder. 'Rebecca,' zeg ik zacht, 'Rebecca, we kunnen nog terug…'

'Doe normaal, Eva, we zijn al zo ver gekomen.'

Ze inhaleert diep. 'Het is je enige kans. Echt, na verloop van tijd draaien ze wel bij. Ze hebben geen keus.'

'Het kan jou ook je huwelijk kosten. Als Steef erachter komt dat wij hem erin geluisd hebben…'

'Daar komt hij nooit achter. Tenzij jij het hem vertelt. Kom op, Eef, jij bent altijd zo zwaar op de hand. Het komt goed, dat beloof ik je.'

Er valt een lange stilte. Ik druk mijn vingers tegen mijn slapen, waarachter een kloppende pijn komt opzetten. Rebecca draait zich naar me toe en kijkt me troostend aan. Voor het eerst vraag ik me af waarom ik haar zo vertrouw. Waar dat op gebaseerd is. Als ze zo makkelijk haar grote liefde belazert, waarom mij dan niet? Ze legt haar handen op mijn schouders en begint krachtig mijn gespannen spieren te masseren. 'Relax, Eef.'

'Waarom doe je dit voor mij?' vraag ik.

'Omdat je mijn vriendin bent, en ik het je zo gun. En voor Sem.' Ze drukt haar duimen tegen mijn schedel en draait ze rond.

'Ik wil niet dat Sem alleen opgroeit, zoals ik. Hij verdient een broertje of zusje.'

'En waarom krijgen jullie dan zelf niet nog een kind?'

'Ik heb Steef moeten beloven dat ik nooit meer zwanger word. Ook niet per ongeluk.'

'En je denkt niet dat hij wel weer bijdraait, mocht het zover zijn?'

'Hij stond erop dat ik me liet steriliseren.'

Ik draai me om, onder haar handen vandaan en kijk haar aan.

'En dat heb je gedaan?'

Ze knikt glimlachend, alsof ze hem wil verontschuldigen.

'Waarom laat hij zich niet helpen, als hij per se geen kinderen meer wil?'

'Aan Steefs lul geen polonaise, zoals hij zelf zegt. Dat is niks voor hem.'

'Sorry hoor, maar is dat niet een beetje hypocriet?' Ik zeg het harder dan de bedoeling is, maar het verbaast me dat ze ineens een stuk volgzamer blijkt te zijn dan ik had gedacht.

Ze schrikt van mijn felle reactie. Ze verplaatst haar blik naar Sem, die haar met zijn handjes in de lucht gestoken een hapje van zijn koek wil geven. Ze gaat door haar knieën en sluit hem beschermend in haar armen.

'Ik wil mijn mannetje niet kwijt,' zegt ze zacht.

26

De dagen glijden voorbij, even verstild als het weer. Ik ben blij dat ik weer aan het werk ben, dat de kleuters me afleiden van mijn lichaam, want ik hoef maar even niets te doen te hebben, of ik voel van alles. Mijn borsten lijken gespannener dan anders en ik word een beetje misselijk van de geur van koffie. Ik durf niet te rennen en te fietsen en ik mijd hobbelige wegen met mijn auto. Het is idioot, dat weet ik heus wel. De kans dat ik zwanger ben is heel erg klein. Als ik zwanger ben, dan is dat een wonder. Dan gunt iemand daarboven me een tweede kans. Dat houd ik mezelf maar voor.

Er zijn ochtenden dat ik niet uit bed wil. Ik lig als verlamd op mijn rug, met natte handpalmen, mijn buik vol zenuwen en een roffelend hart. Dan vrees ik de dag, Peter, Steef, iedereen. Mezelf nog het meest. Ik pak het fotootje van Lieve, dat we hebben gemaakt vlak voor we haar begroeven, van het nachtkastje. Ze draagt het door mijn moeder gebreide truitje, ze ligt als een wassen beeldje in de quilt die ik voor haar maakte. De foto is vettig van mijn kussen en tranen. Ik streel haar gezichtje en troost me met de gedachte dat het nooit meer zo erg zal worden. En dat ik altijd nog naar haar toe kan gaan. Dat geeft me de kracht om op te staan, onder de douche te duiken en me klaar te maken voor weer een dag zingen en kleien, vergaderen en ongeruste ouders te woord staan.

De kinderen worden me nooit te veel. Ze zijn druk, ja, drukker dan vroeger, drukker dan wij ooit durfden te zijn, maar ze kunnen mij niet levendig genoeg zijn. Van mij mogen ze schreeuwen, lachen, stoeien, huilen, fluisteren, giebelen, knoeien, ik zie niets liever dan hun hoogrode konen en brutale pretoogjes. Wie een dood kind heeft gezien, klaagt nooit meer over hun levendigheid.

Morgen ben ik drie dagen over tijd. Dan kunnen we eindelijk de test doen. Gelukkig ben ik vanavond alleen, kan ik in alle rust een bad nemen en me met mezelf bezighouden. Peter is naar zaalvoetbal en zakt hopelijk door. Ik kan hem slecht om me heen hebben de laatste dagen. Hij is vreselijk onrustig en slaapt slecht, doet de raarste dingen. De woonkamer is omgebouwd tot een soort geluidsstudio, hij heeft zijn computer, al zijn muziek en zijn gitaar hierheen verplaatst omdat hij de werkkamer een verschrikkelijk benauwd hok vond en zit avond aan avond nummertjes uit te zoeken.

Nadat ik in bad ben geweest, kruip ik in mijn pyjama op de bank, grote pot thee naast me en doe ik de dvd van Robbie Williams, *Live at Knebworth* in de speler. Rebecca is fan van Robbie en heeft me deze dvd en zijn biografie geleend, om me te overtuigen van zijn grootsheid.

Net als ik hem op zie komen, ondersteboven hangend aan een touw, stormt Rebecca door de achterdeur naar binnen. Ik veer op, enigszins beschaamd voor hoe ik erbij zit, in mijn pyjama, met aan mijn voeten wollige, versleten pantoffels. Vlak voor me staat ze stil en spreidt haar armen, een hulpeloos gebaar. Ik zie dat haar hele lichaam beeft.

'Nou,' zegt ze. 'Het is dus gebeurd.'

Ik zet de tv uit en vraag haar waar ze het over heeft. Even ben ik bang dat ze ons hele plan aan Steef heeft opgebiecht.

Ze kijkt me strak aan, haar kaken spannen zich.

'Ze hebben de foto's van onze site op het bureau. En nu is Steef geschorst.'

'O jee,' mompel ik opgelucht.

'Ik kan niet lang blijven. Hij is door het dolle heen.'

Ze beent naar de keuken, ik slof achter haar aan. Dit is niet de kwestie waar ik me vanavond mee bezig wil houden. Rebecca gaat op het aanrecht zitten, naast de afzuigkap, zet hem aan alsof ze thuis is en steekt een sigaret op.

'Steef heeft het beeldscherm van de computer stukgegooid. Razend is hij, ook op mij. Daarom ben ik maar even weggelopen.'

Ik informeer naar Sem.

'Sem slaapt. Die wordt nooit ergens wakker van.'

Rebecca lijkt geknakt. Haar haren hangen slap langs haar gezicht, ze schudt haar gebogen hoofd.

'Ik ben ook zo'n stomme trut. Ik had hem moeten vertellen dat ze die foto's hadden, maar ik dacht: het waait wel over.' Ze knippert haar tranen weg. 'Maar ja, wat had ik anders moeten doen? Als ik hem had verteld over die bedreiging, dat ze de foto's hebben, dan was hij weer achter die jongen aan gegaan. Wie weet wat hij dan had gedaan…. Steef is af en toe een ongeleid projectiel…'

Ze reikt naar mijn hand. Onze vingers omstrengelen elkaar. De hare zijn steenkoud.

'Ze schorsen hem toch niet alleen vanwege een paar foto's?' vraag ik. 'Het is toch niet illegaal om jezelf op internet te zetten?'

'Ze beschuldigen hem er ook van dat hij een jongen iets te hardhandig aangepakt heeft.'

Tranen druppen van haar wimpers. Rond haar ogen ontstaan zwarte vlekken van de uitgelopen mascara.

'O…'

'En het lichaam van die jongen is gevonden. In een greppel langs de A9.'

Een jongen. De jongen met het baseballpetje. Het beeld van Steef met het pistool in de band van zijn spijkerbroek flitst weer door mijn hoofd. Ik hoor niet meer wat Rebecca zegt. Een koude huivering trekt langs mijn ruggengraat. De vader van mijn kind is een moordenaar. Zo diep ben ik gezonken.

Rebecca staart mij door haar tranen heen aan.

'Kan Steef het gedaan hebben?' Terwijl ik het vraag voel ik het bloed in mijn aderen bevriezen. Ze schudt haar hoofd. Haar lippen trillen.

'Mijn hart zegt van niet. Maar mijn hoofd... Hij heeft dat syndroom. Er kan iets geknapt zijn in hem... Ik wil er niet aan denken. Hij is mijn man. Ik houd van hem. Zonder hem ben ik niets, kan ik niets...'

Ik steek mijn hand uit en streel haar lange bruine haren.

'Dat is niet waar, Rebecca, dat weet je zelf ook wel. Je bent ijzersterk...'

Peter

27

Het is kouder 's avonds. En vochtig. Dat is zo ongeveer het enige waaraan je merkt dat het bijna herfst is. Het is interessant om 's avonds door je eigen straat te lopen. Je ziet veel meer van de mensen dan overdag. Op een vreemde manier troost het me te zien dat iedereen eenzaam is. Man alleen op de bank voor de televisie, vrouw in de keuken, kinderen ieder op hun eigen kamer. Man aan tafel met de krant, schuift zijn eten naar binnen, vrouw staat te strijken. Man achter de computer, vrouw voor de televisie. We zijn allemaal een groot cliché. En wat is er mis met clichés? Clichés zijn de waarheid, dat blijkt wel. De ruzies die ik daarover heb gehad met mijn chef, voordat ik zelf promotie maakte.

'Peter, je moet toch echt wat gedurfder schrijven. Je hebt een beperkt vocabulaire, gebruikt te veel clichés.'

Man, rot op, ga zelf week in week uit, jaar in jaar uit die voetbalverslagen schrijven! Voetbal is cliché. Een doeltrap is een doeltrap.

Een treffer is een treffer. Of een mooi schot. De sfeer in het stadion is uitgelaten. Of terneergeslagen. Agressief. Verzin het maar eens, in een uurtje tijd. Maar goed, nu ben ik de man die het werk uitzet. Ik ben meer iemand voor achter het bureau dan voor langs de lijn. De man van de planning en het budget. Ik ben een clichémannetje, met een beperkt vocabulaire en lui zaad.

Ik moet waakzaam zijn. Me niet te veel laten afleiden door wat er gebeurt in andere huizen. Het gaat om mijn eigen huis en dat van Steef. Ik ben van huis gegaan. Zoals iedere maandagavond zaalvoetbal. Het uitgelezen moment voor Steef en Eva om elkaar te ontmoeten. Misschien doet Rebecca ook mee. Zou me niets verbazen. Die vrouw is een seksfurie. Ik loop heen en weer, in mijn eigen straat, met mijn mobiel aan mijn oor om niet te veel op te vallen. Misschien is de hele buurt wel bij hun spel betrokken. Daar heb ik weleens iets over gehoord op mijn werk. Hele Vinex-wijken die met elkaar liggen te neuken op sleutelparty's.

Ik heb Steef thuis zien komen. Hij was laat en reed als een dwaas. Maar nu komt hij niet tevoorschijn. Het begint zacht te regenen. Ik kan niet doorweekt thuiskomen. Ik ren naar mijn auto, die ik om de hoek geparkeerd heb, stap in en geef gas. Ik mag ze geen seconde uit het oog verliezen.

Het kan geen toeval zijn dat 'Stairway to Heaven' van Led Zeppelin op de radio is.

> And as we wind on down the road
> Our shadows taller than our soul
> There walks a lady we all know
> Who shines white light and wants to show
> How everything still turns to gold
> And if you listen very hard
> The tune will come to you at last.

Het is alsof ik de tekst voor het eerst hoor, hoewel ik het nummer jarenlang grijs heb gedraaid.

The tune will come to you at last.
Ik rijd onze straat in en het lijkt te waaien.
And as we wind on down the road.
Het is doodeng.
Ik zet de radio uit. Robert Plant zingt door.
The tune will come to you at last.
Het zoekt mij op. Ik heb een antenne. Bevind me in een hoger bewustzijnsgebied.
Our shadows taller than our soul.
Het schaduwleven. De donkere kant. Het is te groot voor ons. Ik hijg als ik stop. Mijn shirt is doorweekt. Klamme plekken onder mijn armen. Ik zal naar zweet ruiken als ik thuiskom.

Ik zak onderuit en kijk van Steefs huis naar het mijne. Er gebeurt niets. Gordijnen zijn dicht, lichten aan, misschien zijn ze naar elkaar toe gegaan toen ik even weg was. Of ze gaan achterom. Natuurlijk gaan ze achterom. Wat ben ik voor debiel? Ze gaan hun spel toch niet doodleuk midden op straat spelen?

Maar dan zwaait de voordeur van Steef en Rebecca open. Geel licht valt op de stoep. Rebecca komt naar buiten. Ze loopt raar, op haar tenen, haar handen onder haar oksels geklemd, haar hoofd gebogen.

There walks a lady we all know.
Even kijkt ze rond en zie ik haar gezicht. Ze kijkt doodsbang. Ik glijd nog meer naar beneden. Ze trippelt over straat, onze steeg in. Via de achterdeur naar Eva.

En nu? zeg ik tegen mezelf. Wachten op Steef. Kalm blijven. Je hoeft niets te doen. Je moet het alleen maar weten. Ik zet de radio weer aan. Irritante diskjockey. Popie jopie-stem. Belachelijk dat die lui zoveel verdienen met hun gewauwel.

'Onbegrijpelijke tekst, maar dit nummer gaat hoog scoren in de top duizend aller tijden! Kan iemand me vertellen waar het over gaat? Luc, jij weet het, jij weet ALLES!'
'Nou, Peter...'
Peter?
'Volgens mij weet Robert Plant het zelf niet eens! Het is vast geschre-

ven tijdens een stevige trip. Maar er gaan wel duistere verhalen over Stairway. Het zou een ode zijn aan Satan. Er zit een demonische boodschap in. Draai het maar eens achterstevoren...'

'Ja ja, op die fiets. Geloof jij dat soort onzin?'

'Nee, normaal gesproken niet. Maar dit is wel heeeel weird. Luister maar.'

Oh, here's to my sweet Satan
The one whose little path
Would make me sad
Whose power is Satan
He'll give those with him
666, there was a little toolshed
Where he made us suffer, sad Satan

De schaduwzijde. De donkere kant. *The Dark Side of the Moon.* Mijn album.

Het maakt me kotsmisselijk. Ik wil dit niet. Ik wil terug naar het licht. Ik moet de auto uit. Gooi het portier open. De regen slaat in mijn gezicht. Reinigende regen. Regen die de zonde wegspoelt. Ik open mijn mond en proef de druppels. Gods wateren over Gods akkers. Hij moet me beschermen. Mij en Eva. We hebben genoeg geleden. Genoeg is genoeg.

Enough is Enough
Donna Summer

Een hand op mijn schouder. Dat is fijn.

Maar het is niet God, het is Satan.

'Wat sta jij hier te doen?' Hij kijkt me onderzoekend aan. Het is van groot belang dat ik hem slimmer af ben. Dus kijk ik terug, recht in zijn ogen, ik houd het langer vol dan hij.

'Ik kom net terug van zaalvoetbal.'

'En daarom sta je in de regen naast je auto met de muziek op windkracht tien?'

'Het is de regen,' zeg ik. 'Ik had ineens enorme zin om de regen te voelen.'

Ik grijns naar hem en duik de auto in, om de radio uit te zetten en mijn sporttas te pakken.

'Heb jij Rebecca gezien?'

'Nee, waar zou ik haar in godsnaam gezien moeten hebben?'

Steefs ogen flitsen heen en weer. Hij snuift, spert zijn neusvleugels open. Er is iets met hem.

'Laten we naar binnen gaan. We worden zeiknat hier.'

Ik zeg dat ik naar Eva wil. Dat ik moe ben. En morgen weer vroeg op moet. Wie weet wat hij van plan is.

'Ik denk dat Rebecca bij jullie zit. Ik loop wel even mee. Wacht, ik haal de babyfoon. Kom even binnen.'

Ik schud mijn hoofd. Ik ga dat huis niet meer in. De satanskerk. Ik lik de regendruppels van mijn lippen. Hemelwater, zuiver mij.

De babyfoon halen. Dat betekent dat hij van plan is lang te blijven. Ik wil niet wachten. Ik wil niet dat hij meekomt. Ik wil niet dat Rebecca bij ons zit.

Binnen is de stemming bedrukt. Eva en Rebecca zitten in de keuken. Ze praten zacht en staren naar de vloer. Ze kijken verschrikt op als wij binnenkomen. Rebecca begint hard te huilen, Steef zegt dat het hem spijt. Eva komt naar me toe en neemt me mee, de keuken uit. Haar ogen staan vreemd. Ze fluistert. Ik kan haar nauwelijks verstaan, omdat ik haar ogen probeer te lezen.

'Steef is geschorst…'

'En?' zeg ik. 'Wat hebben wij daarmee te maken?'

'Ze denken dat hij een jongen heeft vermoord.'

Eva slaat haar armen om haar buik. Ze gaat op de bank zitten en staart naar het zwarte televisiescherm. Waarom kijkt ze me niet aan?

Omdat ze me bedrogen heeft. Ze durft me niet aan te kijken. Haar ogen zullen haar verraden. En dan deze onzin. Dat Steef iemand heeft vermoord. Ze willen me bang maken. Intimideren.

'Ik denk dat het die jongen is, weet je nog, die een tijdje geleden hun auto kapot heeft geslagen…'

Al die leugens. Dat ze niet kotsen van zichzelf.

'Ja hoor, Eva. En nu moet ik zeker bang worden?'

'Doe niet zo raar, Peter. En loop niet zo heen en weer te draven. Ik word bloednerveus van je.'

'Ik word bloednerveus van die twee in mijn keuken. Laat ze thuis hun ruzies oplossen.'

Als ik doe wat ik moet doen, gaan ze vanzelf weg. Ik ga achter mijn computer zitten en zet hem aan. Het vertrouwde gezoem.

'Ik heb gezien dat hij die avond een pistool bij zich had.' Ze fluistert en kijkt me paniekerig aan.

'Wat moet ik doen?' vraagt ze. 'Moet ik hiermee naar de politie?'

'Steef is de politie.'

Ik lach. Wat een grap. De politie is je beste vriend. Die pet past ons allemaal. Ha ha. Die pik past ons allemaal.

Steef en Rebecca komen de kamer in. Hand in hand nota bene. De gelederen hebben zich weer gesloten.

'Sorry jongens, dat we jullie hiermee lastigvallen.'

Eva haalt haar schouders op en tovert een schaapachtige glimlach op haar gezicht. Maar ik ben niet bang voor Steef. Niet meer.

'Ik weet het niet, Steef, jij loopt met pistolen te zwaaien...'

'Hoe bedoel je?'

Zijn ogen. Hij knijpt ze samen en priemt zijn duivelse blik in de mijne.

'Eva vertelt me net dat je die jongen met een pistool achternaging. Oftewel, dat ik een moordenaar in mijn huis heb gehaald.'

Eva geeft me een por in mijn rug. Er valt een ijzige stilte. Rebecca klampt zich vast aan de arm van Steef. Ik heb de cirkel verbroken.

Circle of Love
Steve Miller Band

'Die jongen is niet neergeschoten, vriend, hij is gewurgd. En het is ook niet zeker of het dezelfde gozer is die mij heeft bedreigd. Ze hebben alleen foto's van mij en Rebecca aangetroffen op zijn pc, en een telefoontje gekregen van een buurvrouw, die anoniem wenste te blijven, dat ik "een jongen" achterna ben gegaan met een pistool. Zij meende de jongen te herkennen van het incident hier.'

Ik blijf zitten waar ik zit, mijn blik gericht op het beeldscherm.

Ze moeten weg. Weg met hun ranzige verhalen. Eva komt langzaam overeind. Alsof ze ziek is.

'Ik ben niet die buurvrouw! Je denkt toch niet dat ik heb gebeld?'

'Ik denk niks,' zegt Steef. 'Jullie denken van alles. Dat ik die jongen heb vermoord. Blijkbaar hebben jullie mij met een pistool gezien.'

'Het was echt zo, Steef,' zegt Eva schor. 'Ik heb dat niet gefantaseerd. Maar ik heb daarover nooit de politie gebeld.'

'Oké, ik droeg een wapen, om mezelf te beschermen en dat jochie de stuipen op het lijf te jagen. Trouwens, waar hebben we het over? Dat joch is een rat. We laten zo'n rat toch niet onze vriendschap kapotmaken?'

Ik schiet in de lach. Ik kan het niet stoppen. Mijn mondhoeken trillen, mijn buikspieren schokken, het lijkt de lach van iemand anders, een satanische lach.

'Ben je stoned of zo?' vraagt Steef en hij staat daar maar als een standbeeld, midden in de kamer, zijn slaafje naast hem, te wachten tot wij het sein geven dat alles goed is, en dat doen we niet. Nee, ik ben niet stoned. Ik ben broodnuchter. Nog nooit zo fit en energiek geweest. Ondanks de slapeloze nachten.

'Ik vind het grappig. Dat uitgerekend jij iemand een rat noemt.'

Ik krijg een schop. Eva kijkt me woedend aan.

'Ik geloof dat we moeten gaan,' zegt Steef bars.

Hij komt op me af, ik zie het niet alleen, ik voel het ook, zijn magnetische veld botst tegen het mijne. Hij pakt de leuning van mijn bureaustoel en draait me naar zich toe. Zijn gespannen gezicht hangt boven het mijne, ik ruik de alcohol in zijn adem.

'Wat is er met je, Peter?' vraagt hij en hij probeert door me heen te kijken met zijn harde, ijzige ogen, de ogen van de duivel. Ik moet weerstand bieden aan zijn verlokkingen, zijn belofte van vriendschap en begrip, ik moet sterk zijn en hem recht in zijn smoel aan blijven kijken, even stoïcijns en zelfverzekerd als hij. Het is een strijd der giganten en ik sla met twee klamme handen vriendschappelijk op zijn wangen.

'Niets, Steef.'

'Je noemde me een rat.'

'Ach, dat bedoelde ik niet zo…'

'Je gelooft me toch, hè? Het is heel belangrijk voor me, dat jij me gelooft. Ze willen me alleen maar naaien op het bureau omdat ik anders ben dan de rest. Dat weet je toch?'

'Ja jongen, natuurlijk. Jij hebt het niet gedaan, daar komen ze heus nog wel achter.'

Hij haalt zijn neus op. Zijn gezicht is nog steeds afschuwwekkend dichtbij.

'Zo werkt het niet meer tegenwoordig. Ze zijn allang blij als ze iemand een moord in de schoenen kunnen schuiven. Als je niet schuldig bent, zorgen zij daar wel voor.'

'Waarom zit je eigenlijk niet in de gevangenis, als ze je van die moord verdenken?'

Hij zucht. 'Ze hebben geen bewijs. Ik ben ook niet geschorst vanwege de dood van die jongen, maar vanwege het fotomateriaal dat ze bij hem thuis hebben aangetroffen. Ik ben te chantabel, zeggen ze.'

'Dat moeten dan wel heftige foto's zijn.'

'Het zijn geen kiekjes die je op je verjaardag rond laat gaan, zullen we maar zeggen.'

'Jullie zijn een stelletje smeerlappen.'

Ik zeg het met een glimlach.

Hij grinnikt en slaat me vriendschappelijk op mijn schouder.

'Zeker op die foto's,' zegt hij en steekt daarbij wellustig zijn tong uit.

Ze vertrekken. Eindelijk rust. Eva gaat naar bed. Ze is boos op me. Nu kan ik me overgeven aan mijn gedachten. Ze hebben me natuurlijk maar wat op de mouw gespeld. Ik moet tussen de regels door luisteren. Steef heeft me duidelijk gemaakt dat met hem niet te spotten valt. Dat hij in staat is tot moord. Rebecca en Eva zijn bang van hem. Hij heeft ze in zijn macht. Maar mij niet. Ik heb hem door. Nu moet ik er alleen nog achter zien te komen wat zijn plan is, en mezelf beschermen. Dat kan alleen als ik met dezelfde middelen strijd. Er is maar één taal die Steef verstaat. Ik zal een wapen moeten hebben. Ik maak een driedubbele espresso voor mezelf en nestel me achter de computer. Zet Pink Floyd op. 'The Dark Side of the Moon.' De intro. Het kloppen van een hart. Een wekker. De stem, ver weg. Dan de helikopter. Wat zegt hij?

Ik draai het nogmaals. Harder. Ik kan het niet verstaan. Nog een keer.

I've been mad for fucking years
(...)
I've always been mad
I know I've been mad
Like the most of us
(...)

Ik druk mijn vingers tegen mijn slapen. Eén ding tegelijk denken. Steef is gewapend. Steef is gek. Ik moet ons beschermen. Ik moet een wapen. Zo snel mogelijk. Ik google 'pistool' en blader door de zoekresultaten tot ik stuit op de site Snuffelsnel. Iemand zoekt een pistool zonder papieren en rompslomp. Net als ik. En hij heeft ook reactie gekregen van ene Don D. Geen mobiel nummer, wel een hotmail-adres.

Lost soul zoekt ook een pistool, zo snel mogelijk. Bel of mail.

Ik zet mijn mobiele nummer en e-mailadres eronder en druk op *send*.

Dit is natuurlijk heel stom. Straks is Don D. iemand van de politie. Natuurlijk is Don D. iemand van de politie.

Eva

28

Ik poets langzaam mijn tanden, terwijl ik mezelf aanstaar in de spiegel. Ik probeer niet te beven, rustig adem te halen, niet te twijfelen. Denk aan het doel. Het loopt allemaal anders dan ik had gedacht, maar ik moet sterk blijven.

De vraag of Steef een moordenaar is, overstemt de vraag of ik zwanger ben. Op de laatste vraag krijg ik morgen antwoord. Op het eerste antwoord wil ik niet wachten. Ik heb hem gezien. Ik heb hem gezien met een pistool. Hij ging achter de jongen aan. Hij heeft PTSS. Hij heeft eerder gedood. Wat heeft me bezield? Wat verblindde me zo dat ik niet zag wie hij in werkelijkheid was? Ik neem een slok water, spoel mijn mond en spuug het uit in de wastafel. Kijk weer in de spiegel en haal een cleansingdoekje over mijn vlekkerige gezicht. Schud mijn hoofd. Stop hiermee. Hij heeft gezegd dat hij het niet gedaan heeft. Het gaat om een jongen uit een asociale familie, een crimineel, een drugsdealer en een chanteur, er zijn genoeg anderen die hem hadden kunnen vermoorden. Steef is niet gek, hij heeft te veel te verliezen.

Pink Floyd klinkt vanuit de woonkamer. Peter herhaalt telkens hetzelfde stukje. Ik kan mezelf er niet toe zetten met hem te praten, ik beweeg om hem heen en probeer niet te zien hoe hij met de dag vreemder wordt. Ik verdraag hem nauwelijks in mijn buurt de laatste tijd, en ik hoopte, tegen beter weten in, dat het vanzelf over zou gaan. Maar het gaat niet over. Ik drijf van hem weg en ik laat het gebeuren. Ik zie de pijn in zijn smekende ogen en draai mijn hoofd weg. Ik kan het niet meer opbrengen hem aandacht te geven en ik heb het opgegeven me daar schuldig over te voelen. We zijn ver heen.

Voor de spiegel trek ik mijn joggingpak uit. Het doel. Een kind. Groeit er een kind in mij? Mijn borsten zeggen van wel. Ze gloeien en zijn pijnlijk gezwollen. Hoe vaak heb ik zo naar mezelf gekeken? Ik kan het me niet meer herinneren. Ik weet alleen nog de eerste keer, nadat ik net met de pil gestopt was. Hoe ik toen al diep vanbinnen vooral ontzettend nieuwsgierig was of mijn lichaam in staat was een kind voort te brengen. Hoe het zou voelen, het groeien van een levend wezen in me, een klein mensje dat geheel bestaat uit mijn vlees en bloed, dat buitelt en schopt, mijn lichaam doet opzwellen, mijn buik doet schudden. De onvoorwaardelijke liefde, de tranen, de herkenning na de bevalling, een glibberend lijfje op je borst, een baby die ruikt en proeft dat jij zijn moeder bent, die voor eeuwig aan je verbonden is met duizenden onzichtbare draadjes. Dat wilde ik meemaken.

Ik stond toen net voor de klas en ik vond het heerlijk, een hok vol krioelende kleuters, zo klein en lief en eerlijk, en als er eentje zijn mollige armpjes om mijn nek sloeg, was ik jaloers op zijn moeder, voor wie dit vanzelfsprekend was. Ik wilde een kind. Helemaal van mij alleen. En Peter wilde het me dolgraag geven. Dat maakte het makkelijk om voor hem te kiezen.

Mijn borsten zijn eerder zo gezwollen geweest. Toen ik zwanger was van Lieve. Daarom weet ik bijna zeker dat ik zwanger ben. Ik leg mijn handen op mijn schaambeen en druk zachtjes met mijn duimen boven het bot. Mijn baarmoeder komt er nog niet bovenuit. Morgen komt Rebecca naar school en gaan we samen de test doen. En dan?

Ik durf er niet aan te denken.

Maar ik heb het er allemaal voor over.

Ik houd het kind.

Dit kind zal leven.

De nacht is onrustig. Ik kan niet slapen. Peter blijft gelukkig weg, die valt tegenwoordig beneden bij zijn computer in slaap, zodat ik ruimte heb, in mijn hoofd en om me heen, om na te denken en afscheid te nemen. Ik vind het niet moeilijk dit huis op te geven. Het is het huis van pijn. Het leven waar we ooit van droomden en dat hier zou moeten beginnen laat ik zonder al te veel tranen achter me. Daar ben ik niet bang voor. Wel voor het ongewisse dat voor me ligt. Ik ben niet goed in alleen zijn. Dat is een understatement. Ik heb er altijd angstvallig voor gezorgd dat ik niet alleen was.

29

Ik ben als eerste in de lerarenkamer. Zet koffie, leg de koekjes op de schaal, suikerklontjes en koffiemelk op tafel, doe de computer aan. Noteer de ziekmeldingen. Een voor een druppelen de collega's binnen. We vertrekken met onze mokken koffie naar de klaslokalen. Ik ben misselijk. Dat kan ook van de zenuwen komen.

Ik zet de ramen open. Op het bord staat de tekening die ik gisteren gemaakt heb voor Tim, die vandaag vijf wordt. Ik was het alweer vergeten. Nu moet ik zijn felicitatiekaart nog maken. Zijn opgewonden moeder komt binnen met een dienblad vol snoepsleutelhangers. We feliciteren elkaar en praten over Tim, die bloednerveus is en graag zijn nieuwe fiets in de klas wil laten zien. Natuurlijk mag dat.

Ik glimlach. Ik ben bang dat ze aan me ziet dat ik niet op mijn gemak ben.

Vader sjouwt de fiets naar binnen. Een grote blozende man. Ik schuif de tafels aan de kant en zet de stoeltjes in de kring. Vader zoekt een plekje van waaruit hij zijn zoontje het beste kan filmen. Ik krijg de kriebels van die man en zijn vrouw, twee neuroten die doen alsof de verjaardag van hun kind het evenement van het jaar is. Maar als het mijn kind was, zou ik hetzelfde doen.

De kinderen buitelen naar binnen, gevolgd door hun zorgelijke moeders. Of het me ook is opgevallen dat Sterre door Fientje gepest wordt. Mees had gisteren hoofdluis. Diewe is op het randje van griep, maar heeft geen koorts. Mirsada moet vanmiddag naar de kinderarts. Jips oma is overleden. Oké jongens en meisjes, nu is het tijd dat de moeders gaan en wij er een leuke dag van gaan maken! Twintig paar oogjes kijken me slaperig aan.

We zingen voor Tim en lachen om zijn vader, die al filmend van het stoeltje valt. Apetrots toont Tim zijn fiets en deelt hij de snoepsleutelhangers uit. Ik klap met klamme handen, Tim mag de klassen rond en de rest gaat buiten spelen.

Op het schoolplein staat Rebecca me al op te wachten. Sem zit in zijn buggy te knagen op een liga. Als hij me ziet lacht hij me stralend toe met zijn mond vol bruine ligapap. Rebecca vraagt of ik het nog een beetje uithoud.

'Nauwelijks,' mompel ik. Meer weet ik niet te zeggen. Samen kijken we zwijgend naar de dartelende kleuters, totdat mijn collega ook het plein op loopt en ik haar vraag een oogje in het zeil te houden, zodat ik deze vriendin en haar zoontje een rondleiding door de school kan geven. Mijn collega vindt het prima en Rebecca, Sem en ik lopen naar binnen, naar de leraren-wc en draaien de deur op slot.

Met trillende handen vis ik de doos uit mijn tas. In de spiegel zie ik Rebecca, die er afgetobd uitziet. We praten nauwelijks. Ik haal de Predictor uit de doos, Rebecca vouwt de gebruiksaanwijzing open.

'Laat dat maar zitten, ik heb die test al honderd keer gedaan. Gewoon op de wc zitten, plassen op het staafje, en over een minuut weet ik meer.'

We kijken elkaar aan en zij lacht me bemoedigend toe. 'Nou, vooruit!' zegt ze en kust me. Mijn ogen worden nat. Misschien zou ik het liever nog niet weten.

Rebecca steekt haar gekruiste vingers omhoog. Ik knoop mijn broek open en ga op de wc-pot zitten. Houd het staafje tussen mijn benen. Laat mijn plas los en kijk tussen mijn dijen door of de straal over het staafje gaat. Als ik de dop op het staafje heb gedaan, sluit ik mijn ogen een paar seconden. Ik weet even niet waar ik op hoop. Mocht ik niet zwanger zijn, dan kan ik geruisloos terug mijn oude leven in. Terug naar het vertrouwde verdriet.

Het staafje ligt op het fonteintje. Ik hijs mijn broek omhoog en trek door. Alles lijkt vertraagd. Het geluid van stromend water. Hoe Rebecca haar haren schikt. Het dichtknopen van mijn gulp. Onze vingers die elkaar vinden. Sem die zichzelf vol smeert met zacht geworden liga. De wijzers op mijn horloge. Tot de minuut voorbij is geslopen en ik het staafje van de wastafel pak. We kijken samen naar het venster. Er staat een stip.

'Gefeliciteerd, meid,' fluistert Rebecca schor. Ik hap naar adem en doe mijn best niet in tranen uit te barsten, omdat ik weet dat ik niet meer op zal houden met huilen. Rebecca omhelst me, ik sta als een zoutpilaar in haar armen. Ik ben onbeschrijfelijk blij en bang tegelijk. Sem begint te protesteren en probeert de riempjes waarmee hij vastzit in de buggy los te trekken. Ik buig me naar hem toe en til zijn warme mollige lijfje eruit. Zijn gezicht vertrekt, zijn onderlip pruilt en hij begint keihard om zijn moeder te huilen.

Rebecca neemt hem over en troost hem routinematig. Ze zoekt mijn blik en als ik de hare ontwijk, strijkt ze met haar vinger over mijn wang. 'Maak je geen zorgen, Eef, het komt goed,' zegt ze. 'We wachten de komende zeven weken af en dan vertellen we het aan de mannen.'

Ze haalt een speen uit haar zak en duwt die in Sems mond.

'Ik kan niet langer wachten. Alles is anders nu.'

'Hoe bedoel je?' vraagt Rebecca bezorgd. Sem kijkt me aan met zijn grote, verbaasde ogen. Ik aai hem over zijn vlassige blonde krullen.

'Volgens mij moeten we weggaan, Rebecca. Samen. Naar Frankrijk, of Spanje, of nog verder. In alle rust en veiligheid Sem opvoeden en dit kind krijgen.'

Ze kijkt me aan alsof ik haar vraag collectief zelfmoord te plegen.
'Ik ga niet zomaar weg bij Steef, doe normaal!'
'Ik weet dat hij die jongen heeft vermoord. Ik heb hem gezien met een pistool. Je hebt zelf gezegd dat hij af en toe een ongeleid projectiel is. Geef toe dat als bekend wordt dat ik zwanger ben, hij door het lint gaat.'
Ze schudt haar hoofd en draait het slot van de wc-deur open.
'Ik kan Steef niet verlaten. Ik wil hem helemaal niet verlaten. Weet je wel waarover je het hebt! Het zou kinderontvoering zijn... Bovendien, hij zou ons vinden. Al zitten we op Antarctica.'
'Ik ga wel,' zeg ik en ik meen het. Het is geen bevlieging. Ik moet gaan.
'Jezus, Eva, denk goed na.' Ze legt haar hand op mijn buik. 'Jouw kind heeft ook een vader nodig. En een broertje... Dat kun je hem toch niet onthouden? Ik weet hoe het is om op te groeien bij een moeder die op de vlucht is voor haar man. We komen er wel uit, toch, met elkaar?'
Ik heb lang genoeg nagedacht. Lang genoeg getwijfeld. Ik ben lang genoeg ongelukkig geweest. Ik wil niet meer. Mijn huis, mijn huwelijk verpletteren me. En nu heb ik eindelijk een reden om weg te gaan. Om voor mezelf te kiezen. Dit kind zal leven. Echt leven. Niet met de handrem erop, maar vrij, in de zon, omgeven door liefde.
'Dat geloof je toch niet echt? Steef zal me haten. Hij zal eisen dat ik het kind weg laat halen. Als ik hier blijf, zal het uitlopen op een drama, dat voel ik. Ik wil weg. Ik moet weg.'

Ik zit de rest van de schooldag uit in een roes. Als ik thuiskom, heb ik nog ruim twee uur voordat Peter thuiskomt. Van zolder haal ik de grote reistas en ik gooi hem vol kleren, ondergoed, boeken, mijn paspoort en rijbewijs, cd's, de afschriften van mijn spaarrekening en mijn creditcard. Wat nog meer? De ingelijste foto van Lieve. Het plukje haar. Haar door mijn moeder gebreide truitje. Ik kan haar niet achterlaten. Mijn vitaminepillen. Een doos kamillethee. Het fotoalbum waarin mijn jeugd is vastgelegd, dat mijn moeder me gaf toen ik met Peter trouwde.

De tas stouw ik in de achterbak van de auto. Autopapieren niet vergeten. In Peters bureaula. Ik ga door zijn spullen en ik huil. Niet uit liefde of verdriet, maar uit medelijden. Ik weet dat wat ik hem aan ga doen, zijn grootste nachtmerrie is. Ik weet dat ik alles ben voor Peter, dat ik op dit moment zijn leven verwoest en dat hij hier waarschijnlijk nooit overheen zal komen. Mijn geluk is zijn hel. En toch moet ik het doen.

'Het spijt me,' schrijf ik op een wit vel papier, *'maar ik kan niet anders. Ik weet dat dit de lafste manier is om je te verlaten, maar ik kan jouw pijn niet aan. Ik hoop dat je het me op een dag vergeeft en dat je weer gelukkig wordt met iemand die je de liefde geeft die je verdient. Kus, Eva.'*

Dan ga ik. Ik trek de deur achter me dicht en draai hem op slot. De sleutel gooi ik door de brievenbus. Ik kan nu letterlijk niet meer terug naar binnen. Bevend neem ik plaats achter het stuur. Ik geef gas en ik ga zoals ik al zo vaak heb willen gaan en terwijl ik de kale, saaie straat uit rijd, valt de treurigheid van me af. Het is niet laf wat ik doe. Als ik laf was, dan was ik gebleven. Had ik mijn leven opgeofferd aan zijn welzijn. Laf is het eeuwige compromis zoeken. Laf is deze woonwijk, zo laf als ons liefdeloze huwelijk. Het is een monster, deze wijk, een monster dat nivelleert en deprimeert. En ik keer het de rug toe. Ik heb de moed. Geen idee waarheen, geen idee wat me te wachten staat, behalve dat ik een kind ga krijgen, hoe dan ook. Dit kind zal bij me blijven en verder heb ik niets nodig, behalve een dak boven mijn hoofd, een baantje en de eeuwige zon.

Peter

30

Als ik de sleutel in het slot van de voordeur steek, weet ik dat ze weg is. Haar sleutels liggen op de mat. Ik wrijf in mijn brandende ogen, plens in de keuken koud water in mijn gezicht en loop naar boven, terwijl ik haar naam roep. Het mag niet waar zijn, ze mag niet weg zijn, niet nu ik alle voorbereidingen heb getroffen om samen ergens anders opnieuw te beginnen.

Ik ga haastig door het huis. Het kan zijn dat ze gewoon boodschappen aan het doen is. Of dat ze een vergadering heeft op school. Misschien zit ze bij Rebecca. Ik haal mijn mobiel uit mijn zak. Ze heeft niet gebeld, geen bericht gestuurd. Haar sleutels lagen op de deurmat. Ze is geen boodschappen aan het doen, en ook niet aan het vergaderen op school. Ze is ervandoor.

Ik draai haar nummer en trek haar lades open. Slipjes, beha's en sokken liggen er niet meer.

Dit is de voicemail van Eva Nijhoff. Ik ben momenteel niet in staat

de telefoon op te nemen, maar als u een boodschap inspreekt na de piep,
dan bel ik u zo snel mogelijk terug.

Niet in staat de telefoon op te nemen, wat is dat eigenlijk een belachelijke tekst. Niet in staat, hoezo? Ik zie het voor me: Eva, kot-
send in een hoek van een of andere hotelkamer. Of neukend. Niet
in staat de telefoon op te nemen. Misselijkmakend. Ik hang op,
omdat ik niet weet wat ik moet inspreken. Bel nog een keer. Loop
naar de badkamer. Geen make-up. Bodylotion weg. Tandenborstel
weg.

Opnieuw de voicemail. Eva? Bel me terug. Alsjeblieft.

Ze is weg. Ze is echt weg. Vloekend ren ik naar beneden. Mijn
ogen branden zowat mijn kop uit. Godverdomme Eva, dit kun je
niet maken. Je hoort bij mij. Dit heb ik niet verdiend.

Op het toetsenbord van mijn computer ligt een briefje. Een briefje.
Zeventien jaar samen en dan: een briefje! Niet veel langer dan een
boodschappenlijstje. Eerst gooi ik het weg. Ik weet wat erin staat. Ik
wil het niet lezen. Ik wil het niet weten. Ik wil in onwetendheid blijven. Liever deze twijfel, liever nog de hoop dat ik het verkeerd heb.
Ze is niet weg. Niet voor altijd. Ze komt terug en als ze terug is, gaan
we zitten, aan de keukentafel, en praten. Ik schenk een glas witte
wijn voor haar in en vertel haar hoeveel ze voor me betekent. Dat ik
niet zonder haar kan. Dat ik van haar houd en dat er een manier
moet zijn voor ons om hieruit te komen. Dat zeventien jaar niet
niks is. Wat we allemaal niet hebben doorstaan samen. De dood van
mijn ouders, de scheiding van haar ouders, verlies op verlies hebben
we beleefd en we gaven nooit op. Ik heb haar de ruimte gegeven. Zoveel als ze wilde. Ben met haar in therapie gegaan. Heb dit huis voor
haar ingericht. Toegestaan dat ze met Steef naar bed ging! Ik ben een
goede man voor haar geweest. Te goed. Veel te goed! Ik heb het allemaal maar laten gebeuren. Op haar manier, het moest altijd op haar
manier en nu is ze weg op haar manier. Vertrokken, zonder me nog
een kans te geven, zonder me in de ogen te kijken en te zeggen dat ze
niet meer van me houdt. Zonder enig respect. Ik trap de prullenbak
door de kamer. Gooi de telefoon tegen de muur. Pak het briefje en
lees het.

Tien, twintig keer opnieuw. Het is echt. Echt gebeurd. Ze is weg. Het is een voldongen feit. Ik duw mijn verkleumde vingers op mijn gezwollen ogen, masseer mijn hoofd dwingend met de muizen van mijn handen om mijn gedachten te ordenen. Het zou beter gaan als ik even kon slapen, maar zodra ik mijn ogen sluit, komt de angst, zo hevig dat ik bijna geen adem meer kan halen. Ik heb koffie nodig en een koude douche.

In de keuken neem ik een wodka met ijs in plaats van koffie. Ik moet rustiger worden. Ik draai het glas tussen mijn handen, druk het tegen mijn borst. De waarheid is niet weg te drinken, de waarheid dringt zich aan me op, zoemt als een lastige vlieg rond mijn hoofd. Eva gaat niet zomaar weg. Besluit niet van het ene op het andere moment dat ze niet meer van me houdt. Eva heeft me altijd nodig gehad. Ze is geen vrouw die zomaar alleen gaat wonen. Ze gaat pas weg als ze zeker is van haar zaak. Als een ander mijn zorg overneemt. Als er iemand voor haar klaarstaat. Dit is bekokstoofd. Onderdeel van hun plan. Wat dat ook moge zijn. Ik neem nog een slok, de wodka brandt in mijn tandvlees. Tranen schieten in mijn ogen. Nog een slok, en nog een, het glas leeg. Schenk bij en sla het glas achterover. Het helpt. De paniek ebt weg. Het is duidelijk wat ik moet doen. Haar vinden, hoe dan ook, waar dan ook. Haar vinden en terughalen. Bij mij, ze hoort bij mij. We gaan weg hier, maar wel samen. We moeten samen zijn. Ik kan me nauwelijks herinneren hoe het was zonder haar. Ik ben pas begonnen met leven vanaf het moment dat ik haar zag. Dat ga ik haar vertellen. En we gaan opnieuw beginnen. Van voren af aan. Ik sta op, de keuken draait en kantelt. Ik vang mezelf op, mijn hand tegen de koude muur. Slapen zou fijn zijn. En dat ga ik doen, als Eva weer terug is. Tegen haar aan, mijn handen om haar buik.

Het pistool zit in de binnenzak van mijn jas en hangt zwaar tegen mijn dijbeen. Een 'Kroatische blaffer', zei de junk die het me verkocht voor driehonderd euro.

'*For protection*,' zei ik, waarna hij minachtend glimlachte en de euro's haastig in zijn broekzak propte. En ik voel me beschermd, voor de deur van de vijand. Ik bel, hoor gestommel, de deur zwaait open en Rebecca staat voor mijn neus, in een spierwit joggingpak dit keer. Een streepje bruine, strakke buik is tussen broek en vestje te zien. Ze vraagt waarom ik niet achterom kom. En of ik het koud heb. Of er iets aan de hand is. Ik antwoord dat zij dat misschien wel weet. Ik loop achter haar aan naar binnen. Steef ligt op de bank. Ik ruik wiet. Kleine Sem zit in zijn kinderstoel in de keuken, zijn gezicht onder de rode saus. Met zijn handje brengt hij spaghetti naar zijn mond.

'Hij wil alles zelf doen,' grinnikt Rebecca. 'Nou ja, dat is een goede eigenschap, vind je niet?'

'Waar is Eva?' vraag ik. Ik blijf staan. Ik heb haast. Hoe eerder ik haar vind, hoe beter.

'Weet ik veel… Niet hier.'

Rebecca lijkt nerveus. Ze weet waar Eva is. Ik zou de blaffer tegen haar hoofd kunnen zetten.

'Hoezo?' vraagt Steef, die moeizaam van de bank afkomt. Ik draai me om en kijk hem aan. Voor het eerst zie ik dat hij ouder is. Zijn gezicht is grauw, onder zijn ogen zitten donkere wallen.

'Eva is weg. Ze heeft alleen een briefje achtergelaten. Ze heeft me verlaten. Zomaar.' Ik wijs naar Rebecca. Mijn stem slaat over. 'En jij gaat me nu niet vertellen dat je hier niks van wist. Je weet het, en je weet ook waar ze is!'

Ik weet niet waar die stem vandaan komt. Ik zie dat ze schrikt en dat Steef zijn borstkas opblaast. Maar het interesseert me niet. Ik laat me door hen niet meer voor de gek houden.

'Ik weet het niet, Peter. Echt, ik zweer het je. Dit is voor mij net zo'n verrassing als voor jou.'

Steef legt zijn hand op mijn schouder. Drukt me in de stoel.

'Laten we even rustig blijven. Bec, als Eva je iets heeft verteld, dan moet je dat nu gewoon tegen Peter zeggen. Ik breng Sem naar bed. Geef die kerel een biertje.'

Hij tilt zijn zoon, die hartstochtelijk begint te protesteren, uit de kinderstoel. Rebecca haalt bier. Mijn hoofd bonkt. Alsof mijn keel wordt dichtgeknepen.

'Hier.' Rebecca drukt me een koud flesje bier in de hand.

'Niet zo boos zijn, hoor. Ik krijg de kriebels van je.'

Ik pak haar pols, die zo dun is dat ik hem zonder veel moeite zou kunnen breken. Ik druk mijn vingers tussen haar pezen en knijp. Ze kermt mijn naam en vraagt of ik haar los wil laten. Ik knijp harder.

'Jullie zitten altijd met elkaar te konkelen. Jij weet precies waar ze mee bezig is. Dus je gaat het me nu vertellen. Waar is ze en waarom is ze vertrokken?'

Ik laat haar los. Ze wrijft over haar pols en bijt op haar lip. Nog steeds kijkt ze me niet aan. 'Ik weet het echt niet,' stamelt ze. 'Maar je bent gek als je niet weet waarom ze weg is. Je kunt toch op zijn minst toegeven dat het al jaren slecht gaat tussen jullie...'

Jaren. Het ging al jaren slecht. Dat krijg ik te horen van iemand die mijn vrouw nog maar een half jaar kent.

'Het ging niet slecht! We hadden problemen, ja, maar daar werkten we aan.'

Ik sla met mijn vuist op tafel. Het bord met spaghetti klettert op de grond. Rebecca springt op. 'Verdomme! Alles heb ik voor haar gedaan! Alles! Maar nee hoor, zij wilde het enige dat ik haar niet kon geven. Maar als je van elkaar houdt, dan kom je daar toch samen uit! Dat zei ze. En we zouden gaan adopteren! Bovendien, zij was altijd tegen scheiden. Haar ouders zijn gescheiden en dat vond ze vreselijk. Dus waarom? Waarom is ze weg?!'

Rebecca staat tegen het aanrecht, haar hoofd gebogen. Ze neemt snelle trekjes van haar sigaret. Als Steef binnenkomt, kijkt ze op en werpt hem een smekende blik toe.

'Hij is gek geworden!' sist ze tegen hem. Steef pakt zijn biertje en kijkt me aan.

'Logisch,' zegt hij, 'als je vrouw 'm op zo'n manier peert... Als je Eva nu eens opbelt en vraagt wat haar mankeert.'

'Ik heb haar al gebeld. Ze neemt niet op.'

Eva

31

Hierover heb ik vaak gefantaseerd. Gewoon wegrijden. Richting het zuiden. Zonder plan, zonder afscheid. Nooit gedacht dat ik het ooit nog eens werkelijk zou doen. Maar nu durf ik alles. Ik heb niets meer te verliezen. Behalve de baby. Niemand neemt haar van me af. Ik weet niet waarom ik zo zeker weet dat het een meisje is. Misschien omdat ik eerder een meisje kreeg. Een dood meisje. En nu krijg ik een nieuwe kans. Het zou waarschijnlijk beter zijn als het een jongen wordt, als de baby me niet zal herinneren aan Lieve, maar diep in mijn hart hoop ik op een tweede Lieve. Een herkansing. Ditmaal alleen. Heb ik haar helemaal voor mezelf.

Het is vreemd hoe kalm ik ben. Jarenlang heb ik me druk gemaakt om alles. Altijd gestrest, nerveus, bang. Bang om Peter te kwetsen, bang om mijn familie teleur te stellen, bang dat ik alleen zou komen te staan. En nu ik dit allemaal gedaan heb, nu mijn leven in feite in puin ligt en ik op de vlucht ben voor zo ongeveer alles en iedereen, nu ik werkelijk alleen sta, voel ik alleen maar opluchting.

Het verkeer sijpelt traag langs Utrecht, richting Den Bosch, het wordt al schemerig en ik ben doodmoe en hongerig. Ik zal iets moeten verzinnen voor de nacht. Op mijn schoot ontvouw ik de kaart en besluit over Eindhoven naar Maastricht te rijden. Zit het mee, dan overnacht ik net over de Belgische grens; blijft het verkeer zo druk, dan zoek ik rond Eindhoven een hotel. Ik kan 's nachts doorrijden, maar ik ben niet alleen. Ik draag mijn kind en heb rust nodig, en gezond eten. Ik vouw de kaart weer dicht, neem een slok water en kijk op mijn telefoon, waarvan ik het geluid uit heb gezet. Ik heb tien oproepen gemist. Ik weet van wie. Op dat moment begint hij te trillen. Het is niet Peter, het is mijn zus. Of Peter met de mobiel van mijn zus. Ik druk haar weg, maar onmiddellijk daarna begint hij weer te trillen. Even overweeg ik mijn raampje open te draaien en mijn telefoon in de berm te gooien. Totale bevrijding. Maar dan begint er toch iets van schuldgevoel te knagen. Ik kan ze toch op zijn minst laten weten dat het goed met me gaat. Met bonkend hart neem ik op en zeg niets.

'Eva?'

Haar stem klinkt boos.

'Hé, Sanne...'

'Waar ben je in godsnaam? Wat is dit nu weer voor een pathetische actie! Peter belde me net, hij is vreselijk overstuur. Je moet hem bellen, Eef, dit slaat helemaal nergens op!'

Haar stem klinkt zo hard dat ik mijn mobiel een stukje van mijn oor afhoud.

'Sanne, kun je alsjeblieft even rustig doen?' vraag ik.

Ik hoor haar zuchten. 'Oké... Ik ben rustig. Leg het me even uit, wil je.'

'Ik wil niet dat je je zorgen maakt. Ik heb ze allemaal nog op een rijtje, maar ik moest weg. Ik wil gewoon even een tijdje alleen zijn.'

'Jezus, Eef... Is het nou werkelijk nodig, dit soort dramatisch gedoe?'

'Het is geen dramatisch gedoe. Ik meen het. Ik kies nu eindelijk eens voor mezelf.'

'Heb je een ander?'

'Nee, natuurlijk niet.'

'Peter denkt van wel.'

'Je kunt hem met je hand op het hart zweren dat er geen ander is.'

'Doe dat lekker zelf! Weet je wel wat je die man aandoet? Hij huilde als een klein kind aan de telefoon. Ik vind het echt niet kunnen wat je doet.'

'Op een dag zal ik het je allemaal uitleggen. Maar er is geen ander, ik ben niet gek geworden, ik wil alleen maar ruimte voor mezelf.'

'Waarom kom je niet gewoon bij ons? Dan praten we erover. Zorg ik lekker voor je. Wie weet komen jullie eruit, met een beetje afstand...'

Bij ons. In het warme nest van mijn zus, met haar perfecte man en drie schatten van kindertjes. Dan zal zij me weleens eventjes vertellen hoe ik het allemaal aan moet pakken. Hoe ik hoor te leven. Nee, bedankt.

'Laat me maar gewoon even met rust. Tussen mij en Peter is het over. Niet kapot, maar over. Over! En ik wil lucht... Ruimte om na te denken. Als ik blijf, als ik met hem aan tafel ga zitten, als ik zijn verdriet zie... Dat trek ik nu even niet.'

Weer die zucht. Alsof mijn probleem vooral voor haar lastig is.

'Oké. Ik kan je niet van gedachten doen veranderen blijkbaar. Maar laat ons in ieder geval weten waar je bent, alsjeblieft.'

'Op dit moment sta ik in de file tussen Utrecht en Den Bosch.'

'Waar ga je dan naartoe?'

'Dat weet ik nog niet. Naar het zuiden, in ieder geval.'

'Ik vind dat je heel raar doet.'

'Ik zal je wel laten weten waar ik zit. Als jij me belooft dat je het voor je houdt. Ik meen het.'

'Gut Eef, natuurlijk.'

Het is half acht als ik de rondweg bij Eindhoven oprijd. Ik heb hoofdpijn van de honger en mijn armen tintelen. Ik moet hier ergens een hotel gaan zoeken. Ik herinner me van vroeger een kampeervakantie in Valkenswaard en neem de afslag naar de N69, de vlakke velden in. De zon gloeit nog wat rood na tussen de bomen en een kinderlijk vakantiegevoel overvalt me. Ik ben niet bang, niet verdrietig, ik lijk wel high. Krijg de neiging te gaan zingen. Ik ben in jaren niet zo blij geweest en ik weet niet of dat komt doordat er een wonder is gebeurd in mijn dorre schoot of vanwege het feit dat ik het eindelijk heb aangedurfd te vertrekken.

In mijn herinnering is Valkenswaard een pittoreske plaats, met een groot dorpsplein vol terrassen, een statige kerk en veel ijscokraampjes. In werkelijkheid is het een rij cafés en snackbars langs een geasfalteerde straat, is het plein een grote parkeerplaats en ruikt het er naar uitlaatgassen en frituurvet. In café De Rooie Sok drink ik een cola aan de bar, tussen de plaatselijke alcoholisten. De barkeeper wijst me op hotel De Valk, een groot, pijnlijk wit gebouw aan de overkant. 'Schoon, niet duur, en lekker dicht bij het nachtleven,' zegt hij met een slome Brabantse tongval.

'Ik kom hier niet voor het nachtleven,' antwoord ik vriendelijk glimlachend en hij grinnikt dat ik dan beter efkes door kan rijden. Hier is verder niet veel. Een vrouw met een kroezend permanentje en een rood, vlekkerig gezicht roept met een schorre stem of de Stayokay niets is.

'De jeugdherberg? Lijkt me niet echt wat voor mevrouw.'

De kromgebogen ruggen van de stamgasten schudden van het lachen. De vrouw met het kroeshaar schuift dichterbij.

'Je kunt ook nog naar Van der Valk, of Sporthuis Centrum, hier verderop. Daar is doordeweeks plek zat.'

'Dat heet al eeuwen geen Sporthuis Centrum meer, Corry,' zegt de barkeeper en hij zet een bakje pinda's voor mijn neus.

'Nou ja, hoe het ook heet. Het is wel mooi daar. Lekker rustig en alles bij de hand. Mijn dochter zit er altijd als ze met de kinderen komt. Heel mooie huisjes, alles erop en eraan en doordeweeks kun je nog wel een mooie prijs maken.' Corry heft haar lege glas en vraagt of ik ook nog wat wil drinken. Ik bedank vriendelijk.

'En waar kan ik dat Sporthuis Centrum vinden?' vraag ik.

'Het heet nu Center Parcs en het is bij de Kempervennen. Dadelijk linksaf slaan, naar Westerhoven-Eersel, een paar kilometer en dan in Westerhoven, staat een bord. In het centrum rechtsaf, geloof ik.'

'Het is wel duur, vind ik. De Valk hier, is goedkoper,' zegt de barkeeper. Ik zeg dat me dat niets uitmaakt. Het lijkt me heerlijk, een huisje voor mezelf.

Het is donker en het enige licht dat hier schijnt is dat van mijn koplampen, op de smalle, rechte weg door het bos. Bij het bord sla ik linksaf, blij dat ik eindelijk licht zie. Ik rijd door, over het parkeerterrein vol auto's, tot aan de helverlichte receptie, stap uit en treed de vrolijke, vriendelijke wereld van de Kempervennen binnen. Ik ben vanavond de enige nieuwe gast, en de montere Brabantse receptioniste vraagt me naar mijn reserveringsnummer. Ik zeg dat ik niet heb gereserveerd, maar onderweg ben, en doodmoe, en dat ik hoop dat ze een huisje voor me hebben.

'We verhuren niet voor één nacht,' zegt ze gedecideerd, 'maar als u gewoon voor een midweek betaalt, bent u natuurlijk vrij om morgenochtend weer te vertrekken. Ik ga voor u kijken.'

Ze draait zich om en loopt naar haar collega, die op haar aanwijzingen druk op het toetsenbord begint te tikken. Ik kruis mijn vingers. Het moet lukken. Ik ben doodmoe en hongerig en in gedachten lig ik al voor de buis in mijn huisje, eindelijk echt alleen.

De receptioniste komt terug met een stapeltje papieren in haar hand. 'U heeft geluk,' zegt ze. Wij hebben een annulering van een vipcottage voor vier personen. Deze kunt u huren voor de midweekprijs min vijfentwintig procent omdat u pas 's avonds bent gearriveerd, maar u krijgt wel alle vipservices erbij. Ontbijtservice, keukenpakket, handdoekenpakket, Nivea-verzorgingspakket en voor twintig euro per dag extra de cottage-maaltijdservice. Dat houdt in dat u vanavond nog een maaltijd aan huis bezorgd krijgt. En morgenochtend verse broodjes én de krant aan de deur. We kunnen ook zorgen voor een boodschappenpakket bestaande uit de producten die u nodig heeft zoals koffie, thee, suiker, zout, boter, jam en een flesje rode of witte wijn. Dit alles voor driehonderd euro min vijfentwintig procent is tweehonderdvijfentwintig euro. Da's exclusief boodschappenpakket en maaltijdservice. Daarvoor komt er nog vijftig euro bij.'

Al die informatie doet me duizelen. 'Oké,' zeg ik, 'doe maar. Met alles erop en eraan.'

De receptioniste glimlacht plichtmatig en vouwt een kaart open. Ze buigt zich eroverheen en zet driftig een kruis op de plek waar mijn huisje staat.

'U zit hier, in Eekhoorn 1553. Dat is hier langs de slagboom, meteen rechts, zo'n driehonderd meter rechtdoor, dan links het doodlopende straatje in, aan het einde de rechtercottage. Ik moet er wel bij zeggen dat we *business breaks* hebben deze week. Het park zal wat stil overkomen, maar de meeste huisjes zijn bezet met zakenmensen, die de hele dag aan het vergaderen zijn, of workshops volgen.'

'Ik vind het wel,' mompel ik en haal mijn pas door het pinapparaat.

'U mag uw spullen met de auto wegbrengen. Daarna moet u de auto weer hier parkeren.'

Het huisje, dat donker en verlaten tussen de naaldbomen ligt, heeft helemaal niets cottage-achtigs. Ik open de deur van de bungalow, opgebouwd uit grijze betonblokken, doe het licht aan en snuif de regenjassenlucht op die zo kenmerkend is voor vakantiehuisjes in het bos. Mijn huisje. Waarom zou ik eigenlijk morgen weer weggaan? Ik kan hier prima een paar dagen blijven om verder uit te zoeken waar ik naartoe wil.

Ik zet de kachel aan, open alle kastjes, doe de deur open voor de jongen die me de maaltijd en het boodschappenpakket komt brengen, zet alles in de koelkast en blijf rondlopen van kamer naar badkamer naar de piepkleine sauna, die ik niet mag gebruiken omdat ik zwanger ben. Rusteloos probeer ik de opdoemende gedachten te onderdrukken, dat ik iets belachelijks aan het doen ben, dat het nooit zal lukken, dat ik nu eenmaal niet goed ben in alleen zijn, dat ik mijn kind een vader onthoud, dat ik ook nog een miskraam kan krijgen. Ik mag het niet toelaten, ik mag niet twijfelen. Er is ook geen weg meer terug. Niet naar Peter, niet naar Steef. Niet zonder mijn doel op te geven.

Ik ben vijftien keer gebeld. Elf keer door Peter, drie keer door Rebecca, een keer door mijn zus. Ik zit op de skaileren bank, mobiel in de hand, een dampende kop thee voor mijn neus, koude schotel onaangeroerd op de salontafel. De geur van muffige zilveruitjes heeft me mijn eetlust ontnomen. Ik herinner me de keer dat ik als kind van huis was weggelopen. Ik had een hut gebouwd onder de rododendron in onze tuin en keek van daaruit naar de keuken. Ik zat daar maar, in de kou, mokkend onder een stoffige deken en voelde me een buitenstaander. Alleen, in mijn eigen wereld. Ik zag hoe mijn moeder een zak diepvriesfrites in de frituurpan gooide en ik werd overspoeld door zelfmedelijden. Huilend wierp ik de deken van me af en stormde naar binnen, het warme veilige nest weer in en mijn moeder nam me begripvol in haar armen. Ik zou er heel wat voor overhebben om me nu snikkend in de armen van een grote beschermer te storten.

Ik bel mijn zus terug zoals beloofd en vertel haar dat ik veilig en wel aangekomen ben op park De Kempervennen. Ze zegt dat ze het park kent. Vorig jaar nog is ze hier een lang weekend geweest met het hele gezin. Als ze weer begint te preken, snoer ik haar de mond. Laat me nou maar. Ik weet wat ik doe. Zorg goed voor Peter. Als je niet ophoudt gooi ik mijn simkaart weg.

Daarna toets ik het nummer van Rebecca in. De telefoon gaat slechts één keer over, en dan hoor ik haar stem.

'Mens, waar zit je?'

Het is fijn om haar te horen, al klinkt ze boos.

'Op de bank voor de open haard, maak je geen zorgen, het gaat goed met me.'

'Ik had nooit gedacht dat je het echt zou doen…'

'Ik moest wel.'

'Ik weet het niet, hoor. Peter was hier eind van de middag, hij is helemaal de weg kwijt…'

Het lijkt wel alsof ze hijgt.

'Ik weet het. Ik snap dat het moeilijk voor hem is…'

Ze onderbreekt me.

'Waar ben je? Zeg me waar je zit, dan kom ik naar je toe.'

Ze klinkt alsof ze in de kast staat te bellen. Afgeknepen, angstig. Als ze zegt dat ze wil komen, juicht mijn hart. Heel even.

'Is dat wel zo'n goed idee? En Steef dan? Ik wil absoluut niet dat hij weet waar ik ben.'

'Hij is er niet. Ik kom met Sem. Ik kom… Ik kom je helpen.'

'Steef wordt woedend…'

'Steef bekijkt het maar.'

Er is iets gebeurd. Iets waardoor ze verschrikkelijk boos op hem is geworden. Maar als zij komt, zullen er twee mannen naar ons op zoek gaan.

'Vanochtend zei je nog dat je Sem niet zomaar bij hem weg kon halen…'

'Maar ik blijf ook niet weg. Ik wil met je praten… Misschien kan ik nog wat voor je doen… Ik wil niet dat je op deze manier uit mijn leven verdwijnt.'

'Weet je zeker dat je weg kunt zonder problemen met hem te krijgen?'

'Ja. Hij is… Hij is een paar dagen weg.'

Ik krijg kippenvel op mijn armen. Ze hebben hem toch opgepakt. Daarom klinkt ze zo vreemd.

'Ik zit in Center Parcs. De Kempervennen. In Brabant. Bel me maar onderweg, dan loods ik je hier wel naartoe.'

'Hoeft niet, liefie, ik vind het wel. Tot straks. Dag.'

Peter

32

Eerst haal ik het hele huis overhoop. Alles keer ik binnenstebuiten. Ergens moet een aanwijzing zijn. Een naam, een adres, iets. 'Eva, waar ben je? Eva, waar ben je?' Ik fluister het voor me uit als een mantra, terwijl ik de keukenladen ondersteboven houd, de oud-papierbak leegschud, alle zakken van al haar jassen, vestjes, colbertjes, spijkerjasjes fouilleer, de tassen doorspit, haar administratie, het kastje met de laatjes en de halflege laden waarin eerst haar ondergoed en sokken lagen. Ik kruip onder het bed, gooi het matras eraf, haal de foto's uit de lijstjes, ga naar zolder, graaf in de verhuisdozen die we nog steeds niet hebben uitgepakt, ergens heeft ze iets voor me verstopt dat me leidt naar haar verblijfplaats. Vertrekken doet ze niet zomaar. Eva is van de zorgvuldige planning. Ik ga door haar spullen met de telefoon in mijn hand. Ik bel Hetty, die klinkt alsof ik haar wakker heb gemaakt. Ze zegt dat ik rustig moet blijven. Eva de tijd moet geven. Dat ik me niet zo op haar moet richten maar op mezelf. Ik moet me losmaken. Losmaken van de angst, losmaken van haar. Een kopje thee zetten en tegen mezelf zeggen dat ik niet ten onder ga zonder haar. Lekker gaan slapen. Doorgaan met leven. Wachten tot Eva tot zichzelf is gekomen en dan samen aan het werk. Vooral geen paniek. Het hoort allemaal bij Eva's rouwproces. Geef haar de ruimte.

Ja, Hetty zal contact met me opnemen zodra ze iets van haar hoort. Maar ze zal geen boodschapper zijn, en mij ook niet op de hoogte stellen van haar verblijfplaats. Ze is geen spion. Eva is een volwassen vrouw.

En een kutwijf. Een trut die me heeft bedrogen en me nu in de steek laat. Na alles wat ik voor haar heb gedaan. Ondanks alles wat we elkaar beloofden. Zij en Steef en Rebecca. Ze hebben me om de tuin geleid. Me als een kind gemanipuleerd.

Zomaar weggaan. Zonder me een kans te geven, zonder me aan te horen. Ik hoor ze lachen met elkaar. Zie hoe Eva haar hoofd in haar nek gooit, schaterend. Ze slaan zich op de dijen van het lachen.

De vuilnisbakken, die heb ik nog niet gehad. Ik ren de trap af. Ik ben zo moe dat ik wankel en door mijn enkel ga. Maar ik verbijt de pijn. Ik ga door, naar de keuken, waar ik de vuilnisbak leegkieper, en graai tussen de ui- en aardappelschillen naar papiertjes, bonnetjes, kaartjes, doosjes. Niets.

Ik bel de directeur van de school. Ja, Eva was vandaag gewoon op school. Nee, er is hem niets opgevallen. Er was een vriendin van haar langsgekomen met haar zoontje, om de school te bekijken, dat wel.

Nog een wodka. Die vriendin moet Rebecca zijn. Ze staan op het punt te verdwijnen. Met z'n drieën. Steef moet weg voordat hij de bak in gaat. Eva is toegetreden tot zijn harem. Rebecca vindt alles best. Als ik hen hiermee confronteer, dan ga ik eraan. Ik moet dus slim zijn. Ze voor zijn. De politie waarschuwen.

Ene Remco vraagt me naar het bureau te komen. Ik zeg dat ik daar geen tijd voor heb. Terwijl wij zitten te praten, zijn zij gevlogen. Of ik daar bewijs voor heb. Ik vertel alles. Hij barst nog net niet in lachen uit. Helaas, hij kan er niets mee. Ik vraag hem of hij Steef kent. Hij antwoordt dat hij zich niet uitlaat over collega's. Maar het lijkt hem sterk dat een collega-agent het land op deze manier zal ontvluchten.

Ik laat me op de bank vallen. Ik wil haar zien en vragen waarom ze me op deze manier verlaat. Of ik nog iets voor haar beteken. Hoe moet ik dat doen, me 'op mezelf richten'? Ik ben mijn hele leven op haar gericht geweest. Ze geeft mij richting. Zonder haar ben ik net zo lief dood.

De muziek is terug.

Can't live
if living is without you

Harry Nilsson, 1971. Geschreven door Pete Ham en Tom Evans. Later gecoverd door Air Supply en Mariah Blery. Zo noemden Eva en ik haar. Dat deden we graag, artiesten een grappige naam geven. Tina Turnoff. Rob de Krijs.

Er is geen banger hart
dan dat van mij

De dood is een optie. De loop van het pistool tegen mijn slaap zetten. Eindelijk eeuwig slapen. Onwetend blijven. Mijn hersenen opblazen. Ze zal me vinden, mijn kop opengereten, mijn hersenen in brokjes tegen de kiezelwitte muren. Iedereen zal haar erop aankijken.

Of ik bewijs haar er een enorme dienst mee. Geen nare scheiding, de buit hoeft niet verdeeld, ze hoeft me nooit meer in de ogen te kijken. Iedereen zal haar steunen in haar verdriet. Ze zullen blij zijn als ze een nieuwe man vindt die haar wel gelukkig maakt.

Wie zal treuren om mijn dood? Niemand.

Ik kijk door het grote raam naar de overkant. Bij Steef en Rebecca is alles donker. Ik loop naar de gang en pak het pistool uit mijn jaszak. Ga weer op de bank zitten. Het zware ding in mijn hand. Er zitten kogels in. Dat heeft de junk voor me gedaan. De koude loop op mijn rechterslaap. Mijn hand trilt. Ik heb niet eens de kracht om mezelf van kant te maken. Ik zal mijn doel missen. Alleen mijn oog eruit, of mijn oor eraf.

De telefoon gaat. Ik schrik zo erg dat ik het pistool laat vallen. Het is Eva. Ik weet het zeker. Ze huilt. Ze heeft spijt. Of ik haar op kom halen.

De vrouw klinkt als Eva.

Ze zegt mijn naam.

Vraagt of het een beetje gaat.

Het is Sanne.

'Nee,' zeg ik zacht. Ik vraag haar of ze Eva nog te pakken heeft gekregen.

'Ja,' antwoordt ze aarzelend.

'En?' vraag ik. 'Wat zei ze? Hoe was ze?'

'Ze was niet overstuur of zo, eerder een beetje bits. Ze zegt dat het over is tussen jullie. Dat ze ruimte nodig heeft.'

'Over? Hoezo over? En bepaalt zij dat, in haar eentje?'

'Dat moet je maar met haar bespreken.'

'Dat gaat een beetje moeilijk nu.'

'Daarom doe ik nu ook iets wat ze me nooit zal vergeven. Maar Edward vindt dat ik het moet doen en ik heb er goed over nagedacht en het lijkt mij ook het beste. Eva zit in Brabant. In Center Parcs. De Kempervennen om precies te zijn. Als je wilt, ga ik met je mee.'

Ik spring op. Ik heb geen tijd te verliezen.

'Nee, het lijkt me beter als ik alleen ga…'

'Jullie moeten praten met elkaar. Zeg Eva dat het me spijt, maar dat ik het alleen maar voor jullie bestwil…'

'Maak je geen zorgen,' zeg ik. 'Ik ga erheen, we gaan rustig praten. Dank je, Sanne, ze zal niet boos op je zijn. Ik zorg ervoor dat ze niet boos op je is.'

'En Peter, maak het niet erger dan het is. Ga geen ruzie maken. Zorg er alsjeblieft voor dat ik geen spijt heb van mijn verraad…'

'Je bent een schat. Ik ben je eeuwig dankbaar. Je hoort van me.'

Ik ren door de kamer, schiet in mijn jas, gris mijn sleutels van de tafel, mijn vermoeidheid is op slag verdwenen. Ik ga haar halen. Het zal goed komen. Ik ben niet meer boos, ik zie nieuwe kansen. Deze crisis kan ook een nieuw begin zijn. Als ik rustig blijf, eerlijk tegen haar ben, praat zoals Hetty praat. Zacht. Begripvol.

Als ik de deur achter me dichtsla, bedenk ik dat het pistool nog op de bank ligt. De gedachte aan wat er gebeurd zou zijn als Sanne vijf minuten later had gebeld, laat ik niet toe. Ik moet van dat ding af. Het hoort niet bij mij. Wat bezielde me in hemelsnaam toen ik het kocht? Als we terugkomen, mag het daar niet meer liggen. Ik zie het al voor me, Eva en ik komen terug, lachend, verliefd en dan ziet ze dat wapen liggen.

Ik ga weer naar binnen en stop het in mijn zak. Ergens onderweg zal ik stoppen en het pistool met een ferme zwaai van me afgooien.

Eva

33

Wanneer was ik voor het laatst helemaal alleen? De weken dat Peter voor zijn werk naar het EK in Portugal moest. Maar toen was ik niet echt alleen. Ik was zwanger, net als nu, en mijn moeder, zus en schoonzus lieten me niet met rust. De hele familie was zo blij voor me dat ze de deur plat liepen met gezonde maaltijden, vitaminerijke sapjes en tassen vol rompertjes en speelpakjes. Ik weet nog dat Peter zei: nu jij zwanger bent, gaat Nederland het EK winnen, en wat ik voelde toen ze uitgeschakeld werden. Drie weken later verloor ik Lieve.

Echt alleen zoals ik nu ben, ben ik mijn hele leven nog niet geweest. Ik woonde nog thuis toen ik met Peter ging samenwonen. Mijn vader vond het geen goed idee. Hij vond me te jong, ik moest eerst nog wat van de wereld zien, andere mannen ontmoeten. Hoe kon ik op mijn zeventiende al zo zeker zijn dat Peter de ware was? Maar ik was er zeker van. Ik zei volmondig ja. Ik blijf je trouw tot de dood ons scheidt. Dat vond ik een prachtige belofte en ik haatte mijn vader omdat hij die belofte aan mijn moeder had gebroken. Ik wilde een gezin, en ik had het geluk dat ik een man had gevonden die daar net zo naar verlangde.

Wat is er veranderd in mij? Waarom is de liefde die ik voor Peter voelde omgeslagen in totale onverschilligheid? Ik heb geprobeerd mijn gevoel voor hem terug te halen, ik heb er alles aan gedaan, maar het is weg en het komt nooit meer terug. Uiteindelijk bleef ik om niet alleen te hoeven zijn en nu zit ik hier. In een huisje met een plastic bank, op weg naar nergens, maar alles beter dan daar bij hem te zitten, zonder tekst, zonder liefde, met het kind van een ander in mijn buik. Ik vraag me af of ik was vertrokken als ik niet zwanger was geweest. Of ik dan ook het lef had gehad. Waarschijnlijk niet. Ik kies voor het kind, niet voor mezelf. Had ik echt voor mezelf gekozen, dan was ik nooit in deze situatie verzeild geraakt, nooit in De Zonnepolder gaan wonen, had ik Peter al veel eerder verlaten.

Ik moet kokhalzen als ik naar de koude schotel kijk. Het is een fijn soort misselijkheid. Een continu bewijs van mijn zwangerschap, mijn vrouwelijkheid. Ik kan op natuurlijke wijze zwanger worden, ik heb het geloof in mezelf terug. Dat is al reden genoeg om blij en gelukkig te zijn. Ik loop naar de badkamer, draai de kraan open en knijp het hele flesje badolie uit het Nivea-pakket erin leeg. Daarna neem ik mijn foliumzuurpil met een groot glas water en kleed me voor de spiegel uit. Er is nog niets te zien aan mijn lichaam, behalve misschien dat mijn borsten iets voller zijn. Ik bekijk mezelf en profile, zet mijn buik uit en streel het stukje huid onder mijn navel. Daaronder zit het kindje, nog niet veel groter dan een koffieboon. Het kan nog misgaan. Een op de tien embryo's wordt in de eerste drie maanden afgedreven. Nog tweeënhalve maand te gaan. Wat als ik een miskraam krijg, ergens in Frankrijk of Spanje, als dit hele avontuur alsnog voor niks blijkt te zijn geweest? Dan ga ik niet terug. Ik zal verliefd worden, echt verliefd en daar een nieuw leven opbouwen, met een gezin.

Maar het gaat niet mis, niet bij mij, ik heb mijn portie pech wel gehad. Vanaf nu wordt alles beter. Ik zal op zoek gaan naar een vader voor dit kind, dat is wel het minste wat ik voor haar kan doen. Het is een meisje, ik weet het zeker, ik ben een moeder van meisjes.

Als ik in het warme bad lig, met mijn hoofd op de handdoek en mijn ogen dicht, mijn ledematen zwevend in het vette water, doemt Steef op in mijn gedachten. Zijn gezicht boven mij, de lieve blik die hij me toewierp toen hij klaarkwam, en vrijwel onmiddellijk daarna zijn woede. Zijn kille zakelijkheid de volgende dag. Ik wil niet aan hem denken, maar op de een of andere manier doe ik dat toch steeds als ik me probeer te ontspannen. Steeds opnieuw beleef ik die kus, als ik mijn ogen sluit zie ik zijn mond, de gekrulde onderlip, de happende beweging, onze tongen langs elkaar, de elektrische schokjes in mijn buik. Hij is een levensgevaarlijke gek. Ik moet hem uit mijn hoofd en mijn hart bannen. De seks die we hadden vergeten. We gebruikten elkaar, we bewezen elkaar een dienst, maar met liefde had het niets te maken. In biologische zin is hij de vader van mijn kind, niet meer dan dat. Hij zal nooit de echte vader zijn. Ik moet stoppen met over hem te fantaseren, met naar hem te verlangen. Er zijn meer mannen die me dat kunnen geven en ik ben vrij om naar hen op zoek te gaan. Het was niet Steef die mij het orgasme gaf, het was de situatie. Het betekent niets. Steef is het soort man aan wie je kapot gaat. Kijk maar naar Rebecca. Slaafs als een hond.

Ik zak onderuit, houd mijn adem in en glijd onder water, alsof dat helpt mijn hoofd leeg te maken. Probeer me voor te stellen hoe het is, te leven in een zak warm water, met als enige geluid het bonzen en ruisen van een hart. Het moet zalig zijn. Steeds opnieuw dompel ik mezelf onder. Als het water afkoelt, draai ik de hete kraan weer open en zo lig ik voor mijn gevoel uren te dobberen en te denken. Mijn vingers en voeten zijn inmiddels gerimpeld. Ik moet er allang uit gaan, maar ik zie op tegen de kou buiten het bad. Liefst zou ik hier slapen, in het veilige warme water, zoals mijn kind nu doet in mijn buik.

Nog een keer duik ik onder en als ik weer boven kom, hoor ik getik. Waarschijnlijk het tikken van de takken op de schuifpui. Maar het waait niet. Ik spits mijn horen. Opnieuw getik. Het tikken gaat door en klinkt steeds driftiger. Dan ineens de bel. Versteend blijf ik liggen, sla mijn handen voor mijn borsten en mijn kruis, alsof ik begluurd word. Misschien is het de bezorger met weer een of ander pakket.

Ik ga er niet uit.

'Rot op,' sis ik.

Degene die voor de deur staat, houdt de bel ingedrukt. Iemand roept mijn naam.

Een vrouw.

Rebecca. Natuurlijk.

Met een handdoek om mijn natte lijf loop ik het halletje in. Ik kijk door de ruit en zie Rebecca staan, weggekropen in een grijze jas, Sem stevig tegen zich aan gedrukt. Ze zwaait slapjes. Ik haal de schuif van de deur en doe hem open. Ze kijkt me nauwelijks aan. Ze ziet er verschrikkelijk uit.

'Sorry,' stamelt ze. Haar gezicht is rood gevlekt, dat van Sem ook. Mijn blijdschap over hun komst is weg. Rebecca heeft problemen meegenomen die ik er helemaal niet bij kan hebben. Ze schuifelt naar binnen, ik kus haar op haar koude wangen. Ze snift. 'Ik kon niet anders,' stamelt ze en dan wordt het me duidelijk, te laat, ik heb me in zijn doortrapte val laten lokken. Hij duikt op vanuit het donker, grijpt de deur voordat ik hem dicht kan duwen, zijn mond is vertrokken tot een harde streep en ik deins achteruit. Rebecca begint met lange halen te snikken. Ze mompelt dat het haar zo spijt, dat Steef haar heeft gedwongen alles te vertellen. Ik had het kunnen weten.

'Jij moet je kapot schamen,' buldert hij. Ik wend mijn ogen van hem af, zijn harde woeste blik is onverdraaglijk. Mijn maag draait zich om van angst.

'Steef, alsjeblieft... Laten we beschaafd blijven... Vind je het heel erg als ik me eerst even aankleed?'

Zijn vingers grijpen mijn blote arm. De handdoek glijdt op de grond. Ik krimp ineen van schaamte en kou.

'Beschaafd blijven? Het moet niet gekker worden. Jij begint tegen mij over beschaafd blijven?'

Hij rammelt me door elkaar. Mijn kind, denk ik, mijn kind. Ik sla mijn hand voor mijn buik. Rebecca gilt. 'Steef, hou op!'

'En jij houdt je bek!' schreeuwt hij terug en ik kijk van hem naar haar, naar de kleine jongen. Ik heb de grootste fout van mijn leven gemaakt. Ik moet dit zien op te lossen, alleen ik kan dat doen. Mijn verstand gebruiken. Ik pak de handdoek van de grond en houd hem als een schild voor mijn lichaam. Daarna recht ik mijn rug en ga tussen Steef en Rebecca in staan. Ik weiger te trillen, weiger bang te zijn voor zijn intimiderende gedrag.

'Luister,' begin ik, 'dit willen we niet. Hier krijgen we spijt van. Ik ga me nu aankleden. Jullie gaan rustig in de kamer zitten, ik kom er zo aan en dan gaan we er normaal over praten. Laten we niet zo'n vertoning maken waar de kleine bij is.'

Steef knijpt zijn ogen samen en staart me aan als een giftige slang. Even ben ik bang dat hij uit zal halen. Ik zie hoe zijn kaken zich spannen en hij zijn neusvleugels openspert en ik bereid mijn gezicht voor op de klap.

'Oké. Maar ik vermoord je als je niet terugkomt.' Hij perst zijn woorden tussen zijn tanden door.

'Mag ik Sem in je bed leggen?' vraagt Rebecca met een rare hoge stem en ik knik en wijs haar de slaapkamer. 'Jullie hebben twee minuten,' zegt Steef.

Ik draai de badkamerdeur achter me op slot. Ik heb maar een paar minuten. Ik kijk naar het raampje boven de wastafel, daar kan ik met geen mogelijkheid doorheen. Mijn mobiel ligt in de kamer. Ik ben overgeleverd aan een gek.

Ik kan, als ik de badkamer uit kom, rechtdoor het gangetje in rennen, de voordeur opentrekken en er met een rotgang vandoor gaan. Ik schat dat de receptie zo'n zes, zeven minuten rennen is. Ik trek mijn slipje aan, schiet in mijn T-shirt en spijkerbroek, pak het roestvrijstalen prullenbakje en zet dat voor de wastafel. Het houdt me net. Buiten is het een groot zwart gat. Nergens brandt licht.

Er wordt op de deur geklopt.

'Eva, kom je?' fluistert Rebecca.

'Momentje,' roep ik. Een klamme golf van misselijkheid slaat door me heen. Er zit niets anders op dan de kamer in te gaan. Ik smeer wat crème op mijn gezicht, lipgloss op mijn lippen, borstel mijn haren, verbijt mijn tranen, haal mijn neus op. Wat er ook gebeurt, ze zullen me mijn baby niet afnemen.

Rebecca zit handenwringend op het puntje van de bank. Steef staat bij het grote raam, shaggie tussen zijn vingers. Hij heeft zichzelf een glas rode wijn ingeschonken. De stilte is gruwelijk. Ik vraag Rebecca of ze wat wil eten of drinken. Ze schudt haar hoofd. Ik pak een glas water en ga naast haar zitten.

'Peter was bij ons…' zegt ze, starend naar de tafel. 'Hij was helemaal in paniek en dacht dat ik wist waar je was. Dat ik wist waarom je was vertrokken. Hij was zelfs agressief… Maar goed. Peter vertrok en toen… Nou ja, toen heeft Steef me gedwongen alles te vertellen.'

Steef beent door de kamer.

'Je hebt mijn zaad gejat. Gewoon gejat. Met instemming van mijn vrouw nota bene. Het is misdadig wat jullie gedaan hebben.' Hij trekt aan zijn sigaret alsof zijn leven ervan afhangt.

'Ik wil dat kind niet. Dat is mijn goed recht. Kinderen moeten een vader hebben. Als iemand dat weet, ben ik het. Maar jullie wijven, jullie verneuken me gewoon waar ik bij sta. Wat denken jullie wel niet van jezelf? De arrogantie! Ben je God of zo, dat je zo over mij denkt te kunnen beschikken?'

'Volgens mij wil ik toch wel een glaasje wijn,' stamelt Rebecca zachtjes.

Ik schraap mijn keel. 'Oké…'

Meer weet ik niet te zeggen. Ik ben compleet verdoofd. In mijn hoofd gebeurt niets. Ik wil alleen maar weg. Weg bij deze gekken. Ik sta op en pak de fles rode wijn van het barretje. Ik schenk een glas in. Mijn bewegingen zijn stram. Ik zoek naar woorden, naar iets wat Steef kalmeert, wat hem overtuigt.

'Je hoeft geen vader te zijn voor dit kind…' Het komt er hortend en stotend uit.

'O, en dat bepaal jij? Jij bepaalt voor mij en voor je zoon of dochter dat het geen vader hoeft te hebben. Weet je wel waar je het over hebt? Het is niet een of andere Babyborn die daar in je buik groeit.

Het is een mens. En die mens is voor de helft van mij. Die gaat op een dag vragen: "Waarom heb ik geen vader?" En ga jij dan antwoorden: "Nou, schatje, jij hebt geen vader omdat ik zo'n egocentrisch loeder ben dat ik heb besloten dat jij geen vader nodig hebt."' Hij haalt diep adem. Zijn gezicht is rood aangelopen van woede. Hij lijkt ieder moment te kunnen ontploffen.

'En van jou, Rebecca, snap ik helemaal geen reet. Jij hebt zo'n moeder. Zo'n gestoord wijf dat jou voor haar eigen lol op de wereld zette. Jij weet hoe het is. En toch flik je me dit, tot twee keer toe zelfs.'

Hij staat wijdbeens voor haar. Ze kruipt bij hem vandaan.

'Ik miste mijn vader niet echt, eerder een broer of zus...' zegt ze, nauwelijks hoorbaar.

'Als je zo zeker weet dat je geen kinderen wilt, Steef, waarom heb je je dan niet laten steriliseren?' vraag ik.

'Is dat de issue hier?' Hij draait zich om en komt op mij af. 'Ga jij nu ook bepalen dat ik in mijn pik moet laten knippen? De issue is dat jullie me erin hebben geluisd. En nu groeit mijn kind in jouw buik.'

Ik schuifel achteruit en ik kijk terug, recht in zijn ogen. Ik weiger mijn angst te laten zien.

'En dat wil ik niet. Want ik wil niets met jou te maken hebben.'

'Dat hoeft ook niet. En trouwens, ik wil ook niets meer met jou te maken hebben.'

Zijn ogen vernauwen zich tot smalle spleten. Hij lijkt zijn adem in te houden. Ik zet mijn lichaam schrap. Ik heb Rebecca's glas in mijn hand. Als hij me met één vinger aanraakt, sla ik het zo tegen zijn kop.

'*Please*, hou op,' snikt Rebecca op de achtergrond.

'Je hebt me bedrogen, Eva. Ik vertrouwde je en jij hebt me gebruikt als een of andere dekhengst. Je bent het zelfs niet waard de moeder van mijn kind te zijn.'

Ik loop om de bar heen en geef het glas wijn aan Rebecca. Ga naast haar zitten. Wrijf over haar rug. Aan haar heb ik niets. Ik gooi het over een andere boeg.

'Luister,' zeg ik. 'Steef, ruzie maken heeft geen zin. We doen elkaar alleen maar pijn. Als je wilt dat ik mijn excuses aanbied, bij deze. Het spijt me dat het zo is gegaan. Laten we een oplossing bedenken waar we allemaal mee kunnen leven.'

'Er is maar één oplossing waar ik mee kan leven. En dat is dat jij abortus laat plegen.'

Rebecca pakt mijn hand. Brengt die naar haar mond. Drukt er een natte kus op. Ik probeer haar in de ogen te kijken. Ik kan haar wel slaan.

'Wat is er in godsnaam met jou gebeurd, Rebec? Ik bedoel, sorry hoor, maar dit alles was jouw idee!'

'Je had niet weg moeten gaan...' murmelt ze.

'Je had niet achter me aan moeten komen,' sis ik terug.

Er valt een stilte waarin ik per seconde woedender word. Het driftige geïnhaleer van Steef, het gesnotter van Rebecca, het is ondraaglijk. Op het tafeltje naast me staat een telefoon. Ik kan de hoorn pakken. Negen is het nummer van de receptie. De negen indrukken en om hulp roepen.

'Je kunt me niet dwingen tot een abortus, Steef...'

'O ja, dat kan ik wel. Je hebt mijn zaad gestolen. Ik eis het terug.'

'Dat wordt een interessante rechtszaak. Maar die ga jij niet winnen. Denk je dat iemand een corrupte agent die verdacht wordt van moord serieus neemt?'

'Als je dat kind krijgt, maak ik je leven tot een hel.'

'Dat doe je helemaal niet. Als je dat doet, bel ik je collega's over wat ik gezien heb, die nacht. Hoe jij met een pistool achter die jongen aan ging.'

Hij schiet in de lach.

'Ik heb dat joch niet koud gemaakt. De dader hebben ze vanmiddag opgepakt. Ik ben vrij van verdenking.'

'Dat zeg jij. Maar het lijkt me toch niet de bedoeling dat je als agent in je vrije tijd met een wapen achter iemand aan gaat.'

Rebecca staat op. 'Mag ik even bij Sem kijken?' vraagt ze aan Steef.

Hij knikt. En ik weet het, ik weet het ineens, hoe Rebecca het voor elkaar heeft gekregen het kind te houden. Hoe ze Steef paait en koest houdt. Door te buigen. Te huilen. Te smeken. Te plezieren. Er zit niets anders op dan dat ik me overgeef. Met tegen hem in gaan zal ik niets bereiken. Hij wil me op de knieën dwingen. Dus krijgt hij me op de knieën. Mijn hoofd zakt tussen mijn schouders en ik laat de tranen komen. Het is niet moeilijk mijn verdriet los te laten.

'Alsjeblieft Steef, doe me dit niet aan...'

'Het is het beste.'

'Ik kan het niet... Ik heb al een kind verloren... Je weet niet hoe het is...'

'Je zadelt mij met een kind op. Het kind krijgt een vader die hem niet wil. En dan ga je ook nog weg bij Peter... Wat voor leven gaat dat kind dan tegemoet? Alleen om jou gelukkig te maken? Dat is toch egoïstisch, Eef? Een kind dat met zoveel bedrog tot stand is gekomen, dat kan toch niet gelukkig worden?'

Zijn stem klinkt al zachter. Hij komt naar me toe en gaat in de stoel tegenover me zitten.

'Het is ook het broertje of zusje van Sem... Je eigen kind, Steef, waarom wil je dat vermoorden?'

'Het is een principekwestie.'

Hij aarzelt. Ik hoor het. Ik laat me van de bank glijden, op mijn knieën, kruip naar hem toe. Hij fluistert: 'Eva, alsjeblieft...'

Ik leg mijn handen om zijn kuiten, mijn hoofd in zijn schoot. Ik smeek. Het geeft niet. Ik heb zo vaak gesmeekt om een baby. Vergeef me. Vergeef ons kind. Laat me alsjeblieft een goede moeder zijn. Ik wil geen ruzie, ik wil niet haten. Hij legt zijn hand op mijn hoofd, als een vader. Mijn hart fladdert in mijn borst. De stilte duurt eindeloos.

'Ik kan niet tegen huilende vrouwen,' zegt hij schor. Ik huil zijn schoot nat. Ik heb genoeg tranen. Het zijn de tranen waar ik zo bang voor was. Ik kan nooit meer ophouden.

'Het was anders geweest als je bij Peter was gebleven,' mompelt hij. 'Hij verdient het gelukkig te zijn en jij bent de enige die hem gelukkig maakt. Je had hem moeten zien, Eef. Hij is echt wanhopig.'

Ik sla mijn armen om zijn middel. Druk mijn hoofd tegen zijn buik.

'Als je het wilt, ga ik mee terug,' stamel ik en ik snuif een laatste keer, de geur van leer en sigaretten. Ergens in de verte hoor ik Re-

becca roepen. Ik blijf liggen. Nog even. Het moment vasthouden.
'Dat is het beste, Eef. Dat je met ons meegaat.'
Ik knik.
'Mag hij wel de vader zijn van jouw kind?' vraag ik. Hij legt zijn hand op mijn hoofd. Dan vliegt de kamerdeur open. Ik kijk op. Een schreeuw. Verblindend licht vanuit de hal. Een koude windvlaag kruipt over mijn rug. Steefs hand duwt me beschermend tegen zijn buik. Ik hoor een klik, draai mijn hoofd omhoog en zie de loop tegen Steefs slaap.

Peter

34

Ik wil dat het lawaai in mijn kop ophoudt. Al de hele weg hoor ik snerpende, gierende gitaren en gekrijs van Axl Rose, Bono, Bowie, Robert Plant. Ze moeten weg. Ik wil stilte. Ik kan niet nadenken zo. Het is van het grootste belang dat ik rustig ben. Niet te wanhopig, niet hyper. Voorzichtig aanbellen. Bescheiden glimlachen. Ik wil alleen maar met je praten. Mag ik alsjeblieft binnenkomen? En dan gaan we praten, eindelijk. Als volwassenen. Denk aan wat Sanne zei. Haar geen verwijten maken. Vertellen hoe ik me voel. Luisteren. Begrip tonen. Haar de tijd geven. Ze heeft gezegd dat er geen ander is. Geloof dat dan ook. Voordeel van de twijfel. Geen alcohol.

Ik kan me niet concentreren. Bowie komt ertussendoor. Het stemmetje van Ziggy Stardust.

Ziggy played guitar

Ik had gitaar kunnen spelen. Maar ik was te laf, te slap. Als ik gitaar had gespeeld, had ik de vrouwen van me af moeten slaan.

Ook het jointje helpt niet. Het maakt alleen maar dat ik nog meer muziek hoor. Ik word doorlopend getest. Moet het album weten, het jaartal van verschijning. En ik weet het, ik ben er goed in en waarom ben ik dan chef sport? Omdat het een baan is en het goed verdient en je op mijn leeftijd een baan moet hebben die goed verdient, om je gezin te onderhouden en de hypotheek af te lossen en verder niks.

> People say a love like ours will surely pass,
> but I know a love like ours will last and last
> The Babys, album *Head First*, 1978

Als Eva terugkomt, wordt alles anders. We gaan weg uit De Zonnepolder. Ik neem ontslag. Misschien gaan we naar het buitenland, samen. Samen iets opzetten. Dat ga ik voorstellen. Wat is je droom, Eva? Toch niet wonen in een kloonwoning, de rest van je leven tussen andermans kinderen doorbrengen? Was onze droom niet ooit om te vertrekken, ergens een strandtent te beginnen? We zijn vrij om dat te doen. Als we maar samen zijn. Dan tillen we het zo van de grond. Een goed team moet je nooit uit elkaar halen. Neem Abba. Guns N' Roses. Pink Floyd. The Beatles. Er is hoop voor ons. Dat zegt je zus ook. We moeten alleen een nieuw doel creëren.

Ik rijd het parkeerterrein op.

> How you gonna see me now,
> please don't see me ugly babe
> Alice Cooper, album *From The Inside*, 1978

Ik zie je auto staan tussen de Audi's en de Peugeots. Als ik parkeer en in mijn achteruitkijkspiegel kijk, zie ik de Ford van Steef. Mijn hart bevriest. Steef hoort niet in het scenario thuis. Ik had Steef al weggedacht.

Dus toch. Ik ben niet paranoïde, ik ben niet gek. Het is wel waar, hij is bij je, voor hem heb je mij verlaten. Ik stap uit en gooi de deur dicht, loop rondjes over het parkeerterrein. De waarheid komt hard aan. Wat moet ik doen?

Ik wil niet alleen terug. Ik wil jou.

De woede trekt over me als een veenbrand. Ik begin te rennen. Waar ben je, waar zit je, wat doe je? Het is ineens zo donker. Gitzwart is de nacht. De bomen lijken over me heen te vallen. Ik mag niet verliezen. Als ik het laat gaan, als ik vertrek, ben ik je zeker kwijt. Ik moet je laten zien hoe groot mijn liefde is. En als je me afwijst, geef me dan in ieder geval de waarheid. Daar heb ik recht op. Ik ben je man.

Ik duik onder de slagboom door en sla zomaar een weggetje in. Op zoek naar licht. Waar licht brandt, daar kun jij zijn. Bijna alle huizen zijn donker. Ik zoek. Struin door de struiken, gluur door glazen deuren. Er blaft een hond. Ik ren weg. Ik zie een stel heftig vrijen op de bank. Jij bent het niet. Je zou het wel kunnen zijn. Een dag van mij verwijderd en nu al neuken met een ander. Niets nieuws voor jou. Je doet het al maanden met hem. En daarom wilde je nooit met mij. Het kan net zo goed zijn dat je je in een van de donkere huizen bevindt. Dat jij en Steef in bed liggen. Zijn armen om je middel, jouw handen om de zijne gevouwen. Eindelijk samen. Hij is het soort man dat jij altijd al hebt gewild, maar dacht nooit te kunnen krijgen. Maar op hem heb je gewacht. Ik was slechts je wachtkamer. Een grote, sterke, vruchtbare man boort nu zijn pik in je en jullie kijken elkaar aan, lachend. Fantaseren samen over een tentje aan het strand.

Ik ren langs de paden, geen idee waar ik ben. Ik ga op een groot gebouw af, een soort ufo van glas, waarin het krioelt van de mannen in pak. Ze vieren feest. Jij viert feest. Bevrijding. Het is bevrijdingsdag. Ik kom bij een open plek, er staan huisjes aan de rand van een grote vijver. De maan schijnt in het water. *Ik ben de vrouw van Peter Nijhoff. Maar nu even niet. Nu lig ik even te wippen met de buurman.*

Dat dit gebeurt. Dat je me dit aandoet. Al die jaren dat ik alleen voor jou leefde. Zo is het, ik leef voor jou, je denkt toch niet dat er voor mij nog een ander leven in het verschiet ligt? Nee. Jij laat me achter en ik zal langzaam tot stof vergaan. Dat weet je. In feite maak je me af. En dat zal ik je laten zien. Ik zal je mijn dood in de schoenen schuiven. Want zo is het. Er is geen leven zonder jou. Hoe moet ik dat doen, helemaal alleen?

Gelukkig heb ik het pistool niet weggegooid. Ik reed over de Waalbrug bij Zaltbommel en dacht dat het een ideale plek was om het in de Waal te gooien. Ik miste de afslag. Het komt wel, dacht ik. Ik had haast om bij jou te komen.

Als ik je vind, ga ik naar binnen. Ik ga voor je staan en blaas mijn kop eraf. Mijn bloed zal in je ogen spatten. Jullie liefde voor eeuwig bezoedelen. Ik zie het voor me. Je blik, vol afgrijzen. Hoor je geschreeuw. Zonder angst hef ik het pistool. Doe mijn ogen dicht. Gitaren overstemmen jullie gejeremieer. Je realiseert je dat je de rest van je leven iets uit te leggen hebt. Ze zullen zeggen: het is niet jouw schuld, hij koos ervoor zijn leven te beëindigen. Maar jij weet dat het niet zo is. Jij weet dat je me de dood hebt ingejaagd. Jij hebt mijn leven in feite al beëindigd. Nooit, nooit zul je meer gelukkig worden.

Het enige dat ik hoor is mijn eigen zware ademhaling. Ik schrik van een eend die het water in glijdt. Links, aan de rand van de vijver, staat een huisje waar licht brandt. Jouw licht. Ik voel het. Ik houd me laag bij de grond. Mijn voeten zakken weg in het zand terwijl ik naar je toe sluip, stap voor stap. Als ik je zie zitten, je gezicht in je handen, je schokkende lichaam, is het alsof mijn hart een vrije val maakt. Het is echt. Daar ben je. Met Steef. Je zit tegenover hem als een bevende schoothond. Zijn mond is een streep. Hij lijkt onverbiddelijk. Je zinkt op je knieën en kruipt naar hem toe. Het is walgelijk. Ik kan het niet aanzien.

In mijn hoofd een kakofonie van gitaren.

Ik weet niet hoe ik bij de deur kom. Hij is gewoon open. Nu ben ik aan zet.

Ik sla mijn hand om de koele kolf en haal het pistool uit mijn zak. Vanuit de slaapkamer klinkt een schreeuw. Onbelangrijk. Ik storm door, de kamer in en ik zie hem zitten, zelfingenomen als een goeroe. Hij kijkt om. De blik op zijn gezicht, zijn uitpuilende ogen. Dit beeld is goud waard.

Ik trek de slede naar achteren. Ik richt. Niet op mezelf, ik gun het hem niet, ik gun hem haar niet, ik zal ze hoe dan ook meeslepen in mijn val, ze is niet meer van mij maar ook niet van hem, met zijn walgelijke gebruinde hoofd. Ik richt op de dikke, kloppende ader die over zijn slaap kronkelt. Zijn bloed zal vloeien. Zijn hersenpulp zal in de rondte spatten. Eva zal onder zitten. Ik open mijn mond en herken de klank niet die ik uitstoot. Waar het vandaan komt, weet ik niet maar het wakkert mijn vuur aan, maakt me nog razender dan ik al was. Nu wordt er naar me geluisterd. Nu word ik gezien.

'Haal die poten van je van haar af, vuile, smerige bedrieger!'

Ik krijg mijn handen niet stil. Ze zijn zo nat dat het pistool er bijna uit glijdt. Ik wapper alle kanten op. Eva kruipt weg van zijn schoot, duikt achter de stoel. Ik zie haar sidderen.

Ik schreeuw.

'Blijf hier! Of ik schiet je kapot!'

Ze stopt. Op handen en knieën zit ze in de kamer. Rolt zich op. Trilt en jankt. Siddert voor mij. Heel goed.

Steef mompelt wat. Iets over dat ik het verkeerd begrijp. Hij heeft op haar ingepraat. Het komt goed, het komt allemaal goed. Hij strekt zijn hand uit.

'Eva gaat met ons mee, terug naar huis…' fluistert hij hijgend.

Waarom zou ik hem geloven?

'Geef je wapen maar aan mij. Niemand hoeft hiervan te weten.'

Zijn rust. Ik haat hem. Zie het weer voor me. Hoe hij haar hand pakte. Haar vol zelfvertrouwen naar het matras leidde. Ik wil dat hij de pijn en de angst voelt die ik voel.

'Ik ga je doodschieten, Steef.'

'Laten we praten. Alsjeblieft.'

'Ik heb genoeg met jou gepraat.'

Mijn vinger om de trekker. Zijn angstige blik. De dood. Het koude, levenloze lijfje van Lieve.

'Denk aan je kind. Wat heeft je kind aan een vader die in de gevangenis zit?'

Hij begint te schokken. Heft zijn handen beschermend boven zijn hoofd. Hij maakt een piepend, angstig geluid. Steef doet het in zijn broek van angst. Het is heerlijk om te zien. En nog is het een vuige hufter. Nog durft hij over ons kind te spreken.

Het gedempte jammeren van Eva.

'Hij heeft gelijk, Peter. Wij krijgen een kind…'

Ik kijk van de een naar de ander.

'Jij en ik…'

Mijn kiezen boren zich in mijn wangen.

Ik proef de metalige smaak van bloed. Ze draagt zijn baby.

Het wordt per minuut walgelijker. En nu gaan ze me op de mouw spelden dat het mijn kind is.

Ik richt opnieuw. Zijn gezicht verkrampt, hij perst zijn ogen dicht. Snot loopt uit zijn neus. Hij smeekt. Draden speeksel tussen zijn lippen. Hij maakt geen geluid meer.

Ik span mijn vinger om de trekker. Ik kan het niet. Ik zie mijn dode Lieve in het glazen bakje van het ziekenhuis. Er is een kind in het spel.

En dan.

Oorverdovend is de knal. Een lichtflits zo wit als sneeuw dwars door me heen. Warme pijn in mijn flank. Ik sta in brand. Ik wentel me om mijn eigen as, zie Rebecca in de deuropening staan, mond open, ogen opengesperd van angst, haar handen om het wapen geklemd.

Bloed gutst uit mijn zij. Ik wankel, maar ik laat me niet vallen. Er is beweging om me heen. Ze zullen me afmaken. Zelfbescherming. Ik schiet voordat ze nog een keer kan schieten. Nu kan ik het wel.

Ik zie haar dubbel klappen. Eva rent ineengedoken naar haar toe. Vangt haar op, sleept haar naar de bank.

Het gegil moet ophouden. We zijn geen mensen meer. We zijn een brij, ik worstel me uit de brij van licht en lawaai, het stopt alleen maar als ik er een einde aan maak. Ik ben een pompende, ronkende machine. Zwaai met het pistool om me heen. Steef veert op. Grijpt naar mijn handen. Ik heb slechts één kans. Ik haal de trekker nog een keer over, het gaat gemakkelijker nu. Steef zakt als een lappenpop tegen de muur in elkaar.

Eva krijst als een meeuw.

Ik hoor een klik.

Draai me om.

Zie een waanzinnige.

Zij of ik. Ik wil niet alleen gaan. Ik wil niet alleen blijven. Ik houd van haar. Ik neem haar mee. Het is niet moeilijk. Ik verlos ons.

We schieten allebei. Haar kogel ketst tegen het plafond. De mijne raakt haar hart. Ze laat het wapen vallen. Het zeilt over de grond. Ik kijk naar mijn vrouw die als vertraagd ineenzakt, over het lichaam van Rebecca heen.

Ik voel niets.

Ik draai me om, naar Steef. Een zombie. Zijn hand grijpt naar het wapen dat voor zijn voeten ligt. Het laatste schot. Ik kan het wel. Ik ril niet meer. Van ijs. Van steen ben ik. Ze komen er niet mee weg. Ik neem ze mee naar de hel.

Als het eindelijk stil is. Ik eindelijk ineenzak. Me over wil geven aan de kou, de loop op mijn hart gericht. Ik kan mijn hand niet hoger krijgen. De pijn zal niet lang duren. Als het tot me doordringt. De gitaren verstommen. Als ik geen andere keuze heb dan op mijn hart te richten en nog een keer de trekker over te halen. Als de tranen beginnen te stromen en het snikken brandend pijn doet. Pas als ik te laf blijk, te laf om me van het laatste restje leven te ontnemen. Dan zie ik hem. Hoor ik hem. Hij zit in het hoekje van de keuken. Weggedoken onder het aanrechtblad. Zijn knuffelkonijn in zijn knuistje geklemd. Hartverscheurend gehuil.

Dan komt het besef. Wat ik gedaan heb. Dat mijn straf is dat ik leef en zijn ogen zal zien, altijd. Voor hem blijf ik in leven, voor hem zal ik boeten. Ik probeer mijn hand naar hem uit te strekken. Gaat niet. Mijn mobiel uit mijn jaszak te peuteren. Vlammende pijn.

'Het spijt me,' fluister ik. Hij stopt met huilen. Duwt zijn speen in zijn mond. Staart me aan met grote, verschrikte blauwe ogen.

Ik glijd weg. Weg in ijzige kou.

Hou me vast.

Dat is wat ik wilde. Dat ze me vasthield, zo nu en dan.

Bij het schrijven heb ik me laten inspireren door de volgende muziek:

The Babys, 'Every Time I Think Of You' (*Head First*, 1978)
David Bowie, 'Ziggy Stardust' (*Ziggy Stardust*, 1972)
David Bowie, 'Heroes' (*Heroes*, 1977)
Tracy Chapman, 'Baby Can I Hold You' (*Tracy Chapman*,1988)
Alice Cooper, 'How You Gonna See Me Now' (*From the Inside*, 1978)
Robert Cray, 'Right Next Door (Because of Me)' *(Strong Persuader*, 1986)
The Eagles, 'Lyin' Eyes' (*One of These Nights*, 1975)
Guns N' Roses, 'Sweet Child O' Mine' (*Appetite for Destruction*, 1987)
Guns N' Roses, 'Welcome to the Jungle' (*Appetite for Destruction*, 1987)
Jimi Hendrix, 'Hey Joe' (*The Jimi Hendrix Concerts [live]*, 1982)
Rupert Holmes, 'Him' (*Partners in Crime*, 1979)
Billy Idol, 'White Wedding' (*Billy Idol*, 1982)
Rob de Nijs, 'Banger Hart' (*De Band, de Zanger en het Meisje*, 1996)
Harry Nilsson, 'Without You' (*Nilsson Schmilsson*, 1971)
Normaal, 'Oerend Hard' (*Oerend Hard*, 1977)
Pink Floyd, 'Speak To Me' (*The Dark Side of the Moon*, 1973)
Pink Floyd, 'Wish You Were Here' (*Wish You Were Here*, 1975)
Pink Floyd, 'Shine On You Crazy Diamond' (*Wish You Were Here*, 1975)
Steve Miller Band, 'Circle of Love' (*Circle of Love*, 1981)
Donna Summer, 'No More Tears (Enough is Enough)' (*On the Radio*, 1979)
Survivor, 'Eye of the Tiger' (*Eye of the Tiger*, 1982)
Talking Heads, 'Once in a Lifetime' (*Remain in Light*, 1980)
U2, 'Elevation' (*All That You Can't Leave Behind*, 2000)
U2, 'Vertigo' (*How to Dismantle An Atomic Bomb*, 2004)
Whitesnake, 'Here I Go Again' (*Saints & Sinners*, 1982)
The Who, 'My Generation' (*My Generation*, 1965)
Robbie Williams en Guy Chambers, 'Feel' (*Escapology*, 2003)
Paul Young, 'I'm Gonna Tear Your Playhouse Down' (*The Secret of Association*, 1985)
Led Zeppelin, 'Stairway to Heaven' (*Led Zeppelin IV*, 1971)

Dankbetuiging

Zonder de steun van mijn lieve man Marcel en mijn kinderen was dit boek er niet gekomen. Ik dank ook de vrienden die me niet hebben laten vallen, ondanks het feit dat ik er nog maar zelden voor hen ben. Mike, omdat je me de ruimte gaf door te schrijven toen mijn huis in puin lag, Esther en Gerben voor de informatie over wapens en politie, informatie die ik naar mijn hand heb gezet; mocht ik fouten gemaakt hebben, aan jullie heeft het niet gelegen. Marc Spitse voor je inspirerende column over Vinex-wijken en Elsa, Chris, Febe en Wendy voor jullie warme, intensieve begeleiding en jullie geloof in mij.

MIJN WELGEMEENDE EXCUSES

Voor het met grote regelmaat afzeggen, verzetten en soms niet nakomen van afspraken, voor alle keren dat ik er niet was, voor het niet beantwoorden van mails en sms'jes, voor al mijn chagrijnige buien tegen het einde van het schrijfproces, voor het niet halen van deadlines en voor het bewust op afstand houden van sommige dierbaren en hun problemen. Het was allemaal ten behoeve van *Nieuwe buren*.

Het is niet mijn bedoeling met dit boek iemand te kwetsen, beledigen, veroordelen of te provoceren. *Nieuwe buren* is niet gebaseerd op werkelijke gebeurtenissen in mijn eigen leven, noch op dat van anderen in mijn omgeving.